PROJECT BABYLON

www.mynx.nl

Andreas Wilhelm

Project Babylon

Oorspronkelijke titel: Projekt Babylon
Vertaling: Hans van Cuijlenborg
Omslagontwerp: © Design Team München + Corbis / HildenDesign

Eerste druk mei 2007

ISBN 978-90-225-4743-4 / NUR 330

Mynx is een imprint van Meulenhoff Boekerij bv, Amsterdam

Voor Martina, mijn vorstin

Je moet wel getikt zijn om een geheim in een andere vorm te gieten dan een waarbij het voor de gewone sterveling verborgen blijft en zelfs voor geleerden en serieuze studenten slechts met moeite is te doorgronden.

Epistel over de nietigheid van de magie,
Roger Bacon (omstreeks 1214-1294)

1

10 april, bergweide in de Haut-Languedoc, Zuid-Frankrijk

De herder werd wakker met hartkloppingen. Iets had hem als met een donderslag uit zijn slaap gewekt, misschien een geluid, of een vermoeden, of iets wat hij had gedroomd.

Hij ging rechtop zitten en keek zenuwachtig om zich heen. Zijn kudde graasde groepsgewijs onder de bomen en de struiken. Er kwam vrijwel nooit iemand uit het dorp zo ver naar boven, maar Jacques kon de kletspraat van de anderen missen als kiespijn. Hij wist sappige, rustige hoogten voor zijn schapen te vinden en die waren hem er dankbaar voor. Maar ze waren onrustiger dan normaal. Hij zocht de lucht af en toen zag hij het. Als een donker kleed schoven enorme regenwolken uit het oosten over de berg. En dat ging ongebruikelijk snel. Daarom was hij wakker geworden. Het was een naderend onweer en dat bespeurde hij zo goed als zijn kudde.

Hij stond op, pakte zijn tas en dreef zijn beesten bij elkaar. Het nadeel van dit hooggelegen weitje was dat je je op het weer moest verlaten, want de dichtstbijzijnde schuilplaats met een omheining lag een paar kilometer verderop, in de beschutting van bomen.

Bezorgd keek de herder omhoog toen de eerste druppels vielen, hoewel de wolken nog niet boven hem waren. Dit werd niet zomaar een bui, dit werd onweer.

10 april, Palais de Molière, nabij Parijs

Er zaten nog slechts enkele gasten buiten toen op het gazon voor het paleis een helikopter landde. Twee veiligheidsbeambten stonden op het bordes voor de ingang en bekeken de landing. Een van hen kreeg instructies via zijn koptelefoon, hij bevestigde deze in een verborgen microfoon en gebaarde vervolgens naar achteren. Op dat teken kwamen twee lakeien uit de villa en liepen in gebukte houding naar de helikopter, waarvan de rotoren net tot stilstand kwamen. De mannen deden de zijdeur open en een vrouw en een man stapten uit, beiden halverwege de dertig, elegant maar onopvallend gekleed, die de lakeien beduidden dat ze zichzelf wel konden redden. Achter hen rees een imposante verschijning op. De rijzige gestalte, in een donkergrijs driedelig pak gestoken, met een witte das, witte handschoenen en een zwarte jas met cape maakte bijna de indruk uit een vroeger tijdperk te komen. Zijn kleding was van de beste kwaliteit, hij had een grijze baard en de uitdrukking op zijn gezicht was er een van superieure ernst. Zijn jongere begeleiders kwamen achter hem aan toen hij met afgemeten pas op het feodale gebouw af liep.

De president hield zoals elk jaar zijn voorjaarsreceptie in het Palais de Molière. Als man van het volk wilde hij niet vanuit een ivoren toren regeren, maar altijd rechtstreeks in contact blijven met de mensen van zijn land, de groten van de economie, de media en de cultuur. De meeste gasten kenden elkaar niet persoonlijk, maar wel uit de media. Zo was het voor de genodigden opwindend te kijken en bekeken te worden, en slechts weinigen viel deze eer meer dan één maal te beurt.

En toen de heer met de zilvergrijze baard en zijn begeleiding door de hal liepen, week het gezelschap onwillekeurig uiteen, gesprekken vielen stil, een paar gasten knikten de nieuwkomers toe. De drie gingen naar een rustige hoek, waar een glazen wand uitzicht bood op de tuinen van het paleis, terwijl een lakei ze iets te drinken aanbood.

Het was al aan het schemeren, hoewel het nog niet zo laat was. Maar de lucht was betrokken. Het zou gaan regenen.

'Wat een tijdstip,' zei de jongeman. 'Maar niets is zeker.'

'Niets is ooit zeker,' antwoordde de oude man, 'maar we hebben nog nooit zoveel tekens gezien.'

'Steffen, er wordt naar je gevraagd.' De vrouw ging een pas achteruit. 'Wij trekken ons nu terug.'

President Michaut had zich op beminnelijke wijze uit een gesprek met twee economische adviseurs kunnen losmaken toen hij de graaf met zijn beide begeleiders zag binnenkomen. En zonder de indruk van al te veel haast te willen wekken, pakte hij nog een glas port voordat hij naar zijn gast liep.

'Monsieur le comte, ik ben heel blij dat u zo op de valreep hebt kunnen komen!'

‘Het genoegen is geheel mijnerzijds, monsieur le président! Maar wat voor ogenblik hebt u ervoor uitgekozen…’

‘Inderdaad, een bont gezelschap als het huidige is wellicht niet het beste kader voor ons gesprek, maar de zaken zijn nu eenmaal urgent. Of doelde u op het weer?’

‘Allebei, en geen van beide.’ De man, die door de president met ‘graaf’ werd aangesproken, bekeek zijn gesprekspartner met een subtiel glimlachje. Voor een buitenstaander zou het lijken alsof de president tegenover een reus stond, voor wie hij respect had als voor een vooraanstaand mentor. Wellicht was hij dat ook, maar behalve de president kende niemand de graaf en wist niemand wat hun band inhield.

De wind was nu duidelijk frisser geworden. In koude vlagen zwol hij aan, voerde steeds dikkere regendruppels en de lucht van vochtige aarde mee. Het dreigde een zwaar onweer te worden. Met toenemende haast dreef de herder zijn zenuwachtig blatende kudde bijeen. Een blik op de hemel maakte hem duidelijk dat hij niet veel tijd meer had. Boven de bergtoppen was het nu pikdonker geworden. Een diep gerommel klonk erachter.

‘Verdomme!’ vloekte de herder, toen hem duidelijk werd dat het onweer met zoveel vaart over de berg kwam dat hij het onmogelijk kon ontlopen. ‘Vlug, vooruit, vlug!’ Hij dreef de schapen verder in de hoop ze in elk geval allemaal weer op het pad te krijgen dat ze kenden en dat ze desnoods alleen konden volgen.

Alsof de wereld verging gingen de incidentele druppels die de wind voor zich uit woei, binnen enkele ogenblikken over in een wolkbreuk. Even snel als de regen het uitzicht vervaagde met een grauwsluier, leken nu de onweerswolken het laatste licht weg te nemen.

De herder wilde net nogmaals vloeken toen hij ineenkromp door een bliksemschicht, onmiddellijk gevolgd door een oorverdovende donderslag pal boven zijn hoofd. De schapen blaatten angstig, enkele sprongen in paniek over elkaar heen, andere drongen elkaar aan de kant. Een groepje rende de helling op en de herder ging zonder een ogenblik te aarzelen achter ze aan.

Het viel niet mee de wild geworden beesten in de stromende regen in de gaten te houden. Hij volgde ze over het steeds ruiger wordende terrein, voorbij bremstruiken en graspollen. De wolkbreuk veranderde de grond algauw in een glijbaan. Meer dan eens gleed hij uit over het slijk en de scherpe rotsen. De ondergrond werd steeds instabieler en helde ook steeds meer. De geschrokken schapen moesten hier als gemzen overheen gesprongen zijn. Hij zag er nog net een op de helling tegenover hem achter een rots verdwijnen, wellicht was de rest naar beneden gestort.

Verbeten klom de herder achter ze aan. Hij dacht er niet aan dat hij de rest van de kudde achter zich had gelaten of dat hij zelf kon vallen. Voor hem telden slechts de verloren beesten, die hij met evenveel zorg als woede achternazat. Het duurde niet lang of hij moest kruipend verder, om de steeds steiler wordende helling te kunnen bedwingen. Tussen de stukken rots waarvan hij hoopte dat ze zijn gewicht zouden houden, stroomden hele rivieren regenwater naar beneden.

Zijn handen waren gezwollen, rood en ijskoud, toen hij zich met zijn laatste krachten aan een richel optrok. Uitgeput wachtte hij even, snoof eens flink, ging met zijn arm over zijn gezicht in een futiele poging de aanhoudend vallende regen weg te wissen. Hij keek achter zich en schrok toen hij zag hoe hoog hij was geklommen en hoe ver hij het grasland en de boomgrens onder zich had gelaten. Hij had een passage overwonnen waarbij hij in normale omstandigheden een touw nodig zou hebben gehad, laat staan bij deze regen. Wat had hem bezield? Maar nu zat hij hier, rillend, nat tot op het bot en uitgeput. Waarschijnlijk zou hij een longontsteking oplopen. Joost mocht weten wanneer dit onweer voorbij zou zijn en hoe hij in godsnaam weer omlaag zou moeten klauteren.

Geblaat deed hem omkijken en toen zag hij het. Slechts een paar meter bij hem vandaan was de ruime ingang tot een grot. Die goeie beesten! Ze hadden hun instinct gevolgd, hadden deze schuilplaats gevonden en moesten er naar binnen zijn gevlucht. Met hernieuwde krachten kwam hij overeind, klauterde nog een stukje omhoog en betrad de grot.

'Neemt u mij niet kwalijk, wat zei u?'

'Ik vroeg of u mijn toespraak op de EU-top op televisie hebt gevolgd.'

'Het spijt mij, monsieur le président, ik was even afgeleid. Wie naar uw prachtige tuin kijkt ziet zo veel...'

De president keek nu ook naar buiten. De regen liep in goudglinsterende straaltjes van de vensters. Daarin werden de luchters en de kaarsen in de zaal weerspiegeld, terwijl de daarachter liggende tuin in duisternis gehuld was.

'... maar inderdaad, ik heb uw redevoering gevolgd,' vervolgde de man met de zilvergrijze baard. 'Ik bewonder uw openheid. Vertelt u eens hoe de anderen het opgenomen hebben.'

'Ik wil u niet beledigen, maar ik heb de indruk dat u elders bent met uw gedachten. Wij kunnen elkaar ook een andere keer treffen, monsieur le comte.'

'Dat klopt, ik ben afwezig. Ik dank u voor uw begrip. Ik zou mij inderdaad graag straks weer bij u vervoegen, als u dat niet erg vindt.'

'Natuurlijk niet, ik bekommer mij ondertussen wel om de andere gasten. Schroomt u niet mij op het juiste ogenblik aan te spreken.'

'Dat zal ik zeker doen. Nogmaals bedankt, monsieur le président.'

De president was nog niet weg of de beide begeleiders doken weer op en gedrieën gingen zij, alsof het zo was afgesproken, weer voor het venster staan om naar de regenachtige avond te kijken.

De herder maakte licht en zocht op de vloer bij de ingang naar iets brandbaars. Uiteindelijk lukte het hem een bosje droge takken als geïmproviseerde fakkel in brand te krijgen. Bij het schijnsel van de vlammen vond hij een van zijn beesten. Het had zich in een nis tegen de wand gedrukt en keek angstig naar het licht. Met kalmerende woorden liep hij op het schaap toe en stak zijn hand uit. Het schrok voor hem weg, maar de herder had voldoende ervaring om te weten hoe hij het dier moest kalmeren. Langzaam liep hij naar de nis terwijl hij bleef praten. Met voorzichtige bewegingen haalde hij een bosje verlepte kruiden uit zijn jaszak. Het waren planten die maagstoornissen bij schapen verhielpen en de vertering bevorderden, ze aten ze graag, als ze ze ergens vonden, maar omdat deze geneeskrachtige planten hier niet groeiden, had hij er altijd wat van bij zich. Zoals verwacht toonde het schaap belangstelling en de herder kon naderbij komen. Algauw was hij bij het dier, zodat het wat van de kruiden kon eten en aan zijn hand kon ruiken. Een poos stond hij daar en keek nieuwsgierig om zich heen. De grot was op dit punt weinig meer dan manshoog, maar afgaande op de echo zette hij zich nog een flink stuk in de berg voort. Wellicht werd hij verderop ook ruimer. Hij was niet echt nieuwsgierig genoeg om op verkenning uit te gaan. Natuurlijk, er waren hier geen wilde dieren, beren of wolven, maar met alleen een fakkel als verlichting bekroop hem een onbehaaglijk gevoel bij de gedachte aan een expeditie in de duistere diepten.

De vloer van de grot was heel gelijkmatig, met wat steenslag dat in de loop van honderden en wellicht duizenden jaren van het plafond naar beneden was gekomen en dat overal lag. De herder bukte zich: het leek alsof de vloer ooit met opzet was geëffend en gereinigd. Met de wanden was het al net zo: ze waren veel te glad om natuurlijk te zijn. Toen hij naar de wand keek, deinsde hij opeens achteruit. De rotswand was bedekt met allerlei schilderingen. Hij was dus inderdaad niet de eerste mens die deze schuilplaats had gevonden. Hij vroeg zich af of het tekeningen van oermensen waren, zoals er al op andere plaatsen in Frankrijk waren ontdekt, in de grot van Lascaux en die van Chauvet. Hij had daar een paar keer over in de krant gelezen en dat had hem zeer geïnteresseerd, omdat hij altijd zo'n ontdekking had willen doen en daardoor beroemd zou worden. Niet ver van hier, ergens in de buurt van Perpignan voor zover hij zich herinnerde, hadden ze zelfs eens een man uit de steentijd gevonden. Hij deed een stap opzij en verlichtte een ander stuk van de wand. Op de rotsschilderingen van Lascaux leek het hier in elk geval niet. Dit waren geen afbeeldingen van paarden of herten, en hij zag ook geen afdrukken van handen of stippen. Dit was schrift, hoewel het de symbolen en letters betroffen van een taal die hij niet kende. Nee, dit waren geen oude schilderingen, besefte hij teleurgesteld. Misschien waren hier ooit een paar toeristen verdwaald die op de wand hadden staan schrijven? Ook andere plekken waren volgekalkt. Hij liep langs de rotswand en verbaasde zich hoeveel moeite de mensen zich hadden gegeven. Hoe verder hij kwam, des te talrijker werden de tekeningen, de grotwand was er van boven tot onder mee bedekt! Er waren stukken tekst die uitgebreid versierd waren, kleine woordbeelden, maar er waren ook lange teksten bij. Het moest een bont gezelschap geweest zijn, niet alleen omdat er zo onmogelijk veel schilderingen waren, maar ook omdat het nogal uiteenlopende tekens waren, alsof die toeristen verscheidene talen hadden gesproken.

Opeens flakkerde de geïmproviseerde fakkel en doofde. Hij stond in het pikdonker. Terwijl hij geërgerd naar vuur zocht, nam hij een blauwachtig schijnsel waar. Aanvankelijk vroeg hij zich verbaasd af waarvandaan maanlicht zou moeten komen, omdat het toch net was gaan schemeren en de lucht bovendien nog bewolkt moest zijn. Maar toen drong het tot hem door dat het schijnsel niet van de ingang van de grot kwam, maar uit het binnenste. En terwijl zijn ogen aan het duister wenden, zag hij meer details. De gang werd hier breder en maakte een bocht, en daarachter scheen het licht het sterkst.

Zijn nieuwsgierigheid was sterker dan zijn voorzichtigheid en de herder waagde zich dieper de grot in, als betoverd aangetrokken door dat schemerige blauwe licht.

De feestelijkheden in het Palais de Molière bereikten hun hoogtepunt toen het buffet werd geopend. De aanwezigen vergaten heel even hun goede opvoeding en stapelden bergen eten op hun borden. Hoewel ze erg hun best deden zich te gedragen overeenkomstig de gelegenheid en hun eigen elegante kleding, het lukte slechts weinigen zich met enige waardigheid van deze taak te kwijten. Sommigen morsten saus, bij anderen viel een vork of een mes op de grond, weer anderen gaven een bord terug dat eruitzag alsof er een of ander eetlustbedervend bloedbad op had plaatsgegrepen. De drie gestalten bij het venster vormden een uitzondering. Zij bleven daar roerloos naar de tuin staan kijken, met een eigenaardige glans in hun ogen. De gasten hadden druk over die opvallende vreemdelingen gespeculeerd, maar richtten nu hun aandacht liever op krabsalade en toastjes kaviaar.

Niemand behalve zijn begeleiders hoorde dan ook hoe de graaf met ongewoon opgewonden stem zei: 'Het is zover.'

Een hoge kreet weergalmde door de grot. Enkele ogenblikken later rende de herder naar buiten. Zijn ogen waren zo groot als schoteltjes, zijn handen hield hij tegen zijn hoofd, razend trok hij aan zijn haren, krabde zijn hoofdhuid open zodat het bloed over zijn slapen liep. Vervolgens stortte hij zichzelf van de steile puinhelling naar beneden, probeerde zich vast te houden aan stenen en rotsen, stootte een paar keer tegen een rotsblok, dat zijn val even remde, maar toen loskwam en met de herder verder het dal in rolde, totdat hij in een lawine van modder, stenen en bloed ten slotte op vlakker terrein terechtkwam. Zijn kleding was kapot, hij bloedde uit talrijke wonden, hij had een gebroken arm, versplinterde ribben boorden zich in zijn longen, uit een grote hoofdwond stroomde bloed over zijn gezicht. Maar hij bleef niet liggen. Brullend en schreeuwend kwam hij overeind, wankelde even en strompelde vervolgens in manische verstandsverbijstering het bos in.

2

21 april, Museum voor Volkenkunde, Hamburg

Peter Lavell zat in zijn werkkamer de opstelling van de museumstukken te corrigeren die voor de komende tentoonstelling '5000 jaar schrift' waren uitgekozen. De hoogleraar was bezig een tafereel in een vitrine aan te vullen met enkele Egyptische tabletten, waarvan hij wist dat ze in de kelder lagen en bijzonderheden over hiërogliefen illustreerden en die optisch en symmetrisch gezien op de verkeerde bladzijden waren beland of in een verkeerde volgorde stonden. Hij kende de nummers van de catalogus niet, maar hij krabbelde een opmerking en een vrij nauwkeurig schetsje op het blad toen er op de deur werd geklopt.

Carsten Thommas kwam binnen, een man van in de dertig. Hij was nog maar twee jaar in Hamburg, maar hield al sinds zijn studietijd alle lezingen en artikelen van professor Lavell bij. Na zijn studie in Marburg en een paar jaar veldonderzoek in Ethiopië en Turkije had hij gesolliciteerd naar een baan aan de universiteit van Hamburg, om zo in de buurt van de hoogleraar te kunnen zijn. Om diezelfde redenen had hij ook gesolliciteerd naar een post van wetenschappelijk adviseur bij het museum. Hij bewonderde professor Lavell om wat hij wist, om het overzicht dat hij had, om zijn gevoel voor samenhang, dat zo vaak ontbrak bij de specialisten in de diverse vakgebieden en hij had leren omgaan met diens wat afstandelijke en soms cynische manier van doen, die ook bleek bij de lezingen en nog veel vaker bij discussies, in het openbaar, maar ook privé. Dat karaktertrekje maakte Lavell niet overal geliefd en bovendien riep hij de kritiek van zijn wetenschappelijke collega's af over zijn vaak nogal gewaagde stellingen. Maar de aankomende historicus en antropoloog had meer dan eens meegemaakt dat de van oorsprong Engelse Lavell, die zich zelfs niet door de zwaarste kritiek uit het lood liet slaan, uiteindelijk gelijk had. Ook als sommige vermoedens aanvankelijk gedurfd of in het beste geval onwaarschijnlijk leken, waren de samenhangen, vanuit een ander oogpunt bekeken, deels zo voor de hand liggend dat kritiek erop slechts stoelde op drang tot rechtvaardiging van mensen die dezelfde sleutels niet veel eerder hadden gevonden.

Professor Lavell was een lange man van achter in de vijftig, altijd onberispelijk gekleed, geschoren en gemanicuurd. Hij bewoog zich omzichtig, maar wie hem van nabij bekeek kon vaststellen dat zijn gelaatstrekken getuigden van een scherp verstand. Zijn ogen leken je voortdurend te observeren, als een lens die voortdurend werd ingesteld op een andere afstand en lichtverhouding. In zijn ooghoeken ontstonden dan plooitjes en een opgeheven wenkbrauw of een licht trillen, die getuigden van het feit dat Lavells geest wakker en actief was.

'Goedemorgen, Carsten. Hoe was het in Londen?'

Carsten droeg een stapel papieren, een paar dossiers en ongeopende brieven en ging zitten op de oude houten stoel, bekleed met oranje stof. Die stond altijd klaar voor bezoekers, er lagen nooit papieren of ordners op, zoals in de andere kantoren van het museum. Maar het bureau van Peter Lavell was sowieso altijd keurig opgeruimd. Alleen de oude bezoekersstoel van de professor viel uit de toon en had wonderlijk genoeg nog nooit de weg naar de vuilcontainer gevonden. Maar ook al kraakte hij af en toe dreigend, hij leek toch nog heel stevig en op een of andere manier paste hij met die retrocharme bij zijn eigenaar, die elk nieuw technologisch snufje uitermate verdacht vond.

'Goedemorgen, Peter. Londen was oké. Vips, sandwiches, het gebruikelijke. De lezing van doctor Arnherst was heel interessant. Ik heb de afschriften meegenomen.'

'Arnherst, dat was toch die geologe uit Mexico?' Peter leunde achterover en zette zijn gouden leesbrilletje op. 'Ik ben heel benieuwd hoe zij de geachte collega's de werkelijke ouderdom van fundamenten in het Tlacoluladal duidelijk heeft gemaakt.' Hij glimlachte bij de gedachte dat bepaalde heren met hun veel te overhaast gepubliceerde artikelen in *National Geographic* voor schut moesten zijn gezet.

'In elk geval heeft ze niemand ontzien. Ze heeft al haar geschut in stelling gebracht. Haar analyses zijn waterdicht.'

'Ik hoop dat ze het kan volhouden. Haar werk is vlekkeloos en haar betrokkenheid bewonderenswaardig.'

Carsten doorzocht zijn stukken en trok er een paar blaadjes tussenuit. 'Ja, het zou jammer zijn als ze in de knel zou komen.'

'Dat gebeurt beslist. Maar als ze daar sterker uitkomt, dan is het voor haar de moeite waard, nietwaar?'

'Hier is de uitgewerkte tekst van haar lezing. Daarnaast heb ik nog twee brieven en een artikel die u bijzonder zullen interesseren.'

Peter Lavell nam de tekst aan en bladerde erdoorheen. 'Wat voor artikel?'

'Uit het nieuwe nummer van *Colloquium medii aevi*.'

'Dat klinkt als een studentenblaadje. Moet ik dat kennen?'

'Dat is een online tijdschrift met wetenschappelijke recensies en opstellen. De u wel bekende doctor Paulson schrijft erin over de invloed van Keltische gebruiken op missionarissen en de kerk in het vroege Engeland.'

Peter Lavell zette zijn bril op en bestudeerde het geschrevene. 'Deze specialist heeft niet eens de moeite genomen andere woorden te gebruiken.'

'Dan is het dus inderdaad geen toeval dat die opstellen mij vaag bekend voorkwamen?'

Peter schoof de papieren aan de kant en ging een pijp stoppen. 'Ja, hij heeft ze woordelijk overgeschreven. Ik hoef het niet door te lezen, want ik ga ervan uit dat hij mijn boek noch mijn naam vermeldt.'

'Met geen woord. En dat zal hij ook zeker niet doen als de loftuitingen over zijn competent onderzoek opklinken.'

'Ja, dat denk ik ook.'

'En wat gaat u daartegen doen?'

'Misschien zie ik hem eens, dan spreek ik hem er wel op aan. Hij moet trouwens wel aan mijn kant staan, en dat kun je tot nog toe niet van velen zeggen.'

'En het *Colloquium medii aevi*?'

'Carsten, ik heb alle respect voor je enthousiasme voor de nieuwe media, maar jij overschat de betekenis van een artikel op internet.' Hij leunde achterover om zijn pijp aan te steken.

'Maar het is heel actueel...'

'Jawel, maar is het daardoor ook relevant? We hebben dit gesprek al eens eerder gehad. De snelheid en de ongeremde groei leiden tot een overkill aan informatie. Het kan dan wel heel revolutionair zijn dat je wereldwijd informatieve transparantie hebt, maar wat koop ik daarvoor? Is dat democratisch of anarchistisch? Ik moet toch experts kunnen vinden aan de hand van wier namen je het waarheidsgehalte en de relevantie van de informatie kunt afmeten? Binnenkort kan niemand meer uitmaken wat origineel en nieuw is of gewoon voor de honderdste keer gekopieerd en verdraaid.'

'Maar er zijn toch fora van experts en er zijn online magazines, wetenschappelijke publicaties en discussiegroepen. U zou u daar toch meer mee moeten bezighouden.'

Peter nam een trek aan zijn pijp en snoof de rook genietend op, alsof hij serieus overwoog het internet te lijf te gaan. Carsten wist echter dat hij zich daar geen illusies over hoefde te maken. De professor schreef zijn teksten nog altijd met een schrijfmachine, niet met een computer, omdat hij maar niet wilde begrijpen waarom een muis noodzakelijk zou zijn. Hem overhalen een computer te gebruiken had evenveel kans van slagen als een regenworm te leren jongleren.

'Voordat ik me erop toeleg op internet mijn weg te vinden, wacht ik tot internet ertoe in staat is voor mij klaar te zetten wat ik werkelijk nodig heb. Dat zal nog wel een paar jaar gaan duren.'

Carsten stond grinnikend op. Zo'n antwoord had hij verwacht. 'Enfin, hoofdzaak is,' zei hij op weg naar de deur, 'dat u betrokken blijft.'

'Wij doen onderzoek naar vijfduizend jaar historie en minstens nog eens vijfentwintigduizend jaar prehistorie. Dat geeft een terra incognita dat immens groot is en vol raadsels. Een paar jaar van ons leven kunnen daar amper iets aan toe- of afdoen, toch?'

'Ik hoop dat u gelijk hebt, professor. Ik moet weg. We treffen elkaar in het Amadeus voor de lunch? Om één uur?'

'Ja, waarom niet,' zei Peter met een instemmend handgebaar. 'Als de geschiedenis mij voor die tijd niet heeft ingehaald.'

Toen Carsten weg was maakte Peter zijn brieven open. Een was met een nachtkoerier uit Zwitserland gekomen. Afzender: Verenigde Naties. Vergezeld van een briefje zat er een *Non-disclosure agreement* in, een verklaring van geheimhouding. Met het ondertekende briefje moest hij naar luchthaven Fuhlsbüttel om een vliegticket te halen. Vertrektijd: 13.45 uur, reisdoel: Genève.

3

21 april, Rua dos Remédios, Lissabon

De ober bracht nog eens twee koffie en terwijl hij het marmeren blad van het wankele tafeltje schoonveegde, bekeek hij de beide heren uit zijn ooghoek. Het kwam wel vaker voor dat men een of twee *bicas* bestelde, en verder niets; er waren studenten die de hele middag op een glaasje mineraalwater zaten. Maar deze beide heren pasten niet in dat beeld, niet hier in Alfama. De een was een kettingrokende buitenlander die een afschuwelijk Portugees sprak. De ander leek veel te welgesteld om in dit café te zitten. De buitenlander praatte energiek, breed gebarend tegen de ander. De ober bukte zich om een dubbelgevouwen bierviltje onder een van de smeedijzeren pootjes van de tafel te schuiven om hem te stabiliseren. Daarmee hoopte hij nog enkele flarden van het gesprek te kunnen opvangen, maar beide heren zwegen tot hij zich weer met andere gasten moest gaan bezighouden.

'Senhor Macieira-Borges, het lijkt erop dat ik u niet van het succes van de onderneming kan overtuigen.'

De aangesprokene, een forse Portugees van middelbare leeftijd in een ouderwets maar op maat gemaakt driedelig pak, trok zijn manchetten recht en pakte met zijn worstvingers het oortje van het espressokopje. Het leek alsof iemand met behulp van twee saucijsjes een piepklein sleuteltje vasthield, maar het werkte.

'Ik kan me niet voorstellen dat u dat echt verrast,' zei hij en hij blies zachtjes over zijn koffie, om hem wat af te laten koelen.

'Als ik zoals voorgesteld een of twee botanici en chemici van uw firma aan de expeditie toevoeg, dan is het investeringsrisico toch vrijwel nihil.'

'Net zoals het uwe, nietwaar, senhor Nevreux?' De Portugees nipte aan zijn koffie en keek de Fransman daarbij over de rand van zijn kopje aan.

'Natuurlijk, als u het zo wilt zien. De ene hand wast de andere!' Patrick

Nevreux zag voor het eerst in dit gesprek weer een vonkje hoop en drukte als om dat te bekrachtigen zijn filterloze sigaret uit.

'Ja, zo wordt dat gezegd: de ene hand wast de andere... precies...' De zakenman zette zijn kopje behoedzaam weer neer. Hij scheen met zijn gedachten elders te zijn. 'Goed,' vervolgde hij, 'ik zal er geen doekjes om winden. Het gaat niet om geld. De bedragen die u noemt geven wij maandelijks uit aan het design van nieuwe tabletverpakking. Verpakkingen die de arts of de apotheker u in de hand drukt, die u openmaakt en vervolgens wegsmijt. Van het jaarsalaris van mijn laboratoriumleiding in Brasília zou u tien expedities kunnen financieren. Het gaat niet om geld, absoluut niet.' Hier laste hij voor het effect een stilte in, die hij gebruikte om zijn kopje leeg te drinken. Patrick Nevreux stak weer een sigaret op en ging in gedachten al berustend de lijst van andere zakenlui af die hij in Lissabon nog wilde ontmoeten, toen de Portugees vervolgde: 'U moet goed bedenken dat de stad die u zoekt – los van wat ik persoonlijk geloof – voor de rest van de wereld een sprookje is. Dat mijn firma de grootste farmaceut is van Zuid-Amerika en een van de innovatiefste in Europa, komt niet doordat wij sprookjes hebben nagejaagd. Wij zijn hypermodern en snel, maar juist daardoor worden wij ook scherp en voortdurend in de gaten gehouden door onze concurrentie. Ik kan het mij onmogelijk permitteren mij in te laten met een project als het uwe. Het minste gerucht erover – en dat kunt u niet voorkomen, neemt u dat maar van mij aan – het mínste gerucht zou twijfels doen rijzen over onze geloofwaardigheid.'

'Dat begrijp ik...' Patrick blies enigszins geërgerd een rookwolkje de lucht in.

'Bovendien bent u niet bepaald een vooraanstaand onderzoeker, als ik het zo mag uitdrukken. Wij hebben u nagetrokken. Met uw methodes haalt u zich de reputatie van een Indiana Jones op de hals. Een doctor Jones voor de armen, zou ik eraan toe willen voegen, na het schandaal met ESA. Geef me iets wat het bestaan van die stad bewijst en ik ben de eerste die zich aan uw zijde schaart. Maar zo...' Hij maakte een verontschuldigend gebaar en stond op. 'Ik heb een andere afspraak. Eén ding moet ik u nageven, een afspraak in de Alfama heeft stijl, het is vertrouwd en nostalgisch. Ik wens u veel geluk, senhor Nevreux, wellicht zien we elkaar weer.'

Toen de ondernemer was vertrokken, hield Patrick het niet veel langer uit in het café. Het klopte, Macieira-Borges was moeilijk in onderhandelingen. Schaamteloos, maar helaas had hij gelijk. Patrick nam zich voor op die Portugees terug te komen als hij werkelijk ooit iets tastbaarders had dan zijn persoonlijk enthousiasme.

Hij rekende af en begaf zich door de stegen van de binnenstad naar de dichtstbijzijnde bushalte. Hij reed naar huis, het huis dat hij een paar maanden had gehuurd om hier in Portugal een sponsor te zoeken voor een expeditie naar Latijns-Amerika. Als je je geen reis naar Brazilië kunt veroorloven, wat doe je dan? Je spreekt af met Portugese of Braziliaanse ondernemers in Lissabon. Welbewust wilde hij vervolgens geen andere Europees of Amerikaan spreken, want hij hoopte dat hij Portugezen en Brazilianen, door hun band met het land, gemakkelijker kon interesseren voor een project in het regenwoud. Of dat ook klopte, was natuurlijk de vraag. Er waren wat Amerikaanse concerns die graag wilden investeren en die in Brazilië konden beschikken over een even goede technische als sociale infrastructuur. Maar de gedachte aan aardolieconcerns of andere multinationals uit de Verenigde Staten stuitte hem principieel tegen de borst. Misschien was het ook wel idealisme. Een farmaceutische firma was weliswaar niet veel beter, maar die was zo goed als inheems, en op een of andere manier had hij van Lusomédic meer verwacht.

Toen hij zijn brievenbus had geleegd, liet hij zich op de bank zakken. Van hieruit had hij een prachtig uitzicht op een industriewijk en een stuk of zes bouwkranen. Het was niet de beste omgeving en het appartement was klein en uitgewoond. Dat de geiser in de badkamer het nog deed was bijna een wonder en liet Patrick telkens weer huiveren. Maar het ding had het al zo lang uitgehouden, waarom zou het dan net in die paar weken dat hij hier zat ontploffen?

Het was verbazend hoeveel post hij dagelijks kreeg. En toch woonde hij hier maar tijdelijk. Vrijwel niemand kende dit adres. Het betrof trouwens voor het grootste deel brochures, prospectussen of andere reclame. Maar nu zat er ook een brief bij die hem opviel. Die was duidelijk per expres verstuurd, vreemd dat hij geen handtekening had hoeven zetten. Op het omslag prijkte het symbool van de Verenigde Naties, maar een afzender ontbrak. In de envelop zat een briefje met instructies hoe hij persoonlijk een vliegticket moest gaan halen bij een bureau in de stad. Hij zou zich moeten haasten: de vlucht naar Genève vertrok nog diezelfde avond.

4

22 april, Hôtel du Lac, Genève

Peter Lavell had net zijn tweede kop thee op toen een ober naar zijn tafel kwam die hem meedeelde dat er zojuist een chauffeur was aangekomen die buiten op hem stond te wachten.

De professor keek op zijn horloge en bewonderde de timing van zijn organisatoren. Hij had de dag daarvoor in allerijl een koffer gepakt en was op de geheimzinnige maar schijnbaar hoogst officiële uitnodiging ingegaan. Op de luchthaven van Genève werd zijn naam omgeroepen en kreeg hij bij de informatiebalie een grote envelop. Weer zat er een briefje in, evenals de reservering voor een kamer in een van de beste hotels van de stad, een pasje, een reservering in een restaurant met uitzicht op het Meer van Genève, en een kaartje voor het theater. Alle kosten waren gedekt, stond er in het bijgevoegde briefje, evenals het verzoek zich om halfnegen in het hotel gereed te houden.

Peter liet de rest van zijn uitstekende ontbijt staan en liep naar buiten.

'Professor Peter Lavell?' Een keurig geklede heer met witte handschoenen stapte op hem af.

'Oui, c'est moi.'

'U kunt gewoon Duits spreken, meneer. Wilt u zo vriendelijk zijn met mij mee te gaan, ik breng u naar het VN-gebouw. Mag ik zo vrij zijn uw koffer te dragen?' Hij troonde de professor mee naar een zwarte Mercedes met getint glas.

Genève was een fantastisch groene stad. De ligging aan het meer, omringd door de bergen, zorgde voor een heel bijzondere sfeer: gezellig en toch nobel. Peter had het theaterbezoek van die avond aan zich voorbij laten gaan en in plaats daarvan twee uur langs het meer gewandeld om de zwanen en de boten te bewonderen. Hij had een wat beklemmend, eenzaam gevoel, bijna als vakantie. Anderzijds waren alle grote naties en internationale organisaties als de UNESCO via de WHO tot aan de VN hier vertegenwoordigd, de stad werd alom gekenmerkt door zeer verzorgde gazons en blauwe glasstaalconstructies met vlaggenmasten, bewakingscamera's en veiligheidspersoneel.

De rit duurde niet lang en kwam ten einde voor een indrukwekkende kantoortoren, net zo modern en weerspiegelend als kennelijk alles wat hier de afgelopen tien of twintig jaar was verrezen. De chauffeur zette de wagen pal voor de ingang, gaf Peter zijn koffer en leidde hem door de draaideuren de toren in. De auto werd ondertussen door een identiek geklede heer weggereden.

Ze betraden een hoge, bijna verlaten hal, uitgevoerd in donkere, glimmende steen. De chauffeur identificeerde zich bij de receptie en kreeg een kaartje dat hij aan de professor gaf.

'Wilt u zo vriendelijk zijn dit aan uw colbert te bevestigen?' Hij wees op een poortje, waarbij twee veiligheidsmedewerkers stonden. Het leek een soort metaaldetector als op luchthavens. 'Wilt u dan zo vriendelijk zijn door die sluis te gaan en lift vier naar de drieëntwintigste verdieping te nemen? Daar wordt u opgewacht. Nog een prettige dag, professor Lavell.'

'Ja, dank u, hetzelfde.' Met een wantrouwige zijdelingse blik liep Peter tussen de detector en de potige bewakers door. De deuren van lift nummer vier stonden open. Peter zocht het knopje, maar de deuren schoven al dicht en het ding schoot zo bliksemsnel omhoog dat de versnelling hem een onaangenaam gevoel in zijn maag bezorgde. Enige ogenblikken later remde de lift zachtjes af, de deur gleed open en een jonge vrouw vroeg hem of hij zo vriendelijk wilde zijn haar te volgen. Ze liepen door een met zachte, donkerblauwe vloerbedekking belegde brede gang, de muren smaakvol versierd met moderne schilderijen en enkele met halogeen belichte sokkels met kunstobjecten. Ten slotte kwamen ze in een soort foyer, waarin een stel zwartleren stoelen en een tafel uit glas en chroom stonden.

'Wilt u hier even wachten? Wilt u wat drinken, monsieur?'

Hij bedankte en ging zitten. De omgeving leek bloedserieus en professioneel. Desalniettemin vroeg hij zich voor de zoveelste keer af waar dit op uit ging lopen. Hij had al overwogen of zijn serie lezingen of zijn boek misschien een machtig iemand voor het hoofd gestoten hadden. Niet dat zoiets hem van zijn mening of van zijn werk afgebracht of ook maar verontrust zou hebben. Maar eigenlijk was de weerklank daarvan sinds een halfjaar eerder bescheiden, en erg provocerend waren de laatste artikelen bepaald niet geweest. Wellicht wilden ze hem boeken voor lezingen, discussies of interviews? Tegelijkertijd betwijfelde hij of een bureaucraat van de Verenigde Naties de inhoud, om nog maar te zwijgen van de reikwijdte, van zijn arbeid zou kunnen begrijpen of inschatten. In elk geval was hij passend gekleed voor de omgeving. Hij droeg een eenvoudig antracietgrijs pak dat hij zich in Italië had laten aanmeten, met een overhemd met hoge kraag in dezelfde kleur en zwarte schoenen. Tegen een das kon hij niet, hij dacht altijd dat hij stikte en bovendien vond hij die dingen overdreven bureaucratisch. De mensen moesten naar zijn gezicht kijken, niet naar zijn das.

Aan de andere kant van de tafel zat een man hem onbeschaamd aan te kijken. Peter schatte hem halverwege de dertig. Zijn pogingen zich op te doffen waren ofwel pijnlijk ofwel met opzet mislukt. Niet erg, maar toch merkbaar. De baardstoppels waren iets te lang en maakten een onverzorgde indruk, de das was niet goed geknoopt, de schoenen weliswaar gepoetst maar afgetrapt. Zijn gezicht was vriendelijk, bruin van de zon. Er school iets van oneerbiedigheid in zijn houding, niet in de laatste plaats om het feit dat hij, hoewel er nergens een asbak te bekennen was, toch gewoon rookte en de as aftipte in de pot van een kamerpalm.

'Monsieur le professeur Lavell, monsieur Nevreux, wilt u zo vriendelijk zijn binnen te komen.' Er was een deur opengegaan en de jongedame die ook bij de lift had staan wachten, wenkte beide heren. 'Madame de Rosney verwacht u.' Ze nam ze mee door een soort secretariaat en opende een deur aan de andere kant van de kamer.

Zij betraden een ruim kantoor met een breed venster, met in het midden een enorm mahoniehouten bureau en een vlaggenstandaard met de twee vlaggen van de Verenigde Naties en Europa. Achter een schrijftafel hing een indrukwekkende satellietkaart van Europa. Een streng ogende dame van achter in de veertig met grijs, modern kortgeknipt haar en een donkerblauw broekpak, stond net op. Toen de beide heren naar voren traden gaf zij ze over het bureau heen een hand.

'Ik ben blij dat u allebei kon komen. Gaat u toch zitten.' Ze ging zelf ook weer zitten en steunde op haar onderarmen. Het bureau was leeg, op twee naast elkaar liggende mappen na die met een lint en een zegel waren gesloten. 'Om te beginnen wil ik graag mijn verontschuldigingen aanbieden voor de overhaaste en u ongetwijfeld zeer geheimzinnig voorkomende omstandigheden. Ik zal meteen wat duidelijkheid in de zaak brengen. Mijn naam is Elaine de Rosney, ik werk zoals u al hebt opgemerkt voor de Verenigde Naties. Ik ben hoofd van een stafafdeling en mijn speciale opdracht behelst bijzondere projecten op het gebied van oudheidsonderzoek en Europese cultuurgeschiedenis.' Ze trok een la open in haar bureau en zette de Fransman een asbak voor. 'U weet dat roken in dit gebouw verboden is.' Het was een constatering, geen vraag.

'Dank u wel dat u mij erop wijst,' antwoordde de man. Hij hield zijn sigaret omhoog en pakte de asbak aan.

'U kent elkaar niet, dus zal ik u even voorstellen. Professor Lavell is Engelsman, woonachtig in Duitsland, is hoogleraar geschiedenis en heeft bijzondere expertise op het gebied van mythologie en antropologie. Hij is momenteel wetenschappelijk consulent van het Volkenkundig Museum in Hamburg en gastdocent aan de universiteit in die Hanzestad. Hij is auteur van talrijke wetenschappelijke artikelen en essays, heeft onlangs een boek uitgegeven met als titel *Globale ontwikkelingscausaliteit op lange termijn* en viel vorig jaar op in het internationale universitaire circuit, op congressen en vakconferenties met zijn lezingenreeks met als titel "De zegetocht van het verstand; bijgeloof en rationaliteit in de loop der eeuwen".'

Met een knikje gaf Peter zijn instemming te kennen. Het was behoorlijk diplomatiek dat ze zijn lezingenreeks als 'opvallend' betitelde. In werkelijkheid had hij links en rechts lawines van discussie en kritiek veroorzaakt.

'Hij staat bekend om zijn scherp verstand, evenals om het talent historische samenhangen op lange termijn te doorzien, met name wanneer ze multidisciplinair gelaagd zijn. Hij deinst er niet voor terug zaken ook in schijnbaar absurde of controversiële verbanden te plaatsen, wat meer dan eens juist is gebleken.'

Peter betwijfelde of dit soort beoordelingen wel noodzakelijk was. Het zou best kunnen kloppen wat ze zei, maar hij vroeg zich af wat voor doel die vrouw daarmee diende. Hij wilde niet op een of andere markt te koop worden gezet, en was ook niet van plan een bijzonder nauwe band met die jonge kettingroker aan te knopen. Maar ze zou natuurlijk wel zo beleefd zijn hem even gedetailleerd voor te stellen.

Patrick boog voorover en stak zijn hand uit. 'Fijn u te leren kennen, professor.'

'Patrick Nevreux is Fransman,' vervolgde de vrouw, 'opgeleid tot ingenieur. De afgelopen jaren had hij veel succes bij veldwerk. Met subsidies van de Europese Gemeenschap en de ESA heeft hij sondes en onderzoeksrobots ontwikkeld. Deze heeft hij ook ingezet bij privéprojecten en op deze wijze heeft hij de tot nog toe ontoegankelijke putten in Palenque kunnen onderzoeken. Bovendien ontdekte hij in de catacomben onder Rome een vroegchristelijke kapel met oude Bijbelfragmenten.'

Peter keek naar Patrick, die tevreden knikte terwijl hij luisterde. De professor had natuurlijk gelezen over die ontdekkingen. Nu zat hij dus naast de man die er verantwoordelijk voor was, ook al waren zijn methodes niet onomstreden.

'Op grond van wat in de pers "eigenmachtig en oneigenlijk gebruik" van de hem ter beschikking gestelde gelden en technologie werd genoemd, heeft hij geen steun meer ontvangen,' vervolgde de vrouw. 'Afgezien van zijn buitengewoon technisch inzicht, zijn archeologische speurzin en zijn flexibiliteit worden zijn ambities op prijs gesteld. Daardoor lukt het hem steeds nieuwe investeerders voor zijn projecten te krijgen. Momenteel werkt hij een plan uit voor Brazilië.'

'In de buurt van de Boliviaanse grens om precies te zijn. Bent u geïnteresseerd?'

'Nee, dank u wel, monsieur.' Elaine de Rosney stond op en wees op een punt op de kaart achter haar. 'Laten we ter zake komen: de reden van uw aanwezigheid. Het gaat hier om een project in Zuid-Frankrijk, waarvoor wij u beiden zouden willen inhuren. Het is echter wetenschappelijk meer dan omstreden en moet derhalve absoluut geheim worden gehouden, wat u naar aanleiding van het NDA, dat u inmiddels allebei ondertekend hebt, al wel zult hebben vermoed.

Ik zal u zoveel informatie geven als ik mag, om u te werven voor medewerking.' Zij duidde op de beide kaarten die voor haar lagen. 'Als u niet meteen weigert, krijgt u aan het eind van ons gesprek deze stukken, waarin u een precieze samenvatting van alle voor u relevante omstandigheden en ook een contract aantreft. Dan hebt u nog drie dagen om te besluiten of u al dan niet bereid bent samen te werken, daarna is het aanbod vervallen.'

Patrick maakte een handbeweging, alsof hij wilde protesteren en Elaine de Rosney keek hem vragend aan.

'Kunt u misschien een kop koffie organiseren?' vroeg hij net iets te vroeg, want op dat moment schoof de medewerkster uit het secretariaat een wagentje naar binnen met koffie, thee en mineraalwater.

'Had ik "ongeduldig" in mijn karakterschets van u vergeten?' vroeg de projectleidster ironisch.

'Dat weet ik niet,' was Patricks glimlachende antwoord. 'Ik heb niet geluisterd. Maar hoe dan ook zeer bedankt.'

'Uw bijzondere vaardigheden zijn nodig voor het onderzoek van onze vondst,' legde zij beide heren uit. 'Er is al wat inleidend werk verricht, alle gegevens die tot nog toe zijn verzameld, vindt u in de vorm van een uitgebreid verslag in uw map. Voor verdere onderzoekingen en naspeuringen ter plekke kunt u beschikken over elke toepasselijke technologie en over een omvangrijk budget. U bent hoofdverantwoordelijk voor de onderneming en hebt verregaande zeggenschap bij het in dienst nemen van eventuele assistenten. De start van het project is over zeven dagen, we gaan uit van een looptijd van minstens twee maanden, maar zijn daar momenteel niet echt aan gebonden. Voor uw medewerking krijgt u natuurlijk een passende vergoeding, die gedetailleerd wordt uitgewerkt in deze stukken. Natuurlijk heeft de vertrouwelijke aard van het project ook gevolgen voor u en voor uw werkzaamheden. Uw geheimhoudingsplicht wordt inhoudelijk en in de tijd uitgezet en gegarandeerd door contractuele sancties. Tijdens het werk mag niemand weten waar u bent, alle resultaten moeten meteen worden gemeld en blijven voorlopig eigendom van de Verenigde Naties.'

'Met andere woorden, enige wetenschappelijke roem voor ons zit er niet in,' stelde Peter vast.

'Wij zijn net zoiets als figuranten. Huurlingen,' voegde Patrick daar aan toe.

'Huurlingen, monsieur Nevreux, zou ik u niet willen noemen. Maar het enige resultaat dat u ziet is geld, dat klopt. Wellicht zal het jaren duren voordat de resultaten met uw naam openbaar worden en misschien gebeurt dat helemaal niet. U kunt er echter van opaan dat wij het hier hebben over bedragen die u niet geheel onverschillig kunnen laten. Geld speelt bij dit project geen rol.'

'Geen enkele?' vroeg Patrick.

'Dat zei ik.'

Peter schonk zich een kop thee in. Langzaam begonnen de uitnodigingen uit Genève en het doen en laten van deze projectleidster op de een of andere manier te rijmen. 'Met alle respect voor de macht van de commercie, madame de Rosney, maar voor zichzelf respecterende geleerden kan dat echt niet de enige prikkel zijn.'

'Nee, dat klopt, professor. Ik kan mij dat wel voorstellen, en het spijt me echt dat ik u slechts geld kan bieden. Anderzijds is het geen toeval dat onze keus op u is gevallen. Het project betreft uw persoonlijke interesse, het dringt zich als het ware aan u op. U mag weliswaar geen resultaten publiceren, maar de vondst en wat zij impliceert kan bij u een gevoelige snaar raken.'

'Dat wil ik dan wel eens weten.' Peter trok een wenkbrauw op, zette de kop thee aan zijn mond en bekeek de Rosney vol verwachting.

'Ik kan u geen details verklappen, alleen dit: het gaat om een vondst die wij nergens kunnen onderbrengen of dateren, maar die op het eerste gezicht de kennis over de technologie van onze voorouders op haar kop zal zetten. En als ik het over technologie heb, dan heb ik het niet over vuistbijlen of tandraderen, maar over technologie.'

Peter knikte wat verrast. Elaine de Rosney bracht het allemaal nogal dramatisch, maar als wat zij zei ook maar in de verste verte klopte, dan zou het hem inderdaad buitengewoon interesseren.

'Is dat dan ook de reden voor deze geheimzinnigdoenerij?' wilde Patrick weten, terwijl hij energiek bezig was zijn lege suikerzakje op te rollen.

'Ik heb u verteld wat ik kon. Resultaten mogen, zo wij ze al verwachten, niet te vroeg en niet ongeordend openbaar worden gemaakt. Daarvoor bestaan niet alleen sociologische maar ook politieke redenen. Helaas kan ik u verder niets vertellen.'

'Goed, we krijgen de landkaart dus pas op de weg terug?' Patrick werd opeens ongeduldig, alsof hij de voors en tegens van het aanbod al had afgewogen.

'Dat klopt.'

'Dus het heeft geen zin nu verdere vragen te stellen?'

'Wat u verder moet weten, staat in de stukken. Hebt u nog vragen, professor Lavell?'

Hij schudde zijn hoofd. 'Nee, behalve misschien of u iets specifieker zou kunnen zijn over de vorm van technologie waar u het over hebt.'

'Dat kan ik helaas niet. Niet alleen omdat het geheim zou zijn, maar ook al omdat wij niet in staat zijn het te onderzoeken.' Ze stond op en gaf de heren de mappen. 'Ik hoop dat ik u beiden welkom mag heten aan boord. Denk aan de termijn van drie dagen.'

Zij namen hun mappen aan. Op het omslag stond in het zwart de titel: Project Babylon.

5

29 april, Béziers-Agde-Vias-luchthaven van Béziers

Een groep opgewonden, zomers geklede toeristen overspoelde de hal van de luchthaven. Zij hadden bij het aanvliegen het landschap al bewonderd, de bossen en rivieren, de beplante hellingen, de wijngaarden en de wolkeloze lucht. Ze hadden geprobeerd de zee te zien en iedereen liet zich verzwelgen door een door vakantiefolders en kitscherige ansichtkaarten gevoede voorpret op de Middellandse Zee, kaas, rode wijn en hopelijk satelliettelevisie op de hotelkamer.

Peter Lavell droeg een pak. De aanwijzingen voor zijn reis waren duidelijk en zeer strikt. Met zijn koffer stond hij in de luxe centrale aankomsthal van de luchthaven en keek spiedend om zich heen. Hij vroeg zich nog steeds af of hij dit wel moest doen. Niemand op de universiteit of bij het museum wist waar hij zat. Hij had zich afgemeld voor 'minstens twee maanden', dus iedereen zou zich afvragen of hij wellicht een wereldreis ging ondernemen of dat hij van plan was te emigreren. Het geld dat de VN hem bood maakte het hem mogelijk ondanks dit verlof na het einde van het project inderdaad een wereldreis te ondernemen, waarschijnlijk zelfs meerdere. Het was echter inderdaad niet het geld, maar het voorwerp van onderzoek dat hem prikkelde, zoals Elaine de Rosney al had vermoed. Hij kon zich amper voorstellen wat voor ontdekking zo geheimzinnig zou kunnen zijn om een dergelijke geheimhouding nodig te maken. Maar er was een vonkje bij hem overgesprongen dat een bijna jeugdige nieuwsgierigheid had ontstoken, waarvoor hij ten slotte was gezwicht. De laatste jaren was hij de onopgeloste raadsels en puzzelstukjes te lijf gegaan die anderen hadden verworpen en in een la gestopt. Hij had ze onderzocht, binnenstebuiten gekeerd en met succes gecombineerd. De ongekwalificeerde kritiek die hem hierop overspoelde, had hij gelaten langs zich af laten glijden. Het enige wat hem dwarszat was dat al zijn kennis nooit was gebaseerd op eigen ontdekkingen en dat hij zich daardoor steeds onnodig blootstelde aan afgunstigen die hij in de schaduw stelde. Als theoreticus op gevorderde leeftijd kreeg je niet zo gauw de kans zelf het veld in te gaan en iets te ontdekken. Hij wilde niet langer blootgesteld worden aan het verwijt dat hij met zijn werk eigenlijk alleen maar profiteerde van dat van anderen. Dit was misschien wel zijn laatste kans om een nieuwe weg in te slaan. Boeken konden wachten en de schervenhopen van het cultuurhistorisch onderzoek van anderen kon hij op zijn tachtigste ook nog uitpluizen.

Hij ontdekte een keurig geklede heer die een bordje met het opschrift PROFESSOR PETER LAVELL, VN GENÈVE demonstratief omhooghield. Naast hem stond, rokend en eveneens gehuld in een pak, de Franse ingenieur Patrick Nevreux. Hij had de klus dus ook aangenomen. Peter ging naar hen toe en begroette ze.

'Hallo, Peter... Ik mag toch Peter zeggen, hè, nu we allebei "aan boord" zijn?' Patrick legde zo overdreven de nadruk op 'aan boord' dat het duidelijk was dat hij hier een parodie op hun opdrachtgeefster ten beste gaf.

Peter kon er wel om lachen. 'Ja hoor, Patrick. We zullen het een poosje met elkaar moeten kunnen vinden, toch?'

'Dat zal ons in deze omgeving niet zo moeilijk vallen, neem dat maar van mij aan! Weet je wat dit is?' Patrick liet een aantekenboekje zien. 'Een gids voor de châteaus van de Corbières.'

'Houd jij van rode wijn?'

'Ja, wat dacht je dan? Het leven bevestigt aanhoudend clichés. Ik heb jou toch ook zien thee drinken? *Very British*. Sigaret?' Hij stak er zelf meteen weer een op.

'Het spijt me dat ik uw gesprek moet storen,' begon de man, die het naambord van de professor intussen in een tas had gestopt. 'Maar ik moet u er nog eens opmerkzaam op maken dat roken hier verboden is.'

Alsof hij de vermelding van het rookverbod in het geheel niet had gehoord, zei Nevreux: 'Ach ja, Peter, dit is Marc, een van de gezworenen, gestuurd door onze vriendin Elaine.'

De man die door Patrick werd voorgesteld, vond dit duidelijk helemaal niet leuk. Zonder een spier te vertrekken wees hij op de uitgang. 'Loopt u maar met me mee naar de auto.'

Ze liepen naar een witte landrover met een donkergroen opschrift op het portier: GNES – Garde Nationale d'Environnement et de la Santé –

Direction Languedoc-Roussillon. Ze nestelden zich achterin en zaten binnen enkele minuten op de snelweg in zuidwestelijke richting.

Marc gaf de twee naamborden naar achteren door. 'Stopt u deze twee in uw bagage. De geheimhouding van het project is erbij gebaat dat u uw onderzoek verdekt uitvoert. De vindplaats ligt in onmiddellijke nabijheid van het dorp St.-Pierre-du-Bois. Daar zullen uw aanwezigheid en uw onderzoek opvallen. Daarom bent u officieel specialisten, in dienst van de milieu- en gezondheidsdienst. U doet onderzoek naar de achtergrond van een dreigende hondsdolheidepidemie en laat daarom een bepaald gebied van enige omvang hermetisch afsluiten. St.-Pierre-du-Bois is een kuuroord, met bronnen. Het bloeit sinds kort weer op door het toerisme en is daarop aangewezen. We hebben afspraken met de burgemeester gemaakt.' Marc reikte twee mappen aan. 'Bekijkt u onderweg de stukken maar eens. U treft hierin gegevens aan over de streek, het dorp en de belangrijkste personen. Didier Fauvel is een ambitieus man, eind veertig, kortaangebonden, twee keer gescheiden. Wij houden ons niet lang bij hem op. Een hondsdolheidepidemie is voor hem een groot probleem. Als u die tot staan kunt brengen, is hij uw vriend. Als u daarmee niet klaar bent voor het begin van de zomervakantie, is hij uw vijand.'

'En waarom uitgerekend hondsdolheid?' vroeg Peter. 'Dat is toch ongeloofwaardig?'

'Dat idee is zo gek nog niet,' weerlegde Patrick. 'Het is begrijpelijk en voor de mensen hier gevaarlijk genoeg, maar ook weer niet zo gevaarlijk dat de pers uit Parijs erdoor gelokt zou worden. Ik vraag me alleen af wat wij kunnen vertellen over hondsdolheid.' Hij stak nog een sigaret op. 'Ik weet niet hoe het met jou is, Peter, maar ik heb biologie noch diergeneeskunde gestudeerd.'

'Didier Fauvel weet net zo weinig van hondsdolheid als u,' verklaarde de chauffeur. 'In geval van nood zitten in de mappen voorgekookte verklaringen, onderzoeksresultaten, berichten, foto's en analyses, die u geleidelijk aan kunt loslaten. Er staat bovendien uitgebreide informatie in over de natuur van de streek, over hondsdolheid in het algemeen en hier specifiek. Dat moet voldoende zijn om de bevolking te overtuigen.'

'Elaine denkt ook aan alles,' vond Patrick met oprechte verbazing. Hij tipte zijn as af uit het raam. 'Indrukwekkend.'

'Angstwekkend,' zei Peter.

Marc negeerde de opmerkingen. 'Als u uw peuk uit het raam gooit kost u dat vijfhonderd euro.'

'Monsieur Fauvel, dit zijn de heer Nevreux en professor Lavell. Heren, burgemeester Fauvel.'

De burgemeester kwam achter zijn bureau vandaan en gaf beide heren een hand. Zijn kleine gestalte werd prachtig aangevuld door een buikje en varkensoogjes die onrustig priemend uit zijn rode gezicht loerden.

'Ik ben blij dat u tijd vrijmaakt om eens te komen kijken. U bent net zo verrast door wat er gebeurd is als ik. Maar voordat we verdergaan...' Hij liep naar een bijzettafeltje en duidde op een fles. 'Een cognacje?'

'Nee, dank u wel, monsieur le maire,' zei Patrick, 'wij moeten nog een paar uur werken en ik ben bang dat uw ongetwijfeld voortreffelijke cognac zal botsen met onze wetenschappelijke analyse.'

'Daar hebt u vast gelijk in,' antwoordde Didier Fauvel en hij verschanste zich weer aan zijn bureau. 'Ik ben blij dat u zo snel en gewetensvol te werk gaat. Ik zou het op prijs stellen als u mij regelmatig over de voortgang van het onderzoek op de hoogte zou willen houden. Zoals u zich kunt voorstellen, is mij uitermate veel gelegen aan het welzijn van het dorp, de inwoners en vooral ook de bezoekers.'

'Professor Lavell en ik zullen u natuurlijk op de hoogte houden. We zullen u waarschijnlijk ook enkele keren om raad vragen, als wij iets willen weten over de omgeving of elders niet verder komen. Ik hoop dat we u niet te zeer lastig zullen vallen.'

'U valt mij niet lastig, hoor. Ik heb wel een paar termijnen afgesproken, om tijd te hebben voor evaluatie van het onderzoek. Het hondsdolheidprobleem heeft voor mij de hoogste prioriteit. Als u iets nodig hebt, klop dan gerust bij me aan.' Hij maakte een grootmoedig gebaar. 'Wanneer dan ook. Mijn secretaresse heeft de opdracht u voorrang te verlenen. Hetzelfde geldt overigens voor uw opzichters. De plaatselijke politie zal ze graag helpen.'

'Dank u wel. We zullen eerst de situatie opnemen en als het nodig is op een later tijdstip terugkomen op uw gulle ondersteuning.'

Volgens Peter legde Patrick het er een beetje te dik op. Het verbaasde hem weliswaar dat de Fransman überhaupt zo'n formeel gesprek kon voeren, maar hij had die man toch niet zo veel lof hoeven toezwaaien. De burgemeester schenen deze woorden echter goed te bevallen. Hij glimlachte fijnzinnig, zo goed en zo kwaad als zijn gelaat dat toeliet, wat hem weliswaar ongewild een lepe uitdrukking verleende. Toen stond hij op en stak zijn hand uit.

'Ik verheug mij op een goede samenwerking. Ik zal u niet langer ophouden en ik wens u veel succes.' Dit plotselinge einde aan het gesprek kwam de anderen niet ongelegen. Ze hadden de man verder niets te vertellen en hadden aan de beleefdheidseisen voldaan. Hij begeleidde ze nog een stuk door het kantoor en bleef bij de bijzettafel staan. 'Dan verwacht ik uw eerste bericht volgende week.'

'U kunt op ons rekenen,' antwoordde Patrick en hij zag net nog de hand van Fauvel naar de tafel gaan toen hij de deur achter zich sloot.

'Die heb je flink stroop om de mond gesmeerd,' zei Peter, toen ze weer in de auto zaten.

'Ik heb hem gewoon ingezeept,' zei Patrick lachend en hij stak weer een sigaret op.

'Wat vind je van hem?'

'Zoals hij lopen er tig rond. Maar je mag ze niet onderschatten. Maar ja, *no risk, no fun*, zeggen ze het zo niet in het Engels?'

'Zoiets ja. Marc, waar gaan we nu heen?'

Marc trok op en via een zijweg verlieten ze het dorp.

'Ik rijd u nu naar de locatie. Daar geef ik u een korte rondleiding, en dan zet ik u af bij het hotel.'

'Naar de locatie?' Patrick stak de draak met de overdreven eerbiedige grimas van de chauffeur. 'Moeten we daar soms ook nog een inwijdingsrite ondergaan, voordat we de heilige grond mogen betreden?'

'Laat die vent toch,' suste Peter, maar de chauffeur had het ofwel niet begrepen, ofwel hij was niet ontvankelijk voor dit soort humor. Hij bleef zwijgen en reed ze naar een omgeving die er steeds verlatener uit ging zien. Ze waren sinds de rand van de bebouwde kom geen gebouw of boerderij meer gepasseerd en algauw reden ze in een dicht bos. De weg verslechterde zienderogen, een berm was er allang niet meer, maar kuilen waren er te over. Ten slotte versperde een twee meter hoge, metalen poort de weg. Links en rechts verdween een net zo hoog en zeer solide ogend hek in het bos. De versperring was duidelijk zeer recent en had een bizar effect in deze verlatenheid. De indruk werd versterkt door stalen containers aan weerszijden ervan, met vensters en een deur. Door de deur kwam een man in een wit-groen uniform naar buiten, die het hek openmaakte om de landrover door te laten. De weg liep nu echt ten einde en ging over in een met grind bestrooide bosweg, die hier en daar nogal modderig was. Toen Marc zonder commentaar doorreed, viel het Peter op hoe de geüniformeerde man het hek achter hen sloot en zich weer terugtrok in zijn stalen wachthokje. Hij trok zijn wenkbrauwen op en keek naar Patrick, wiens gezicht de indruk gaf dat ook hij minstens één vraag te stellen had.

De weg kwam na een hobbelig eind uit op een open plek in het bos. Verse boomstronken getuigden van recente kaalslag. Aan de rand van de plek stonden weer zes van die stalen containers zoals bij de poort. Er was niemand te zien.

'Normaal gesproken kun je nog dichterbij komen,' verklaarde Marc toen hij uitstapte, 'maar we hadden tot gisteravond nogal wat regen en veel modderstromen. Daarom kunnen we er vandaag met deze wagen niet komen. We moeten lopen. Ik heb speciale schoenen voor u.' Hij reikte beide heren een paar enkelhoge stevige schoenen aan, met een zwaar profiel. Ze keken elkaar eens aan, haalden vervolgens hun schouders op en wisselden van schoeisel.

'Wat is dit hier?' Patrick duidde op de containers en liep er meteen op af.

'Dit is het kamp van de opzichters die u ondersteunen. Zij patrouilleren in ploegen dag en nacht langs de omheining, om het project te beschermen tegen ongewenste gasten. Voor plaatselijke bewoners die toevallig hier terechtkomen wekken zij de indruk in een afgezet gebied naar hondsdolle dieren te zoeken.'

Patrick wierp een blik door een ruitje en kwam terug. 'Die Elaine heeft zich echt uitgesloofd!'

Marc zette zich in beweging en beduidde beide heren hem te volgen. 'Geld speelt bij dit project geen rol.'

'Waar heb ik dat eerder gehoord?' fluisterde Patrick tegen Peter. 'Je weet niet half hoe blij ik daarmee ben.'

'Ik word er eerder zenuwachtig van. Verbazingwekkend, nietwaar?' antwoordde Peter.

Ze wandelden door het kreupelhout, dat door de regen op veel plaatsen ondoordringbaar was geworden, en kwamen langs een paar opzichters die met bijlen en zagen een ontwortelde boom wegwerkten die het doorrijden inderdaad zou hebben verhinderd. De mannen keken even op, knikten bij wijze van groet naar de drie nieuwkomers en gingen verder met hun werk. Marc liep verder tot ze aan de rand van het bos kwamen. Voor zich uit zagen zij hoe een een heuvelachtig, bijna bergachtig landschap met dalen en rivieren zich uitstrekte. Geen telefoonpalen, geen hoogspanningsmasten, geen menselijk bouwwerk verbrak de idylle. Het was een prachtig tafereel dat een reisgids zou sieren, maar Marc liet ze geen tijd om te genieten. Ze liepen achter hem aan naar boven, een steeds steilere en moeilijker begaanbare rotshelling op. Net toen Peter zich af ging vragen hoe zij heelhuids de inmiddels gevaarlijk geworden helling moesten nemen, zag hij een staaldraad die met zekeringshaken in de rotswand was bevestigd. Het staal zag er net zo nieuw en schoon uit als de containers in het kamp. Met behulp van de kabel en de antislipschoenen konden ze stap voor stap verder klimmen. Het zweet brak Peter uit en hij ging steeds verder achterlopen, totdat zij een hoge rotswand bereikten.

'Project Babylon speelt zich in elk geval af op de hoogte van de toren van Babel!' Hij zette zijn handen in zijn zij en snakte naar lucht. Zijn zekerheid begon wat scheurtjes te vertonen.

Patrick grijnsde lichtjes en hield hem zijn al brandende sigaret voor. 'Trekje?'

'Ik kan mezelf nog net weerhouden.'

'Ik zou u ook aanraden binnen niet te roken,' merkte Marc nu op. 'We gaan hier verder.'

Hij liep langs de vooruitstekende rots en verdween achter een bocht in de wand. Toen Peter en Patrick hem volgden bereikten ze een diepe uitholling in de rotswand, duidelijk de ingang van een grot. Die werd afgesloten door een metalen deur van twee bij twee. Deze was met massieve bouten in de rotswand verankerd, en liet links en rechts aan de rand en eronder net voldoende ruimte vrij voor enkele kabels, die naar binnen liepen. De laatste waren aangesloten aan twee zacht brommende aggregaten, die met een paar vaten naast de poort stonden.

'Een grot? U hebt ons toch niet laten komen voor een paar stenen werktuigen?' vroeg Patrick.

Marc liep op de stalen deur af, ontgrendelde die en trok haar open. Ze betraden een stenen gang. Kabels liepen als darmen over de grond en waren met klemmen aan de muur bevestigd. Marc zette een provisorische schakelaar om en een aantal schijnwerpers, deels tegen de muren, deels op statieven, lichtte op en overspoelde het hol met een fonkelende felheid.

'Oei,' liet Patrick zich ontvallen. Hij deed snel een paar passen naar voren en betastte de wand. 'Dat ziet er niet uit naar de steentijd. Moet je dit zien, Peter!'

De wanden waren geheel met schrift, symbolen en tekeningen overdekt. Het waren echter duidelijk geen prehistorische grotschilderingen, ze waren van recenter datum.

Patrick ging met zijn vingers over de muur, zonder ze aan te raken. 'Hier staat iets in het Latijn en daarboven staan Griekse letters! Moet je deze afbeelding zien... Zevende of achtste eeuw.'

Peter stond midden in de gang, draaide om zijn as en liet zijn blik over de wanden gaan. 'Prachtig werk... Er zijn ook Hebreeuwse tekens en een tekst, uit de Bijbel, misschien?'

'O, iemand heeft zich uitgesloofd,' riep Patrick en wees op een dieper gelegen deel van de wand.

'Hoe bedoel je?'

'Misschien heeft iemand een boek overgeschreven, maar middeleeuws is dit niet.'

Peter kwam dichterbij. 'Laat eens kijken.'

'Volgens mij kende niemand in de middeleeuwen het Soemerische spijkerschrift.'

Peter bekeek de wand aandachtig. 'Nee, dat kun je wel uitsluiten. En deze hiërogliefen hier zou al helemaal niemand gekend hebben.' Hij wees op een andere plek.'

'Maar dat is Maya!'

'Project Babylon...'

'De Babylonische spraakverwarring, ja.' Marc, die zich tot nog toe had ingehouden, meldde zich. 'We hebben bij het eerste onderzoek drieënvijftig verschillende talen kunnen identificeren. Slechts ongeveer twee dozijn konden we thuisbrengen, maar we hebben er nog niets van vertaald.'

'Goed,' zei Peter, terwijl hij zijn bril opzette om enkele tekens van dichtbij te bekijken. 'Dit kan dan wel een linguïstische puzzel zijn, maar in Genève deden ze alsof ze ons zouden vermoorden als wij het niet geheim zouden houden. Een dergelijke mate van drama kan ik er nog steeds niet helemaal mee rijmen.'

'Wij hopen dat deze schrifttekens een sleutel tot het eigenlijke raadsel bevatten. Het project wordt zo genoemd, maar in feite is dat alles bijzaak als u het volgende hebt gezien...' Marc ging ze voor

'Nou wordt het pas echt spannend, hè, Peter?'

Ze liepen achter Marc aan door een gang die bij de donkere achterwand van de grot een bocht maakte. Daar bleven ze plotseling staan. Hier scheen het schijnwerperlicht nog maar zwakjes, zodat zij duidelijk een blauwe schemer konden zien die op een merkwaardige manier de verder duistere gang voor hen verlichtte.

Marc liep een paar passen voorop. 'Komt u hier maar eens kijken, maar denk erom, geen stap verder dan hier.' Hij wees op een steen aan zijn voeten.

Nu zagen ze dat de vloer van de gang helemaal bezaaid was met zorgvuldig uitgebeitelde motieven. Archaïsch ogende symbolen waren gerangschikt in groepen en patronen. In het midden prijkte een cyclopenteken van concentrische cirkels met onderbrekingen, die het oog naar het midden trok. Het geheel zag eruit als een groot familiewapen of zegel.

Peter bukte zich en betastte een paar gravures. 'Wat zijn dit?'

'En waar komt dat licht vandaan?' vroeg Patrick.

'Op beide vragen is tot nu toe geen antwoord gevonden,' verklaarde Marc. 'Let op, nu gaat er iets gebeuren.' De onderzoekers keken toe terwijl hij weer een schakelaar aan de muur omzette en een schijnwerper aan het plafond verlichtte de gang voor hen.

'Ongelooflijk!' liet Peter zich ontvallen.

Badend in vijfhonderd watt werden alle scheurtjes en oneffenheden benadrukt, maar vlak achter de symbolen en op de grond hield het licht zo plotseling op alsof er een matzwart geverfde massa lag. De gang die zo-even nog verder leek te lopen, was nu gehuld in een diepe duisternis. Er was geen structuur of hoedanigheid meer te onderkennen. Elk licht scheen hier geabsorbeerd te worden, zodat nog niet de minste weerspiegeling de waarnemer bereikte.

'Wat is dat verdomme!?' riep Patrick buiten adem.

Marc kwam dichterbij. Hij stak zijn arm uit, die daarop tot de elleboog in het zwart verdween. Het leek wel alsof hij gewoon was afgesneden. Toen trok hij hem ongedeerd weer terug.

'We hebben geen idee,' gaf hij toe.

'Kun je erdoorheen? Bent u er al eens in geweest?' wilde Patrick weten. Hij liep over het symbool heen en kwam zo dichtbij dat hij nog maar een paar centimeter van de duisternis af stond. Hij onderzocht het fenomeen met zijn vingertoppen, maar trok ze geschrokken weer terug. 'Jezus, wat is dat eng! Je krijgt de indruk dat je blind wordt. Je ziet gewoon helemaal niks!'

'Nee, wij zijn er niet in geweest en ik moet u met klem verzoeken het ook niet te proberen. Het is veel te gevaarlijk om menselijke experimenten te doen zonder de passage eerst grondig te hebben onderzocht.'

'De stelligheid waarmee u dat zegt doet mij vermoeden dat er concrete redenen zijn voor die voorzichtigheid.'

'Dat klopt, professor Lavell. U zult vanavond alle stukken ter beschikking hebben om het voorval na te lezen.'

'Voorval?'

'Is deze passage al op een of andere manier onderzocht?'

'Ook deze informatie kunt u vanavond lezen. We hebben tot nog toe weinig zekerheid. De grot is nog maar net drie weken geleden ontdekt.' Marc keek op zijn horloge. 'U kunt morgenochtend aan de slag. Ik zal u persoonlijk naar uw onderkomen brengen.'

Bij het verlaten van de grot legde Marc uit hoe de stroomvoorziening werkte en hij gaf ze twee veiligheidssleutels voor de stalen deur bij de ingang. Op weg naar het opzichterskamp en tijdens de rit naar St.-Pierre-du-Bois was Marc zwijgzaam en had het slechts over een paar organisatorische details. De beide onderzoekers hoefden zich niet te bekommeren om de opzichters, omdat die rechtstreeks onder zijn bevel stonden. Marc zelf zou de streek verlaten en nog dezelfde avond naar Parijs vliegen. Peter en Patrick zouden alle stukken, uitrusting, adressen en financiële middelen in het hotel ontvangen. Er was al een zekere hoeveelheid wetenschappelijke apparatuur besteld, die de volgende ochtend rond negenen in het kamp zou worden afgeleverd.

Peter en Patrick hoorden dat alles amper, want in gedachten waren ze allebei in de grot gebleven, en ze stelden ook geen vragen, omdat Marc ze toch geen antwoorden kon geven. Waarschijnlijk wist hij ook een heleboel niet. Dat hij niet verder betrokken was bij het project, gaf mogelijk aan dat hij niet geheel was ingewijd.

Aan het eind van een met witte steenslag bedekte en door cipressen omzoomde oprit hielden ze halt voor Hôtel de la Grange, een drie verdiepingen hoog gebouw van oude granietblokken en donkerbruine balken, begroeid met oranje en paars bloeiende bougainvillea's. Het gebouwencomplex, in de stijl van een herenboerderij, paste in het landschap en was, te oordelen aan de geparkeerde auto's, een exclusief adres.

Na een kort gesprek bij de receptie gaf Marc de beide heren ieder twee veiligheidssleutels voor hun kamer en een autosleutel. 'De landrover is niet van mij, maar staat u ter beschikking voor het project. Dan gaan we nu naar uw kamers. Die liggen op de derde verdieping. Ieder van u heeft natuurlijk een eigen kamer, en er is ook een kantoor voor u ingericht. Na u.' Hij duidde op een deur, die Peter openmaakte.

Zij betraden een door jaloezieën half verduisterde kamer, bijna twee keer zo groot als het kantoor van hun opdrachtgeefster in Genève. Behalve een zithoek zagen ze een vergadertafel met zes leren stoelen, verscheidene bureaus met computers, platte beeldschermen, laserprinters, telefoons, een fax en ander technisch speelgoed dat niet meteen helemaal thuis te brengen was.

Marc wees op een met vakboeken en ordners gevulde kast en een kluis. 'Daarin zit een grote keuze aan nuttige documentatie. Alle stukken die concreet op het project betrekking hebben liggen in de kluis.' Hij gaf Peter een sleutel en een gesloten envelop. 'Dit is de sleutel en dit is de combinatie. Zoals u ziet is de kamer verder van al het nodige voorzien. Als u nog andere hardware, software of ondersteuning nodig hebt, dan meldt u zich gewoon in Genève.'

Het avondeten in het restaurant van het hotel was voortreffelijk, evenals de kaas die Patrick besteld had als nagerecht. Toen Marc was vertrokken, hadden ze de kluis opengemaakt en gekeken wat erin lag. Het waren grotendeels instructies en protocollen van de tot nu toe gehouden onderzoeken en resultaten. In een document werd beschreven hoe de grot was ontdekt. Een schaapherder was er bij toeval terechtgekomen en had daarbij geestelijk een klap gekregen nadat hij schijnbaar door de zwarte materie in het achterste deel van de grot was gegaan. Ten gevolge van de schok was hij zwaargewond geraakt en in het ziekenhuis beland. Hij was vrij snel genezen en vertelde toen over zijn ontdekking, maar was daarna weer in een toestand van verstandsverbijstering verzonken, die niet meer was geweken. Het voorlopige onderzoek van de tekens in de grot kon op zijn best als oppervlakkig worden aangeduid. Iemand had de diverse schriftsoorten geteld en geprobeerd enkele ervan thuis te brengen. Pogingen tot vertaling waren niet ondernomen, wel speculatie over de mogelijk occulte aard van sommige symbolen. De passage was gemeten, de uitgehouwen symbolen op de grond gefotografeerd. De merkwaardige hoedanigheid van het binnenste van de passage werd beschreven, maar kon duidelijk niet zonder meer worden onderzocht of gemeten, omdat het donkere gedeelte elke vorm van straling leek te absorberen.

Veel meer stond er niet in de stukken, alle vragen lagen open en vele waren nog helemaal niet gesteld.

Onder het eten hadden ze weinig gesproken. Afgezien van onbelangrijke opmerkingen over het weer, de omgeving en de kwaliteit van het eten hadden ze zich eigenlijk alleen maar met hun eigen gedachten beziggehouden en geprobeerd de belevenissen van de dag te verwerken. Ieder dacht na over wat hij moest vinden en wat mogelijk de ander dacht. Het was geen onaangenaam zwijgen, het was een vruchtbaar nadenken waarbij ieder de ander bekeek en steeds vertrouwder met de partner werd. De goede rode wijn die Patrick had uitgezocht en waarvan ze beiden genoten, bracht hen ook dichter tot elkaar en toen de ober ten slotte espresso bracht, Patrick zijn pakje sigaretten tevoorschijn haalde en Peter een pijp wilde stoppen, nam de Fransman het woord.

'En...? Al een idee?'

'Nee. Jij?'

'Die wedervraag is zeker bedoeld als straf voor het feit dat ik het gesprek begonnen ben?'

'Als je het zo wilt bekijken.'

'Ik wilde eerst even zien wat voor sarcastisch commentaar je zou geven om je humeur te peilen.'

'Geheel in strijd met mijn tot nog toe gebruikelijke manier van doen wilde ik dit keer bij wijze van uitzondering mijn mening zo lang voor mij houden tot ik weet waarover ik het heb.'

Patrick lachte. 'Dus je hebt echt net zo weinig benul als ik? Heb je geen enkel vermoeden?'

'Momenteel ziet het ernaar uit dat het een ingewikkelde zwendel is.' Peter stak zijn pijp aan.

'En wie zou daarbij gebaat zijn?'

'Tja, dat is de hamvraag. Wat denk jij? Jij bent immers een man van het veld. Is die grot echt?'

'Ja, beslist. Maar zoiets als die zwarte passage of dat lichtschijnsel heb ik nog nooit gezien. Ik denk ook dat het heel interessant zou zijn die inscripties te ontcijferen.' Patrick ving Peters sceptische blik. 'Denk je dat ze vals zijn?'

'Ik vind ze net zo twijfelachtig als de betrokkenheid van onze vriendin in Genève.'

'Doe nou niet meteen zo negatief, Peter!'

'Je vroeg toch wat ik ervan vond?'

'Klopt... maar weet je wat? Tot we zekerheid hebben, moeten we genieten van het onderkomen en de voortreffelijke verzorging.'

'Misschien heb je wel gelijk. Laten we maar afwachten.'

6

30 april, boskamp in de omgeving van St.-Pierre-du-Bois

Toen de beide onderzoekers om negen uur 's morgens bij het boskamp aankwamen, was de aangekondigde leverantie al gearriveerd. Grote dozen en kisten stonden op de open plek in het bos, een opzichter kwam op Peter af en hield hem een reçu onder zijn neus.

'De leverantie was compleet, monsieur. Als u zegt waarheen u de apparatuur verplaatst wilt hebben, dan zorg ik ervoor.'

Patrick grinnikte inwendig om de gedienstige toon. 'Hoe heet u?' vroeg hij.

'André Guillaume, monsieur.'

'Goedemorgen, André. Ik heet Patrick. Waarom drink je niet eerst even rustig een kopje koffie, dan kijk ik de stukken door. Waar kan ik je vinden.'

De opzichter wachtte een ogenblik verward, wees toen op een van de containerhutten. 'Ik zit daarginds.'

Peter leunde tegen de wagen en bestudeerde het geleverde. Toen hield hij het aan Patrick voor. 'De helft van deze troep zegt mij niks. Te technisch. Kun jij er iets mee?'

'Hm... niet met alles... hier zijn een paar computers, een satelliettelefoon, een draagbare elektronenmicroscoop...'

'Wat is dat?'

'Een elektronenmicroscoop?'

'Nee, wat daarvoor staat, die koffer.'

'O, die satelliettelefoon. Dat is een soort uit de kluiten gewassen zendertje. Daarmee kun je data per satelliet ontvangen en verzenden. Heb je vast al eens bij James Bond gezien.' Patrick grijnsde.

'Aha, handig om te hebben,' merkte Peter droogjes op. 'Wat nog meer?'

'Een echolood, een paar weet ik veel en een... lieve hemel! Ze hebben ons toch niet echt een Pionier II gestuurd! De basismodule met aanvullingen!'

'Als je mij eens zou willen uitleggen wat dat is...'

'Dat is een robotsonde.'

'Aha, dat ding dat jij in Palenque hebt gebruikt?'

'Ja, maar deze is honderd keer zo duur. Ze hebben doorgeborduurd op de Pionierrobot die voor onderzoeken van de zwaar vervuilde delen van Tsjernobyl werd ingezet. Zendt beelden in stereoscopie uit, garandeert dus 3D-zicht en brengt de omgeving in kaart. Werd ontwikkeld door de NASA voor de Pathfinder op Mars.'

'Geld speelt bij dit project geen rol! Voor een dergelijke hoogmoed werden de bouwers van de toren van Babel bestraft.'

'Peter! Is dat uit jouw lezingen? Bijgeloof door de eeuwen heen?'

'Nee, dit is uit de Bijbel.'

'Aha,' zei Patrick verrast. 'Moet ik dan nog eens nalezen. Die passages met robotsondes heb ik zeker over het hoofd gezien.'

'Ja, ja. Voordat wij in een theologische discussie op hoog niveau verzeild raken, stel ik voor dat wij die ijverige man van zo-even een genoegen doen en besluiten waar we die troep willen hebben.'

Patrick grijnsde. 'Begrepen. We zullen de lijst nog even doorlopen. Trouwens, die vent heet André.'

Ze betraden de grot alleen. Uit de spullen hadden ze een zinvolle keuze kunnen maken en ze waren genoodzaakt het meeste ongeopend weer weg te zetten. Ze hadden een koffertje met spullen uitgezocht: scalpels, penselen, vergrootglazen, meetlinten, zaklampen, camera's en notitieblokken. Ten slotte hadden het echolood ook maar meegenomen. Aangezien zij dat alles wel alleen konden dragen, werden ze niet begeleid door opzichters.

Het was een zonnige dag, het terrein was weer te berijden en zo konden ze met de auto tot bijna bij de helling. Het laatste stuk van het pad lieten ze kort daarop ook achter zich en ten slotte konden ze de stalen deur openmaken. Patrick startte een aggregaat en deed het licht aan.

Ondanks alle scepsis stonden ze ook deze keer weer met hun ogen te knipperen bij de talloze inscripties, verfletst van kleur maar zeer zorgvuldig uitgevoerd. Peter vroeg zich af hoeveel mensen hieraan hadden gewerkt. Hoelang zouden ze hiermee bezig zijn geweest? Zelfs het plafond was beschreven, er was bijna geen stuk waar geen wonderlijke tekens, letters of patronen stonden. Zelfs als dit allemaal vals was, dan was het toch wel een fantastisch kunstwerk, moest hij toegeven, een kunstwerk dat iedere curator dol gemaakt zou hebben. Los van de vraag wanneer deze schilderingen waren ontstaan, vertegenwoordigden ze alle eeuwen van de menselijke geschiedenis, een veelvoud van culturen door de eeuwen heen. Tegen deze achtergrond werd je je bewust hoe weinig een enkel mensenleven voorstelde, of zelfs een hele cultuur waar je deel van uitmaakte. Het was bedrukkend en tegelijk verheffend.

'Ik ga de passage onderzoeken. Blijf jij hier de structuur bestuderen?'

Peter knikte, maar Patrick keek al niet meer om. De Fransman verlegde een lange kabel door de grot en wilde duidelijk het echolood gebruiken, dus begon Peter zijn onderzoek bij de wanden. Het viel hem op dat er niet alleen uiteenlopende tekens waren gebruikt, maar dat de schilder ook bijzonder zorgvuldig gewerkt had. Enkele inscripties waren bijna onleesbaar en verfletst, andere waren met de grootste precisie aangebracht. Naast zwart waren slechts twee andere kleuren gebruikt, een donkerbruine en een roodachtige tint, meestal flets, soms fletser, soms intensiever. Het leken natuurlijke kleurstoffen, aardkleuren en kool te zijn, zoals holenmensen die gebruikten. Behalve dat holenmensen noch Latijn noch Hebreeuws hadden gekend. Peter begon de ruimte en de muren in kaart te brengen. Op regelmatige afstanden sloeg hij rotspennen in de grond bij de wand en spande dan een lijn. De zo verdeelde secties fotografeerde hij systematisch en hij noteerde zijn bevindingen in zijn boek.

HOC SIT EXE
MPLUM DISC
IPULIS C.R.C.

Toen hij op de tekening van een gestileerde roos stuitte, bleef hij even staan. De roos was in zwarte lijnen uitgevoerd en met rood opgevuld. De buitenste krans van acht bloembladen volgde op een binnenste van vijf kleinere. In het midden van de bloem stond een hart, in het hart een Latijns kruis. Onder de tekening stond een regel in het Latijn. Het feit dat de inscriptie pal onder de tekening was geplaatst, leek erop te duiden dat beide bij elkaar hoorden.

Peter ging vlak bij de tekening staan en onderzocht het punt waarop een letter gekruist werd door een lijn die van een andere inscriptie was toen hij Patrick achter in de grot hoorde vloeken. Hij liep naar hem toe. Patrick knielde voor het echolood en vergeleek een paar instellingen met een boekje dat opengeslagen op de grond lag.

'Kom je er niet uit met dat apparaat?'

'Je gaat me toch niet aanraden de klantenservice te bellen, hè?' mopperde Patrick uit zijn humeur.

'Wat is er aan de hand?'

'Met al die poet die ze in Genève rondstrooien hadden ze er ten minste op kunnen letten dat het spul het ook allemaal doet. Zie je dit getal?' Patrick duidde op een rijtje rood oplichtende cijfers op het apparaat dat voor hem stond. 'Dat geeft de afstand aan waarop de stralen worden weerkaatst. Moet je hier zien.' Hij richtte een klein handapparaat dat in de verte aan een microfoon deed denken op de wand.

'Eén-komma-vijf?' las Peter. 'Zijn dat meters?'

'Ja, dat is de afstand in meters, tot op de halve meter nauwkeurig.'

'Je bedoelt, dat zou preciezer moeten zijn.'

'Nee, met dit echolood kun je diepte of afstanden van meer dan enkele kilometers meten. Een nauwkeurigheid van vijftig centimeter is daarbij verdomd goed. Maar je moet eens kijken wat er gebeurt als je het op de passage richt.' De aanduiding veranderde nu, er stond: E 99999,0.

'Dat ziet er niet goed uit,' gaf Peter toe. 'Die gang is toch niet honderd kilometer lang?'

'Dat kan haast niet. De E staat bovendien voor *error*, en dat betekent dat het ding het niet goed doet.'

'Zoals je al zei. Trouwens... afgaande op mijn beperkte begrip van techniek baseert dit apparaat zich op de ontvangst van weerkaatste stralen. Als die zwarte ruimte stralen absorbeert, zoals in de stukken staat, dan zou dat natuurlijk verklaren waarom je geen echo krijgt.'

'Stralen absorbeert? Geloof jij dat?'

'Ik ben geen natuurkundige. Ik kan niet bewijzen dat het bestaat, maar ik kan ook niet bewijzen dat het niet bestaat.'

'Ik ben ook geen natuurkundige, Peter, maar als je een dermate efficiënt, stralingabsorberend medium hebt, dan zou dat een fantastische doorbraak zijn in de stealth-technologie.'

'Je bedoelt die vliegtuigen.'

'Bijvoorbeeld, ja. De Amerikanen gebruiken sterke stralingabsorberende coatings, die op de radar niet te zien zijn. Het ligt er ook aan dat ze geen rondingen hebben, maar uitsluitend hoeken en gladde oppervlakken.'

'Zodat radarstralen in zo min mogelijk richtingen worden weerkaatst?'

'Peter, je verbaast me!' zei Patrick lachend.

'Ja, dat schudde ik ook zo uit mijn mouw. Toevallig had ik het goed.'

'Hoe dan ook, dit kastje is dus niet te gebruiken.' Patrick liep naar de drempel toe en stak zijn arm in de duisternis.

'Wat doe je nou!' Peter deed snel een pas naar voren en greep Patrick bij zijn schouder.

'Ik wil wel eens kijken,' antwoordde Patrick en hij boog zich naar voren, zodat zijn hoofd in het duister verdween.

'Niet doen!' Peter trok de Fransman meteen weer terug. Die strompelde naar achteren, zakte in elkaar en belandde onzacht met zijn achterste op de grond. Peter knielde naast hem neer en zette hem met zijn rug tegen de muur. Patricks blik was star, zijn adem ging met heftige, korte stoten. Hij scheen geen controle meer over zijn lichaam te hebben.

'Patrick! Word wakker!' Hij schudde de man heen en weer. 'Wat is er?!' Peter besefte dat hij in geval van nood niemand kon oproepen, hij had geen zendertje, geen mobieltje. En dit scheen een geval van nood te zijn.

Een verblindende lichtflits knalde door zijn hoofd, glashelder en snijdend. Het was meer dan licht, het bestond uit duizenden, miljoenen, miljarden beelden en taferelen. Hij zag mensen, steden, bossen, bergen, woestijnen, zeeën, in een razendsnelle opeenvolging, zo veelkleurig en vaag dat het één grote fonkelende helderheid was. Het was niet echt een flits te noemen, want het ging weliswaar snel, zo snel dat het allemaal in een ogenblik werd samengeperst, maar tegelijkertijd leek er een eeuwigheid te verstrijken.

De 'flits' ging gepaard met oorverdovend lawaai, donderend, bruisend, als van honderd symfonische orkesten tegelijk. Het waren alle geluiden van een jaar: het huilen van een zuigeling, de doodskreet van een strijder, het gieren van de wind, het woeden van de branding, de schreeuw van een arend, het lied van een nachtegaal.

Tekens, symbolen, letters en getallen raasden voorbij, in boeken, op perkament, op gouden wanden en kleitafels, veel te snel om te bevatten en toch zo duidelijk dat zijn schedel dreigde te barsten.

En opeens was het weg. De plotselinge stilte daalde op hem neer als een dikke zwarte deken. Doof en gehuld in volstrekte duisternis begon hij te zweven. Zonder de minste oriëntatie en niet in staat zich te bewegen hing hij in het niets. De duisternis omgaf hem als taaie teer, langzaam zwichtte hij voor het gewicht en viel in slaap.

Patrick zakte in elkaar, zijn oogleden vielen dicht, zijn adem werd regelmatig. Peter greep zijn hand en probeerde de hartslag te vinden. De Fransman maakte plotseling de indruk van totale, bedreigende ontspanning. Peter kon niet inschatten of hij in coma of gewoon bewusteloos was geraakt. Wellicht was het een hartaanval, maar hij had niet de medische kennis, laat staan de apparatuur, om dat vast te stellen. Hij wist niet wat hij moest doen. Hij kon Patrick hier niet laten liggen. Hij moest hem wakker krijgen, hetzij om hem naar de auto te brengen of om hem te vertellen dat hij hulp nodig had. Hij wenste dat hij een emmer koud water bij de hand had, maar verwierp die gedachte ook meteen weer. Afgezien van de dubieuze onderneming hier water te gaan zoeken, was het te riskant om Patrick aan zo'n schok bloot te stellen. Hij had tijdens zijn studie een paar acupunctuurpunten geleerd waarmee je bewustelozen uit hun onmacht kon halen, dus greep hij Patricks linkerpink en drukte zijn eigen vingernagel op een plek even onder het nagelbed. En Patrick reageerde er inderdaad op. Verbaasd trok Peter een wenkbrauw op, deze methode functioneerde duidelijk zelfs als je er niet in geloofde. Patrick sloeg zijn ogen op, moeizaam en beverig.

'Patrick! Ik ben het, Peter. Hoe is het met je? Kun je praten?'

'Wat... is er gebeurd?' Patrick had moeite zijn woorden te formuleren.

'Je bent in shock. Je zit in een grot in Frankrijk op de grond.'

'Ja, dat weet ik. Wat is er gebeurd?' Langzaam keerde er weer wat leven in Patrick terug. Hij greep zijn hoofd met beide handen vast.

'Je hebt je hoofd in de passage gestoken. Ik heb je achteruitgetrokken. Heb je pijn? Kun je staan?'

'Dat weet ik niet. Volgens mij ben ik wel in orde.'

'Sta dan langzaam op. Wij moeten even wat frisse lucht hebben. En als het gaat moet je proberen met mijn hulp naar beneden te gaan. Je moet naar een dokter.'

Patrick stond langzaam op en liep wankel naar de ingang van de grot, waar hij tegen de rotswand leunde. Met trillende vingers pakte hij zijn sigaretten uit zijn zak en peuterde aan het papier van de verkreukelde opening.

'Volgens mij is dat geen goed idee,' zei Peter.

'Volgens mij wel.' Patrick stak de sigaret op, maar hij had nog geen trek genomen of zijn keel werd plotseling dichtgeknepen. Hij begon te hoesten, snakte naar adem en spoog de sigaret op de grond. Speeksel liep uit zijn mond, zijn maag verkrampte tot een klomp. Bevend zocht hij houvast bij de rotsmuur, maar hij gleed opzij, boog voorover en kotste met pijnlijke heftigheid over zijn schoenen en op de grond.

'Verdomme,' bromde hij na een poosje. Toen hij weer rustig was zei hij: 'Breng me dan maar naar beneden.'

Tergend langzaam lukte het ze beneden te komen. Peter liep voorop, zodat hij zijn collega kon opvangen als die zijn evenwicht mocht verliezen. Maar de Fransman hield zich krampachtig aan de veiligheidskabel vast en leek iedere voet met uiterste zorg voor de andere te plaatsen. Hij moest vreselijk vechten tegen de steeds weer opkomende misselijkheid en een dreunende koppijn. Het was dus minder voorzichtigheid dan wel gewoon de onmogelijkheid om sneller te lopen.

Peter racete naar het hotel. Toen de dokter kwam die was opgeroepen, was Patrick weer diep in slaap. Peter beschreef Patricks symptomen, zogenaamd zonder de precieze oorzaak van de aanval te kennen. Maar zijn pols en bloeddruk waren in orde, koorts was niet vast te stellen. De arts ried Peter aan de patiënt, die zich duidelijk in een verregaande staat van uitputting bevond, eerst maar eens te laten slapen. Aangezien er geen lichamelijke effecten waren, duidden de hoofdpijnen op een psychische storing of een epilepsieaanval. Om iets ernstigers als een hartaanval of zelfs een hersentumor uit te sluiten, wilde de arts de volgende dag terugkomen, om de toestand van de patiënt te controleren en desnoods opname in Montpellier te regelen.

7

30 april, herenhuis bij Morges, Zwitserland

Bij de messing inktpot lag een ganzenveer met gouden punt in een houten bakje. Naast het leren bureaublad rustte de arm van een man in een donker jasje. Zijn witte manchetten werden gesierd door kostbare knopen en hij droeg een zware, roodgouden zegelring. Het bureau was rustiek, heel groot, een antiquiteit die waarschijnlijk al enkele eeuwen in een slot had gestaan. Daarvoor stonden een man en een vrouw, duidelijk jonger dan de ringdrager.

'Hoe schatten jullie het in, beste vrienden?' vroeg de heer achter het bureau.

'Het is de beste gelegenheid sinds lange tijd. Je moet niet zo wantrouwig zijn, Steffen,' antwoordde de vrouw.

'Ik ben het met Johanna eens,' voegde de jongeman eraan toe. 'Wij moeten niet voortijdig afbreken.'

'Het is inderdaad nog vroeg,' stemde de heer in. Hij stond op en streek met zijn hand over zijn baard. Hij wierp een blik op het Meer van Genève. 'Er zijn meer mensen dan ooit bij betrokken. Het gevaar is daardoor dan ook groter dan ooit tevoren.'

'Het zijn echter ook geleerdere mensen dan ooit tevoren,' zei Johanna.

'Ja, dat klopt, ze worden steeds geleerder, maar zijn ze ook intelligenter, en wijzer?'

'Als wij ze op het goede spoor zetten, kunnen we daar wel achter komen,' zei de jongere man. 'We kunnen er altijd nog mee stoppen.'

'De eerste schreden waren niet erg bemoedigend. En jullie weten hoe het gaat: hoe meer tijd verstrijkt, des te moeilijker het wordt om alles ongezien te doen. Ik hoop dat je gelijk hebt, Jozef.' Steffen liep weg bij het venster. 'Maar oké. Daarmee is het besluit genomen. Misschien krijgen we in de komende dagen al zekerheid.'

2 mei, Hôtel de la Grange, St.-Pierre-du-Bois

'Ik ben blij dat je je eetlust tenminste niet kwijt bent.' Peter had zijn vis weliswaar op, maar Patrick had al een tweede hoofdgerecht besteld en was een aardig eind op streek met de tweede fles wijn. Een koppige Domaine de Villemajou, die, zoals hij verklaarde, prachtig bij zijn dure pastei paste.

'Heeft er wel iets schade opgelopen?' vroeg hij vrolijk.

'Dat weet jij beter dan ik, maar het lijkt er niet op.'

'Afgezien van hongerig voel ik me echt goed. Het is ook geen wonder, als ze je twee dagen achter elkaar laten slapen.'

'Dat had je kennelijk nodig. De dokter kon verder niks vaststellen behalve volslagen uitputting, lichamelijk zowel als geestelijk.'

'Ik kom er nog steeds niet uit hoe je me gewekt hebt. Heb jij een acupunctuurpunt gebruikt? Als ik al niet in zulke hocus pocus geloof, hoe kom jij er dan bij?'

'Probeersel, uit nood geboren. Ik moest wel.'

'Waarschijnlijk heeft het gewoon heel erg pijn gedaan. Misschien ben ik daardoor wel wakker geworden.'

'Nou, nou, niet zo ondankbaar, het heeft in elk geval gewerkt, en het zag er voor jou niet best uit. Kun je uitleggen wat er is gebeurd?'

'Nee, echt niet. Het is één grote chaos in mijn schedel.'

'Heb je dan helemaal geen herinnering aan wat er is gebeurd?'

'Ik zou het niet kunnen zeggen, met de beste wil van de wereld niet. Als ik erover na probeer te denken, dwalen mijn gedachten af, ik raak verward en krijg hoofdpijn. Ik hoop dat dat de komende dagen zakt. Zeker is in elk geval dat we uit de buurt moeten blijven van die zwarte vlek!'

'De ontdekker van de grot is naar verluidt nog steeds niet aanspreekbaar.'

'Dat kan ik me heel goed voorstellen. Toch zou ik wel eens met hem willen praten om te ontdekken wat hem precies is overkomen.' Hij nam een slok wijn. 'En hoe ben jij de tijd doorgekomen? Is er iets gebeurd? Ben je nog opgeschoten?'

'Ik ben nog twee keer in de grot geweest en heb de inscripties bestudeerd. Ze staan hier en daar over elkaar heen, zijn dus ook na elkaar aangebracht, wellicht met tussenpozen van jaren. Met een precieze analyse zou je misschien kunnen vaststellen hoeveel tijd tussen de verschillende inscripties ligt.'

‘Kon je de tekst ontcijferen?’

‘Enkele zinnen Latijn wel. Die staan echter in schijnbaar geen enkele zinvolle samenhang.’ Peter pakte zijn notitieboekje dat hij altijd bij zich had om spontane ideeën, vragen of inzichten te noteren. ‘“Memento, homo, quia pulvis es, et in pulverem reverteris,”’ las hij voor.

‘Aha,’ zei Patrick.

‘“Houdt voor ogen, mens, dat gij uit stof zijt en tot stof zult wederkeren.” Christelijk van oorsprong, Gods woord tot Adam na de zondeval. Dan heb ik nog gevonden: “Indocti discant et ament meminisse periti”, wat zoveel betekent als “De dommen moeten leren en de geleerden moeten hun herinnering koesteren.” Dat heeft iemand op de wand gekrast.’

‘Dat laatste verwijst misschien naar andere inscripties in de grot?’ vroeg Patrick.

‘Ja, dat zou kunnen. Wil jij nog een dessert?’

‘Nee, dank je wel. Ik wil alleen koffie en een sigaret.’ Hij legde zijn servet op tafel, leunde achterover en stak een sigaret op. Peter nam de gelegenheid te baat om een pijp te stoppen.

‘Ik stel voor dat we er een linguïst bij halen, dan kunnen we meer laten vertalen.’

‘Wil je zeggen dat je aan het eind van je Latijn bent?’ Patrick lachte om zijn eigen grapje, maar Peter liet zich niet afleiden.

‘Ik heb nog wat gevonden,’ vervolgde de Engelsman. ‘Een tekening.’ Hij schoof Patrick het notitieboek over de tafel onder de neus en duidde op een potloodtekening.

‘Een bloem? En wat betekent het onderschrift?’

‘“Hoc sit exemplum discipulis” betekent “dit is een voorbeeld voor de leerlingen” of “voor mijn leerlingen”. De letters C.R.C. zijn wellicht de initialen van de schrijver.’

‘De schrijver vindt dat iets – wellicht die grot – een goed voorbeeld moet zijn voor zijn leerlingen?’

‘Wie weet…’ Peter had inmiddels de brand in zijn pijp en trok glimlachend een wenkbrauw op. ‘Daar komen we wel achter. De bloem is namelijk een roos. Een heel bijzondere roos, en ik weet ook wie hem heeft getekend.’

‘Dat méén je niet!’

‘Jawel.’

‘En? Door wie dan?’

‘Laat je verrassen, ik heb telefonisch al voor een ontmoeting gezorgd.

We gaan naar Parijs. Ben je daartoe in staat?'

'Ja, natuurlijk.' Patrick klopte op zijn buik. 'Voor mijn lichamelijk welzijn is gezorgd. Wanneer gaan we?'

'We rijden vanmiddag naar Béziers en nemen van daaruit een vliegtuig. De ontmoeting is vanavond, de terugreis morgenochtend.'

'Je hebt alles al georganiseerd?'

'De "Babylon Stichting" uit Genève maakt dat mogelijk,' schertste Peter. Hij vermaakte zich kostelijk met de verraste en dankbare uitdrukking op Patricks gezicht.

'Petje af! Ik stel voor dat we de tijd nuttig besteden en Elaine een fax sturen.'

'Waarover?'

'Ik wil precies weten waar die schaapherder uithangt.'

'Helemaal mee eens. En dan moeten we bij die gelegenheid meteen ook een linguïst of liever nog een specialist in oude talen in de arm nemen.'

'Denk je dat Elaine iemand kan vinden die spijkerschrift, hiërogliefen én Maya-schrift kan lezen? En daarbij ook nog Hebreeuws en Grieks, als we toch bezig zijn?'

'We hebben genoeg aan iemand die weet hoe hij of zij aan de juiste vertalingen kan komen. Maar ik voel me niet bezwaard de grenzen van mevrouw-geld-speelt-geen-rol te testen.'

'Peter, je wordt met de dag sympathieker.'

2 mei, Brasserie La Tipia, rue de Rome, Paris

'Professor Lavell! Leuk u weer te zien!'

Een zakenman van in de vijftig was naar hun tafel gekomen. Peter stond op en gaf hem een hand.

'Mag ik voorstellen: Patrick Nevreux, ingenieur archeoloog, wij werken samen. Dit is Sebastian Hoquet, bankier, de eerste contactpersoon voor onze benodigdheden.'

Sebastian ging zitten en bestelde met een gebaar koffie. Daarop wendde hij zich tot Peter en lachte. 'Wij hebben elkaar een tijd niet gezien, professor. Ik heb met enthousiasme uw publicaties gevolgd. Jammer dat u en uw onderzoekingen niet voldoende aandacht krijgen.'

'Ik denk dat dat een kwestie van tijd is. Er gaat immers niets verloren.'

'En bent u nu met iets nieuws bezig? Waarom had u zo'n haast?'

'Wij hebben een tekening gevonden en wilden graag weten of die betrekking heeft op de loge.'

Sebastian lachte. 'U weet toch dat ik als het om onze loge gaat gebonden ben aan zwijgplicht?'

'Ja, dat weet ik best. Maar vragen stond toch vrij?'

'Jazeker. Om wat voor tekening gaat het, en waar hebt u die gevonden?'

Peter reikte de man een kopie aan van de roos met het onderschrift. Sebastian keek er maar heel even naar, en de beheersing van zijn gelaatstrekken ontglipte hem. Het was maar een vluchtig ogenblik, toen had hij zich weer in de hand.

'Hoe komt u hieraan, professor?'

'Komt het u bekend voor?'

'U moet mij vertellen waar u deze tekening hebt gevonden.'

'Ik zou u graag tegemoetkomen, monsieur Hoquet, maar we zullen elkaar ergens halverwege moeten treffen. Ik werk aan een project dat strikt geheim is. Niets mag naar buiten komen. Maar vertelt u mij eens waarom u zo omzichtig doet.'

De bankier leek zich enigszins te ontspannen, maar bleef de tekening vasthouden. 'Ik ben al vier jaar geen grootmeester meer. De huidige koers van de loge wordt nu uitgezet door Renée Colladon. De grootmeester legt vast wat mag worden gezegd en wat niet. Hij is verantwoordelijk voor het beeld naar buiten. We moeten dus een afspraak met Renée maken...' Hij zweeg en dacht na. Toen stond hij plotseling op. 'Ik moet even bellen. Hebt u vanavond nog tijd? Vindt u het goed als ik u in het hotel bel en daar afhaal?'

'Ja, hoor. Wij logeren in het Méridien. Laat een boodschap voor ons achter. En laat u dat blaadje maar hier.'

Toen de man het restaurant had verlaten, was de beurt aan Patrick om vragen te stellen. 'Wat had die opeens een haast. Waar ken je hem van en over wat voor loge hadden jullie het?'

'Ik heb die man bij een onderzoek leren kennen. Hij was destijds grootmeester van de "Broederschap van de Ware Erfgenamen van het Kruis en de Roos", een invloedrijke vrijmetselaarsloge. Hun embleem lijkt opvallend veel op de afbeelding die we in de grot hebben ontdekt. Hij zal ons kunnen vertellen hoe het daar terechtgekomen is en wat het betekent.'

'Waarom heb jij contacten met zulke sekten, Peter? Dat had ik toch niet achter je gezocht...'

'Het is geen sekte. Het zijn vrijmetselaars, of noem het een geheim genootschap, maar het is géén religieuze vereniging. Zij streven onschuldige sociale doelen na als broederschap en begrip. Een van hun centrale statuten schrijft zelfs voor dat zij tijdens hun vergaderingen niet mogen discussiëren over religie en politiek.'

'Dat wil nog niet zeggen dat ze geen sekte vormen. Vrijmetselaars zijn toch die kerels met schortjes en hoge hoeden die elkaar in donkere kelders bij kaarslicht een hand geven?'

'Ik blijf genieten van je diepgaande halve waarheden. Ik moet toegeven dat veel van hun symbolen, riten en tradities religieus getint zijn. Het heeft allemaal ook een uitermate interessante cultuurhistorische oorsprong, die ligt in de achttiende eeuw.'

'Nou ja, als jij het zegt, professor. Als je maar niet met new age of andere occultismen begint!'

Peter zuchtte. 'Het ene heeft weliswaar niets met het andere te maken, maar ik weet wat je bedoelt. Je hoeft je geen zorgen te maken. Occultisme is zo ongeveer het laatste waar ik gevoelig voor ben.'

Sebastian Hoquet haalde ze om elf uur bij het hotel af. Ze stapten in zijn auto en reden over de rondweg naar de voorsteden van Parijs.

'Het viel niet mee een ontmoeting te regelen,' verklaarde hij. 'Vanavond is eigenlijk een reguliere vergadering in de tempel, waarbij de grootmeester aanwezig is. Helaas is het niet mogelijk gewoon buiten te wachten. We zullen dus de gemeenschappelijke begroetingsceremonie bijwonen en ons dan met hem samen terugtrekken.'

'Als we daar rare dingen moeten zingen of eten,' begon Patrick, 'dan wil ik dat graag van tevoren weten zodat ik bijtijds kan afhaken.'

'U hoeft nergens bang voor te zijn, monsieur.' Sebastian wees op een doos. 'Daar zitten zwarte kappen en schorten in. Die moeten we allemaal aan. U volgt mij gewoon en u doet wat ik doe en zegt wat ik u zeg. Verder houdt u gewoon uw mond.'

'Zwarte kappen en schortjes! Ik was er al bang voor. Heb jij dit al eens gedaan, Peter?'

'Ik heb ervan gehoord.'

'Aha. Heel bemoedigend...' Patrick klonk niet overtuigd. Hij pakte de schorten uit en bekeek ze. Ze waren van een heel dun, wit lamsleer en werden om de heupen vastgegord, om het kruis te bedekken. Hij schudde zijn hoofd.

Ze bereikten een rustige wijk. Achter de bomen van de laan en de oude muren gingen burgerlijke villa's schuil. Sebastian stond stil voor een groot smeedijzeren hek, naast een intercom. Hij liet het raampje zakken en sprak een paar onduidelijke woorden in het apparaat. Even daarna gleed de poort open en reed de wagen naar binnen. De oprit was breed, bestraat met kasseien en onverlicht. Het hele terrein was donker en werd door de koplampen van de auto slechts gedeeltelijk verlicht. Vlak achter de poort sloeg Sebastian af naar een soort parkeerplaats. Hij trok twee zwarte doeken uit het handschoenenkastje, stapte uit en hing die over de nummerplaten. Toen reden ze verder. De kronkelende en met hoge rododendrons omzoomde oprit voerde ze via een bocht naar een grote vlakte, die werd gedomineerd door een imposante villa. Er stonden zo'n twee dozijn auto's geparkeerd, allemaal met verhulde nummerplaten.

'Is dit een vergadering van de Blauwe Knoop?' vroeg Patrick.

Duidelijk geërgerd draaide Sebastian zich naar hem om. 'Ik hoop dat u uw tong nu wel in toom kunt houden, meneer. De bijeenkomsten van de loge zijn altijd anoniem. Geen enkel lid kent de identiteit van de ander. Op deze manier leggen we onze vooroordelen en ijdelheden ter zijde en concentreren ons op onze woorden en daden.'

'Aha!'

'Ik moet u nu vragen uw kap op te zetten en het schort om te doen.'

'Als we allemaal anoniem zijn, hoe weet u dan de naam van uw grootgoeroe?' Patrick leek niet van plan zich de mond te laten snoeren, maar Sebastian wilde er duidelijk niet verder op ingaan.

'Wij gebruiken uiteraard niet onze echte naam,' antwoordde hij.

'Natuurlijk, dat had ik kunnen bedenken.'

'Patrick, toe,' vermaande Peter. 'Wij hebben deze ontmoeting nodig.'

'Oké, oké. Ik hoop alleen maar dat ik niet word gefotografeerd in deze kleding.' Hij keek Peter aan door de kijkgaten in de kap. Zijn stem klonk enigszins gedempt. 'Ik zie de koppen al: PATRICK NEVREUX DE FETISJIST EN ZIJN GEHEIME SEKSUELE OBSESSIES.'

Sebastian ging ze voor naar de ingang. De man die de deur voor hen opendeed droeg eveneens een kap en een schort. Dat het een man was, viel alleen af te leiden uit zijn figuur. Hij sprak Sebastian aan in een vreemde taal, waarop Sebastian lang en omstandig zijn hand schudde, op zijn begeleiders duidde en op dezelfde onverstaanbare manier antwoordde. Ze werden binnengelaten en gingen door een aantal kaarsverlichte gangen naar een grote kamer, waar al een paar mensen waren. Zij onderscheidden zich weinig van elkaar, behalve dan dat sommige schorten gedeeltelijk waren voorzien van borduursels en dat andere gewoon effen waren.

'Wat is dat voor taal?' fluisterde Patrick zijn collega in het oor.

'Volgens mij Hebreeuws,' siste Peter terug.

'Hebreeuws? Zijn ze wel helemaal lekker?'

'Ik leg het je nog wel uit, Patrick.'

Lang hoefden ze niet te wachten. Peter had de aanwezigen, die zich gedeeltelijk mompelend in het Frans onderhielden, geteld en was tot de slotsom gekomen dat het aantal ongeveer klopte met dat van de geparkeerde auto's, toen de menigte in beweging kwam. Achter in de kamer ging een zware houten deur lichtknarsend open en het werd duidelijk dat de toegang tot de eigenlijke loge en de begroetingsceremonie op het programma stonden.

Achter elkaar en waardig schrijdend betraden zij een vreemdsoortige hoge stenen ruimte. Twee enorme zuilen stonden aan de ingang en vormden een soort portaal. De zuil links leek van wit marmer en was op ongeveer drie meter hoogte afgeplat met brons, dat met Hebreeuws schrift was beschreven. De rechterzuil bestond uit zwarte steen en was het spiegelbeeld van de andere, maar dan met messing versierd en beschilderd met hiërogliefen en een godheid met een ibiskop. De stenen bodem was ingelegd met een groot, tweekleurig mozaïek. Het leek een soort embleem: een cirkelvormig Hebreeuws opschrift omgaf een cirkel, een winkelhaak en een schietlood met daarop een metselaarstroffel. De leden van de loge stelden zich in een halve kring langs de rand van het mozaïek op, terwijl Sebastian zijn begeleiders een teken gaf achter hem aan in de tweede rij te blijven staan en zich rustig te houden. Nu hieven de leden een diep, eentonig gezang aan dat na een poosje aanzwol en ten slotte abrupt ophield. Het was een tijdje doodstil, tot het lichte geruis van een opengaande deur hoorbaar werd. Aan de overkant, de donkere zijde van de hal, betrad een man met een altaarkaars door een onopvallende deur de ruimte. Hij droeg net als de rest kap en schort en had een ketting met een glanzende metalen borstplaat om zijn hals, waarin de vlam zich spiegelde.

Sebastian boog zich een beetje naar achteren en beduidde Peter en Patrick dat dit een belangrijke persoon was, kennelijk de grootmeester.

De man schreed naar een lessenaar en ontstak daar een zevenarmige kandelaar. Nu werd zichtbaar dat zich achter de lessenaar een vrijstaande stenen boog bevond, de sluitsteen getooid met een gouden hexagram.

De grootmeester hief de armen op, waarop de anderen weer begonnen te zingen. Toen het gezang wegstierf, kwamen twee mannen door de deur de hal binnen, met in hun midden een derde. Deze was heel anders gekleed en gaf de indruk gevangen te zijn. Een eenvoudig, licht linnen hemd en een net zo eenvoudige broek bedekten zijn kennelijk verder naakte lichaam. De blote voeten staken in primitieve pantoffels, hij was geblinddoekt met een zwarte doek en om zijn hals hing een kort touw met een glijdende knoop. In volslagen stilte voerden zijn begeleiders hem naar het midden van het mozaïek, draaiden hem een paar keer rond en hielden daar pas mee op toen de grootmeester pal tegenover hem ging staan. Een vijfde persoon maakte zich los uit de halve kring van aanwezigen en liep naar de lessenaar. De grootmeester trad daarop ter zijde en verliet de hal door de nog openstaande deur.

Sebastian pakte Peter bij zijn schouder en maakte een handgebaar naar het deurtje en hield toen zijn vinger tegen zijn lippen. Zwijgend verlieten ze de bijeenkomst en ze kwamen ten slotte in een smalle gang terecht.

'Wat zijn ze met die vent van plan?' vroeg Patrick een beetje bezorgd.

'Het is een initiatierite,' antwoordde Peter op gedempte toon.

'O. Ik hoop dat je gelijk hebt.'

De gang voerde hen langs talloze deuren en zijgangen tot ze in een ruim kantoor kwamen dat er nogal ouderwets uitzag. De grootmeester zat aan een tafel op een gestoffeerde stoel met een overmatig hoge rugleuning op hen te wachten.

'Gaat u zitten.' Het was de stem van een vrouw. 'Mijn naam is Renée Colladon. Ik ben blij kennis met u te kunnen maken, professor Lavell, en ook met u, monsieur Nevreux. Broeder Sebastian heeft u, wat eigenlijk verboden is, als leerling mee naar de tempel genomen, maar hij heeft dat gedaan met mijn uitdrukkelijke toestemming, want u bent zoekende. U zoekt antwoorden.'

'Wij danken u voor uw bereidheid ons te ontvangen,' sprak Peter. 'En waarom mochten wij de tempel op een dag als deze wel betreden?'

'Wellicht wordt u daardoor duidelijk wat dagelijks aan uw blik ontsnapt en hoe ver u altijd van de waarheid af kunt zijn.'

'Het bewijst ook,' zei Patrick, 'hoeveel andere mensen dagelijks ver van de waarheid afstaan.'

Renée keek Patrick een ijzig moment zwijgend aan, en Peter was al bang dat de vrouw uit haar slof zou schieten, maar dat deed ze niet. Haar intonatie leek hooguit een beetje gespannen, maar niet geërgerd.

'Het is voor u niet moeilijk zo te spreken, zoals het voor mij ook niet moeilijk is het te accepteren, want u zoekt. Wij allen streven naar het licht. U hebt aan uw bijzondere relatie met ons te danken dat u hier kunt zijn, maar ik moet u waarschuwen. Veel antwoorden zijn niet bestemd voor ruwe stenen, zoals wij oningewijden noemen. Voor buitenstaanders zal het heilige der heiligen – het laatste geheim – altijd verborgen blijven, mocht uw vraag daarop gericht zijn.'

'Wat mij interesseert,' zei Patrick, 'is waarom u onderling Hebreeuws spreekt. Als het tenminste Hebreeuws is.'

Renée boog zich voorover, de blik vast op Patrick gericht. 'Ik zie dat u niet op de hoogte bent van onze voorgeschiedenis.'

'Nee, ik heb me nooit voor vrijmetselarij geïnteresseerd. En ik heb ook nog nooit zo'n schortje gedragen.'

'Wij vrijmetselaars zijn op zoek en streven er voortdurend naar onszelf op een zedelijk hoger plan te brengen, zoals wij ook ruwe steen bewerken waaruit een prachtig gebouw ter ere van de Almachtige wordt opgetrokken. Metselaars waren vroeger ongezalfde ingewijden. Wij hebben domkerken en kathedralen opgericht, de piramiden van de farao's en de tempel in Jeruzalem gebouwd. Maar ons grootste bouwwerk ter ere van Hem mishaagde Hem, Hij strafte de mensheid ervoor. Weet u waarover ik het heb?'

Patrick schudde van nee.

'Dat was de toren van Babel,' vervolgde de vrouw. 'En God verwarde de mensen en geen mens verstond de taal van de ander. Dat was de Babylonische spraakverwarring.'

'En daarom spreekt u nu Hebreeuws?'

'Hebreeuws was de taal van God, in die taal ligt de kracht om dingen te scheppen. Doordat Adam in de taal van God de dingen benoemde, werden ze waar. In de ware naam van dingen woont hun eigen scheppingskracht. Met behulp van de kabbala lukt het ons de waarheid op te sporen, en wij kunnen onze gesprekken met God in de oorspronkelijke taal weer opnemen. Natuurlijk blijft het een voortdurend worstelen naar niet te bereiken perfectie.'

'Wat is de kabbala?' vroeg Patrick.

'Laten we niet te zeer op de details ingaan,' mengde Peter zich in het gesprek. 'Wij hebben heel andere vragen.'

Renée lachte even. 'Uw doelgerichtheid is bekend, professor Lavell. Ik zou de discussie met u graag verdiepen, monsieur Nevreux, maar ik vermoed dat ik u nog wel eens terug zal zien, als u ware vragen hebt. De professor heeft gelijk, momenteel bent u om andere redenen hier. U hebt een tekening ontdekt en die vraagt om een antwoord.'

'Dat klopt.' Peter schoof de kopie over de tafel naar haar toe. 'Waar komt deze tekening vandaan en wat betekent ze?'

Renée pakte het vel en bekeek het langdurig. Doordat zij nog steeds een kap droeg was het niet mogelijk haar gezichtsuitdrukking te lezen, maar een tijdlang heerste er een gespannen stilzwijgen.

'Het is een roos,' zei de grootmeester ten slotte.

'Ja,' zei Peter.

'Hebt u deze tekening uit een boek?'

'Nee, hoezo?'

'De Latijnse spreuk heeft betrekking op iets, mogelijk een tekst of een boek, waar hij uit komt. Waar komt deze tekening vandaan?'

'Dat mag ik niet zeggen. Wij willen eerst peilen wat de betekenis ervan is. Het gaat hier om een geheim onderzoeksproject, zoals ik monsieur Hoquet al heb verteld.'

'Wat voor diepere betekenis zou er achter een roos moeten steken?'

'Wellicht dezelfde betekenis die in het embleem van uw loge ligt. Is dat niet ook een roos voorzien van een kruis met een hart? Als ik het mij goed herinner komt zelfs het aantal bloembladen met die van u overeen...'

Renée leunde achterover en schoof het blad schijnbaar ongeïnteresseerd over de tafel terug. 'De overeenkomst kan verbluffend zijn, maar wellicht puur toeval. Ik zou niet weten welke samenhang ik moet zien.' Ze maakte een handbeweging. 'Als ik wist waar die roos vandaan kwam, maar zo...'

'"Dit is een voorbeeld voor mijn leerlingen." Wat zeggen u de letters C.R.C. aan het eind van de spreuk?' vroeg Peter.

'Ik zou daar niet over durven speculeren, professor.'

'Interessant genoeg was broeder Sebastian,' Patrick duidde op de bankier, 'van mening dat dat nou juist de dringende aanleiding was om u te zien.'

De vrouw reageerde niet, behalve dan een beweging die wellicht een schouderophalen was.

'Ik denk dat wij alles gehoord hebben wat er te weten valt,' zei Peter toegeeflijk. 'Ik wil niet onbeleefd zijn, en wij danken u voor deze bijzondere ontmoeting, maar onze vlucht vertrekt nogal vroeg. Wij moesten nu maar eens naar ons hotel gaan.'

'Het genoegen was geheel mijnerzijds, monsieur, en het spijt me heel erg u niet verder te kunnen helpen. Wij blijven natuurlijk wel in contact voor het geval u meer over de vindplaats zou mogen vertellen.'

'Ja, dat lijkt mij ook,' luidden Peters woorden bij het afscheid, waarbij hij Patrick beduidde dat ze nu zonder verdere vragen moesten vertrekken. 'En misschien schiet u nog iets te binnen.'

'Broeder Sebastian zal u naar buiten begeleiden,' zei de grootmeester. 'Ik wens u een goede terugreis.'

Ze wisselden amper een woord terwijl Sebastian door de donkere voorsteden reed, door duistere lanen en langs spookachtige oude huizen en schaars verlichte woningblokken, die op de heenweg een stuk minder troosteloos hadden geleken.

'Mijn verontschuldigingen,' zei Sebastian, toen hij ze bij het hotel afzette, 'dat vanavond niet zo succesvol verlopen is.'

'O, maar dat geeft niks,' antwoordde Peter. 'Voor mij was het heel informatief. Hartelijk dank dat u dat mogelijk hebt gemaakt.'

Toen Sebastian wegreed, liepen Peter en Patrick naar de bar van het hotel en gingen wat afzijdig van de andere gasten in een hoek zitten. Peter stopte zijn pijp.

'Wat vond je van dat mens, Patrick?'

'Ze kletst maar wat, maar ze weet iets.'

'Ja, dat denk ik ook. Ik weet het zelfs vrij zeker. Maar het was zinloos daar langer te blijven. Ze meldt zich nog wel een keer bij ons, daarom heb ik Sebastian ons faxnummer ook gegeven.'

'Waarom ben je daar zo zeker van? Volgens mij zat er bij die vrouw duidelijk een steekje los. En wat is kabbala in godsnaam?'

'Waarom ik daar zo zeker van ben... Nou, ik ken Sebastian heel goed, hij heeft zich verraden. Die tekening is in elk geval van het grootste belang voor de broederschap. Dat kan hij beoordelen omdat hij als grootmeester jarenlang de belangrijkste aangelegenheden van de loge heeft verzorgd en geleid. Nu kan hij niet zomaar de nieuwe grootmeester passeren, daarom mag hij zelf niet praten. Maar alleen al het feit dat men ons in de tempel heeft toegelaten, duidt op het belang dat de grootmeester eraan hecht. Dit is uitsluitend op grond van wat Sebastian verteld heeft.

Nu is ze bezig informatie los te peuteren. Ik vermoed dat het geheim te maken heeft met de kern van de loge zelf, vandaar die grote belangstelling en haar koppigheid.'

'En nu gaan we wachten tot haar toch nog iets te binnen schiet?'

'Jazeker. Als zij onderzoek gaat doen, leidt ons faxnummer haar naar Genève, omdat alles daar gecoördineerd wordt. Maar daar stuit ze op graniet, dat kunnen we rustig aan Elaine overlaten. En dus blijft haar verder niets over dan zich toch maar weer tot ons te wenden.'

'Heeft dat iets te maken met die spraakverwarring waar ze het over had?'

'Hoe bedoel je?' Peter blies zijn rook lui naar het plafond en keek Patrick vanuit zijn ooghoek aan.

'Nou ja, aan de ene kant vinden wij een opvallende, multilinguïstische grot, en het project heet zelfs Project Babylon. Aan de andere kant zit die geheimzinnige Hebreeuwse iets over spraakverwarring te mummelen. Wij laten haar een tekening uit de grot zien en plotseling wordt ze bloednerveus. Vormen die talen het verband?'

'De grot heeft met zekerheid niets van doen met de Babylonische spraakverwarring, als je dat bedoelt. De sage rond de toren van Babel waarop Renée zich beroept in haar stamboom van de vrijmetselaarsloge is een legende, die waarschijnlijk verband houdt met de oude ziggoerats van de Soemerische stad Ur. Het rijk van de Soemeriërs ging ten slotte ten onder en het gebied werd in de jaren daarna een smeltkroes van woestijnvolkeren, krijgers en nomaden, allemaal met andere talen. Dat alles gebeurde ergens vóór Christus in een tijd van twee tot drie millennia. Het feit dat er in die grot sprake is van Latijn pleit ervoor dat deze zeker tweeduizend jaar jonger is. Een directe samenhang kan er dus niet zijn.'

Patrick stak een sigaret op. 'Dat had ik al begrepen. De grot heeft zeker niets met Babylon te maken, maar de loge wellicht ook niet. Wat ik zeggen wil is, waarschijnlijk hebben ze die Babylonlegende erop geplakt, omdat die mooi in het beeld paste, maar in werkelijkheid gaat het om de grot.' Patrick deed zichtbaar zijn best alles op een rijtje te krijgen. 'Misschien was C.R.C. de stichter van de loge en heeft hij destijds zelf die grot beschilderd. Misschien wilde hij zijn volgelingen of leerlingen of wie dan ook een bijzonder geheim nalaten en die samenzweerderige Renée houdt zich voor een erfgenaam. Helaas zijn ze vergeten waar de grot lag en zo werd de grot met de inscripties ingeruild voor de toren van Babel. Past ook beter bij metselaars.'

'Ja, dat klinkt plausibel. Ik deins niet voor ongebruikelijke verbanden terug, maar een afstammingsverhaal dat zich baseert op een vijfduizend jaar oude legende moet je toch minstens voor dubieus, zo niet voor krankzinnig houden.' Met zijn pijpenkrabbertje temperde hij de gloed van zijn pijp. 'Pas als we weten hoe oud die schilderingen zijn kunnen we onze theorie testen.'

'En we zouden de teksten moeten kennen,' voegde Patrick eraan toe. 'Als dit gaat om een geheim, dan staat het wellicht in de tekst.'

'Ja, het wordt steeds belangrijker dat we er iemand bij betrekken die ons kan helpen met vertalen.'

8

5 mei, kantoor van de burgemeester, St.-Pierre-du-Bois

De morgen was koel, fijne mist had de straten 's nachts bevochtigd, buiten rook het naar dennen en aarde, maar het kantoor van Didier Fauvel rook ondanks het open raam sterk naar boenwas, stoffige leren stoelen en eikenhouten meubels.

'Ik ben blij dat u op mijn uitnodiging kon ingaan,' zei de burgemeester. 'Gaat u toch zitten. U moet het heel druk hebben dus ik zal u niet lang ophouden. Kunt u mij iets over de vooruitgang van uw onderzoek zeggen? Ik ben namelijk geen vakman op dit gebied en daarom heb ik monsieur Fernand Levasseur uitgenodigd.' Hij duidde op een vrij groot uitgevallen man met een volle baard, die suf voor zich uitkijkend op een stoel naast het bureau zat. Uit zijn opgestroopte hemdsmouwen staken krachtige, behaarde armen die een houthakker niet zouden hebben misstaan. 'Hij is universitair bioloog en onze milieudeskundige voor de streek rond St.-Pierre-du-Bois. Ik heb hem gevraagd de komende dagen en weken een beetje tijd uit te trekken om u terzijde te staan met zijn lokale informatie.'

Peter en Patrick wisselden een onzekere blik, voordat de professor fijntjes glimlachte en zich tot de man wendde. 'Professor Peter Lavell, aangenaam. Mag ik u mijn collega voorstellen, ingenieur Patrick Nevreux.'

De bioloog knikte.

'En wat gebeurt er nou precies?' vroeg de burgemeester. Hij liet zich lui in zijn bureaustoel zinken.

'Tja, monsieur le maire,' zei Patrick, 'om te beginnen moeten we u natuurlijk danken dat u de tijd wilt nemen om onze ongetwijfeld vreselijk droge analyses te bekijken.'

Didier Fauvel grijnsde en wuifde dit compliment weg.

Patrick sloeg een map met documenten open, een keuze uit de verzameling papieren die voor het begin van het project voorbereid waren. Daar zaten ook een paar nietszeggende foto's in van bospercelen, hekken en uitgezette bakens. 'Wij willen u hier eigenlijk niet mee lastigvallen,' vervolgde Patrick. Hij bladerde vluchtig door de stukken en klapte de map daarna weer dicht. 'Om een lang verhaal kort te maken, wij vorderen nauwelijks.'

'Wat zegt u daar?' De wangen van de burgemeester werden rood toen hij zich naar voren boog.

'Hoe vervelend het ook voor u is, moeten wij u er uit naam van onze professionele aanpak nu al op opmerkzaam maken dat de aanvankelijk door ons beraamde tijd onvoldoende zal blijken.'

'Wat wilt u daarmee zeggen?' Fauvel kneep zijn ogen half dicht en keek Patrick dreigend aan.

'Het is beter u bijtijds op de hoogte te brengen, nu wij nog kunnen reageren voordat het te laat is...' Patrick wachtte even. Peter vroeg zich af wat zijn collega met deze preek van plan was. Ze hadden van tevoren besproken hoe ze deze nogal prikkelbare man zouden moeten aanpakken en waren het erover eens geworden dat Patrick het gesprek zou leiden. Ondanks de brutale indruk die hij vaak maakte, had hij er duidelijk een handje van kromme onderhandelingsgesprekken te voeren. Een talent dat Peter met zijn terughoudende en op zijn best wat hautaine manier van doen ontbeerde. Peter liet zich dingen verklaren ofwel hij verklaarde de dingen. Compromissen, stroopsmeren en ijskoud liegen waren net zo weinig zijn pakkie-an als dat het Patrick lag aanwijzingen op te volgen of gezag te respecteren – als hij er persoonlijk niets aan had.

'Wij weten nu dat we het probleem helaas niet binnen een week kunnen oplossen,' zei Patrick. 'Wij doen ons best, maar wij hebben uw hulp nodig.'

Een zelfvoldaan glimlachje tooide het gezicht van de burgemeester. 'Wat kan ik voor u doen, monsieur?'

Een bekende zet in het schaakspel, concludeerde Peter. Natuurlijk was er nooit een afspraak geweest dat het project in een week achter de rug zou zijn, maar op deze manier had Patrick uit het feit dat hij nog helemaal niets te presenteren had zelfs nog winst geslagen. Hij had hun geloofwaardigheid benadrukt bij deze man, die nu dacht dat hij in het voordeel was.

'Om de oorsprong en het verloop van de epidemie te kunnen inschatten hebben wij meteorologische gegevens over de streek nodig. Kunt u daar aankomen?'

'Natuurlijk, dat zou geen punt moeten zijn.'

'Heel goed, monsieur le maire. We zijn u zeer dankbaar. Wij hebben data nodig over de hoeveelheid neerslag, de windrichting en de windsnelheid, de temperatuur van regen, schaduw en zon, luchtdrukverhoudingen en ook de stikstof- en de ozonwaarden, per uur in de afgelopen zes maanden. Ik heb hier ook een overzicht in de vorm van een vragenlijst. U weet niet half hoe waardevol dat voor ons zou kunnen zijn. Bij voorbaat heel veel dank!'

Peter moest inwendig lachen. Die man zou er waarschijnlijk weken voor nodig hebben de assistenten van verscheidene weerstations zover te krijgen volstrekt zinloze gegevens op te duiken of te reconstrueren die waarschijnlijk niet eens in voldoende precisie voorhanden waren.

'Mag ik vragen waarvoor u deze gegevens nodig hebt?' meldde buldog Fernand zich. Peter schrok. Wellicht was Patrick te ver gegaan. Deze aarzelde echter geen moment en antwoordde: 'Maar natuurlijk, monsieur. Uit de analyse van deze data kunnen wij de nabije toekomst afleiden, evenals de best mogelijke procedures ter indamming van de epidemie. Wij hebben daarvoor de nieuwste Datamining-software uit Californië, die de chaotische waarde van meteorologische gegevens, de precieze geologische parameters van de regio en ook de statistische gegevens van de dierpopulatie uitrekent in een Artificial-Life-system. Dat is een ultranieuwe technologie die wij hier als proefproject inzetten om te testen zodat we over de prijs kunnen onderhandelen.' Patrick trok een samenzweerderig gezicht. 'Eigenlijk is die informatie streng geheim, maar onder collega's kan ik u toch wel zoveel verklappen. Het gaat hierbij om miljoenen ten gunste van de WHO.'

De bioloog trok verbaasd zijn wenkbrauwen op en wisselde een blik met de burgemeester. Maar deze schokschouderde en lachte Patrick dankbaar en dom toe. Het gezicht van Fernand Levasseur nam daarop weer de oude, nietszeggende uitdrukking aan.

'Patrick,' mengde Peter zich in het gesprek, aangestoken door dit gefantaseer en eropuit de ontmoeting te beëindigen, 'we moeten weg. Onze afspraak...'

'O, ja,' haakte Patrick meteen in, 'onze videoconferentie van halftien... Het spijt me verschrikkelijk, maar we moeten ons haasten. Monsieur le maire, monsieur Levasseur, het was mij een genoegen. En nogmaals dank voor de ondersteuning!'

'Ik zou u graag in de loop van de week nog een keer zien,' zei de bioloog, 'om uw onderzoeksresultaten van naderbij te bekijken.'

'Natuurlijk.' Patrick aarzelde even. 'We zullen tegen die tijd een afspraak maken.'

'Ik kan altijd. Wat denkt u van vrijdag?'

'Vrijdag? Ja... Vrijdag... Waarom niet. Om negen uur in het hotel?'

'Afgesproken.'

'Verdomme,' zei Patrick, toen ze op de terugweg naar het hotel waren. 'Nou hebben we ons die vent op de hals gehaald.'

'Ik ben zeer onder de indruk van de manier waarop jij de burgemeester hebt bewerkt. Maar hoe gaan we ons nou op vrijdag voorbereiden?'

'Ik hoop dat ik nog een goed idee krijg. Ik heb in ieder geval de autorit om na te denken.'

'Weet je zeker dat je vandaag naar dat sanatorium wilt?'

'Hoe eerder hoe beter. Carcassonne is niet ver en misschien kan ik iets ontdekken waar we verder mee komen. Ik heb nog steeds een raar gevoel in mijn kop, weet je. Sinds het voorval heb ik niet goed meer geslapen, het is dus ook puur eigenbelang.'

'Jazeker, dat begrijp ik. Ik hoop dat je er iets mee kunt.'

'Heb je gezien dat we vanochtend vlak voordat we vertrokken een fax hebben gekregen?' Patrick haalde een opgevouwen vel papier uit zijn zak.

'Een fax? Nee. Van wie kan die zijn? Niemand weet waar we zitten. Of komt hij uit Genève?'

'Dat weet ik ook niet. Een beetje raar is het in elk geval wel. Moet je luisteren:

Zeer geëerde heren,
U bent op een kring gestuit en wat u onderzoekt kan kringen veroorzaken, maar past u wel op. Het centrum voor man en vrouw betreedt de kring, niet de roos. Pas er wel op dat geen kringen worden veroorzaakt door uw onderzoek, opdat niet de kring op u stuit.
Met de meeste eerbied, St. G.

Peter dacht even na. 'Raar. Staat er geen afzender op die fax?'

'Jawel, en ik kom er wel achter waar hij vandaan komt, afgaande op het landennummer uit Zwitserland. Maar het klinkt niet als Elaine.'

'Nee, inderdaad. Misschien zit er een spion bij de VN?'

'Zou kunnen. Maar de afzender schijnt te weten dat we onderzoek hebben gedaan naar die roos. Waarschijnlijk heeft dit te maken met ons bezoek aan Parijs. Daar weet Elaine helemaal niets van. Ik denk dat die fax rechtstreeks van de vrijmetselaars komt. Of Sebastian heeft het nummer doorgegeven...'

'Het klinkt raar, gekunsteld, gemaakt, een soort gedicht... of een raadsel... Ik wil die tekst wat beter bekijken. Mag ik hem hebben?'

'Natuurlijk.' Patrick reikte Peter de fax aan. Ze reden de oprit van het hotel op en parkeerden naast de ingang. 'Ga je meteen naar de grot of kom je nog even mee naar binnen?' vroeg Patrick bij het uitstappen.

'Ja, ik ga mee naar boven,' zei Peter. 'Ik denk dat ik pas na de lunch naar het kamp ga. Als je wilt mag jij de landrover gebruiken, dan blijf ik de hele dag hier.'

'Dank je wel, maar misschien heb je die terreinwagen vandaag nog wel nodig. Ik neem wel een leenwagen van het hotel.'

In de foyer kwam een employé op hen af. 'Messieurs, een dame wil u spreken. Ze zit te ontbijten in de Salon Vert en wacht op u. Kan ik haar naar u toesturen?'

Peter keek Patrick verbaasd aan. 'Zou Elaine ons een verrassingsbezoek brengen?'

'Dat zou typisch iets voor haar zijn. En als het nu mevrouw Grootgoeroe is, die van de loge?'

'Renée Colladon? Nee, dat kan ik me niet voorstellen. Ze weet niet waar we zitten, en als ze dat toch weet, dan had ze wel gezegd wie ze was.'

'Na die fax weet ik niet zo zeker meer dat niemand weet waar we zitten.'

De bediende stond nog steeds voor hen en keek met zo'n blanco gezichtsuitdrukking langs hen heen dat je kon zien hoeveel moeite hij zich gaf om te doen alsof hij niets hoorde.

'Wil je nog even meegaan om te kijken wie het is?' vroeg Peter.

'Om eerlijk te zijn niet. Als je het niet erg vindt trek ik me nu heel onopvallend terug.'

'Oké. Rij voorzichtig en veel succes.' De professor wendde zich tot de employé en zei: 'Wilt u zo vriendelijk zijn mij naar haar toe te brengen?'

De groene salon dankte zijn naam aan een grote glazen wand die uitzicht bood op het struweel van de tuin. De ochtendzon scheen door bomen en een grote bamboestruik, die naast de vijver stond. Het licht viel in warme, trillende banen de zaal binnen, die uitgevoerd was in gele en groene pasteltinten. Rotan meubels en kurken placemats gaven een bijna

Britse indruk. Een beetje jaren twintig, een beetje subtropisch.

Op dit uur van de dag waren er nog maar een paar gasten aan het ontbijten. Twee heren lazen de krant, een ouder echtpaar at nog, en aan een tafel naast de half openstaande verandadeur zat een jonge vrouw met een kop koffie.

'De dame zit daar, monsieur le professeur.' De hotelbediende trok zich terug.

De vrouw keek op toen Peter op haar afkwam. 'Peter Lavell, goedemorgen,' stelde hij zich voor. 'U zocht mij?'

'U en uw collega Patrick Nevreux, ja.' Ze gaf hem een hand. 'Stefanie Krüger. Gaat u toch zitten.'

Peter nam plaats en bekeek de vrouw eens goed. Ze moest begin dertig zijn, zag er heel goed uit, was sportief gekleed en had haar loshangende blonde haar aan één kant achter haar oor gestreken. Om te verhinderen dat haar haar over de andere kant van haar gezicht viel, hield zij het hoofd wat schuin. Op het eerste gezicht had ze kunnen doorgaan voor een toeriste, maar haar ogen verrieden een concentratie die je meestal alleen bij zakenlieden zag. Op de stoel naast haar lagen een schrijfmap en een dictafoon. Een journaliste! schoot het Peter door het hoofd.

'Ik ben blij dat ik u vanochtend nog tref.' Ze haalde een map tevoorschijn die Peter bekend voorkwam. Daarop stond in het zwart het opschrift Project Babylon. 'Meer dan de naam van dit hotel was uit die cryptische papieren natuurlijk niet af te leiden. Maar vroeg of laat moest ik u hier treffen. Desnoods had ik de hele dag op u gewacht.'

Ze wachtte even, maar Peter antwoordde niet.

'O,' zei ze, 'wellicht ben ik niet aangekondigd. Dan kan ik me beter eerst even voorstellen. Mijn naam weet u nu. Ik ben onafhankelijk onderzoekster, de laatste keer voor het British Museum in Londen. Ik ben linguïste, met als specialiteit de klassieke oudheid. Ik werd door Elaine de Rosney namens de VN uitgenodigd, met het aanbod aan dit project mee te werken.'

Peter trok een wenkbrauw op. Had Elaine werkelijk zo snel een taalkundige kunnen charteren?

'Dat was twee dagen geleden en nu zit ik hier. Het geheel is nogal geheimzinnig. Ik ben benieuwd waar het om gaat.'

Peter aarzelde. 'Welke talen beheerst u?'

'Ik ben in het buitenland opgegroeid en heb op internationale scholen gezeten. Ik spreek vloeiend Duits, Engels, Frans en Spaans. Daarnaast

Italiaans, Portugees-Romaanse talen lijken allemaal op elkaar. Ook Grieks en Turks.'

'En de klassieke talen?'

'Mijn onderzoeksgebied is de ontwikkelingsgeschiedenis van taal en schrift. Daartoe behoort het ontcijferen en het analyseren van structuren. Bij enkele schrifttekens moet je de taal zelf ook kennen, bijvoorbeeld als je hiëroglifen moet ontcijferen. Andere schriftsoorten zijn zo gestructureerd dat je ze kunt transcriberen in een afgesproken equivalent van Latijns schrift, zonder het zelf te kunnen lezen. De vertaling kan iemand anders dan doen.'

'Welke talen van de Oudheid kunt u zelf vertalen?'

'Helaas alleen Latijn, Oud-Grieks, Hebreeuws en Egyptisch. Een beetje Etruskisch, als het niet te moeilijk is. Slechts de klassieken dus.'

'Sléchts de klassieken?' liet Peter zich ontvallen.

'Maar ik heb bronnen om de meeste andere talen ook te kunnen laten vertalen,' voegde Stefanie er snel aan toe.

'Begrijpt u mij niet verkeerd, ik ben juist zeer onder de indruk! U bent een talenwonder.'

'Tja, weet u, ik vergelijk het altijd met muziek. Als u echt muzikaal bent en muziek is uw beroep en uw leven, dan verstaat u de taal van de noten, en dat stelt u in staat net zo goed jazz als pop te verstaan en te spelen. Het is allemaal dezelfde wereld. Het stramien komt steeds weer terug.'

'Wat betekent "Hoc sit exemplum discipulis"?'

'"Hoc" betekent dit, "sit" is conjunctief, "hoc sit", dit zij, "exemplum", een voorbeeld, "discipulis" betekent leerlingen, in de bijbelse zin ook wel volgelingen: Dit zij een voorbeeld voor mijn volgelingen. Waarom vraagt u dat, is dit een test?'

'Ja,' zei Peter en hij lachte. 'Ik moest weten of u echt wetenschapster bent en geen journaliste. In het eerste geval zou ik u hartelijk welkom heten aan boord, in het tweede geval zou ik nu helaas afscheid van u hebben moeten nemen.'

'Dan hoop ik dat ik u heb kunnen overtuigen. Waar is uw collega, monsieur Nevreux?'

'Patrick zit in de buurt van Carcassonne. U leert hem vanavond wel kennen. Hebt u al een kamer?'

'Ja.' Ze wees op de stoel naast zich. 'Ik heb alleen mijn computer meegenomen, om de tijd een beetje te verdrijven. Ik wist niet hoelang ik op u moest wachten.'

‘Gaat u dan met mij mee naar onze en uw nieuwe werkplek. Ik zal u onderweg alles vertellen.’

‘Prima. Vooral nu u duidelijk niet meer van plan bent mij neer te schieten.’ Ze lachte naar Peter en streek haar haren weer achter haar oor.

‘Inderdaad.’ Peter stond op en zette haar stoel aan de kant toen zij opstond. ‘Dat zou toch ook zonde geweest zijn.’

‘Het gaat om een grot,’ verklaarde Peter, toen ze met de landrover op weg waren naar het kamp. ‘Ontdekt door een schaapherder, die op de een of andere manier gek is geworden en nu in een sanatorium ligt. Patrick is naar hem toe. De grot zit van boven tot onder vol met schrifttekens en teksten. Het interessante is dat het daarbij gaat om een onwaarschijnlijke potpourri van Latijn, Soemerisch, Grieks, Egyptisch en zelfs Maya-hiërogliefen en volkomen onbekende talen. Vandaar de naam, Project Babylon.’

‘Vanwege de spraakverwarring.’

‘Ja. De schilderingen hebben we geanalyseerd. Die komen uit de dertiende eeuw. Middeleeuwen, een tijd dus waarin men niets wist van Soemerisch, laat staan van Maya’s. De wereld was destijds nog zo plat als een pannenkoek, vlak na Afrika donderde je eraf.’

‘Maar dat kan toch helemaal niet!’

‘Natuurlijk niet. Tegenwoordig weten wij dat de zwaartekracht dat verhindert.’

‘Ik doelde op de ouderdom van de schilderingen.’

‘Grapje. Inderdaad, de ouderdom van die schilderingen is dus zeer dubieus. Maar in eerste instantie houden we ons niet met dat aspect bezig, omdat wij door ontcijfering van de teksten een verklaring voor de grot op zich hopen te krijgen. Sommige tekeningen zijn daarna aangebracht, meestal heel slordig of zelfs onleesbaar. En dan zijn er nog die totaal onbekende schrifturen. Er is veel te doen.’

‘En waarom is het allemaal dan zo verschrikkelijk geheim?’

‘Het gaat de Verenigde Naties natuurlijk niet om dat schrift, ook al vinden wij dat nog zo spannend. Het gaat om een dieper gelegen deel van de grot. Daar is een doorgang met heel merkwaardige, wellicht elektromagnetische eigenschappen. Dat weten we niet precies. Vandaar dat Patrick erbij betrokken is. Hij is een uitstekende veldonderzoeker en technicus.’

‘Die elektromagnetische eigenschappen, wat doen die...?’ Ze viel stil toen zij de mannen zag die in het kamp rondliepen.

'Deze heren werken voor de VN en houden het terrein in de gaten,' zei Peter toen ze door de poort het kamp binnenreden. 'Bent u hier ook onder de dekmantel van een hondsdolheidepidemie?'

'Ja.' Ze grinnikte. 'Voor de buitenwereld ben ik gedragsdeskundige. Dat hebben ze bedacht omdat ik goed ben in biologie.'

'In biologie... dat is interessant.'

'Nou ja, daar heb ik altijd een zwak voor gehad. Op de universiteit heb ik het als bijvak genomen, omdat ik dacht dat het ooit nog wel eens van pas zou kunnen komen als ik bijvoorbeeld paarden wilde gaan fokken.'

'En doet u dat?'

'Nee, maar je kunt nooit weten, toch?'

'Uw kennis zou hier alsnog nuttig kunnen zijn, weet u dat? De burgemeester heeft ons namelijk net een secondant op de nek gestuurd, en die is bioloog, wil jargon met ons uitwisselen over de vraag hoe het met ons onderzoek naar hondsdolheid staat.'

'Nou ja, dan hoop ik dat we hem met een kluitje in het riet kunnen sturen, want echt een vakvrouw ben ik ook niet. Maar u wilde net iets over die gang in die grot vertellen.'

'Ja. Juist, die passage, zo noemen wij het. Dat is echt heel raar, in de duisternis lijkt het een normale gang. Nou ja, normaal is overdreven, op een of andere onverklaarbare wijze hangt daar een blauw schijnsel. Maar evenzogoed lijkt het gewoon een gang te zijn waar je doorheen kunt. Zodra je echter die gang verlicht met schijnwerpers, wordt hij pikdonker. Niet het gesteente, maar de lucht zelf wordt zwart en ondoorzichtig. Het is alsof er geen enkele vorm van straling of energie doorheen kan. Als je ernaar kijkt, zie je absolute duisternis. Je kunt haar niet met licht wegkrijgen en met het echolood laat zich ook geen diepte meten. Het is alsof er een totaal ontbreken van weerkaatsing van licht of andere golven heerst in die gang. We hebben met een pionierrobot geëxperimenteerd die er aan een stroomkabel doorheen ging. Zodra die over de drempel was reageerde hij niet meer en gebruikte ook geen stroom meer. We moesten hem er aan de kabel weer uittrekken.'

'Bent u er al eens in geweest?'

'Nee, dat is het grootste probleem. Als we de berichten mogen geloven, is de herder gek geworden omdat hij dat heeft gedaan. Patrick was zo idioot zijn hoofd naar binnen te steken. Dat was maar een fractie van een seconde, want ik trok hem meteen terug. Maar hij raakte direct in shock, ik dacht dat hij een hartaanval kreeg. Hij was volslagen uitgeput, heeft twee dagen achter elkaar geslapen en weet niets meer van het gebeurde. Daarom is hij nu bij die herder in het sanatorium op bezoek. Hij hoopt dat hij van hem iets te weten kan komen.'

'De arme drommel. Dat spijt me. Je moet die drempel dus niet over.'

'Nee, in geen geval. Hier stappen we uit.' Peter nam Stefanie mee de helling op naar de grot. 'Tot nog toe hebt u alles wat ik vertelde voor zoete koek aangenomen.'

'Ik heb niet gezegd dat ik u geloofde.'

'Goed zo. Ik zou het zelf ook niet hebben geloofd.'

Ze kwamen bij de ingang.

'Is dit de grot?' vroeg ze.

'Ja.'

'Naar binnen dan maar. Ik brand van nieuwsgierigheid.'

Het irriteerde Patrick dat hij de landrover niet had meegenomen. Daardoor moest hij nu zich tevredenstellen met een auto die zo weinig pk had dat hij blij was als het een keer helling af ging. Aan inhalen hoefde hij helemaal niet te denken.

Het was wel een mooie route en hij had niet zo'n haast. Eigenlijk, zo overlegde hij, had hij alle tijd van de wereld. Hele stukken van de weg werden omzoomd door platanen, met hun grote lichtgroene bladeren en hun gevlekte stammen. Hoelang bestonden die lanen eigenlijk al? Toen hij door een mooi dorpje reed besloot hij naar zijn innerlijke stem te luisteren, zette spontaan de auto neer en ging een café binnen. Er stonden tafels en stoelen buiten, in de halfschaduw van een paar wilgen. Hij bestelde een warme croissant met boter, leunde achterover en genoot van de vreedzame rust. Vanaf de takken van de bomen klonk het aanhoudend tsjirpen van cicaden en achter een muurtje was het gekabbel van water te horen – een beekje, zoals er hier honderden in de omgeving waren. Enkele meters verderop in het stoffige zand naast de dorpsstraat stond een half dozijn oudere mannen *boules* te spelen. Langzaam, bijna meditatief. Alleen het zachte, doffe ploffen van de ballen was te horen, af en toe begeleid door een metalen klik of een verbaasde uitroep.

Het leek Patrick net een tijdloze foto. Je zou zo'n plaatje in elke eeuw kunnen plaatsen, zo of zo ongeveer zou het er hier altijd hebben uitgezien. Deze mannen hielden zich niet bezig met een of ander kantoorgebouw in Genève, of met Europese milieuorganisaties, niet met Palenque, Lissabon of een rare sekte in Parijs. Zij leefden in hun eigen wereld, die duizend jaar geleden die van ridders en burchten en tweeduizend jaar geleden die van Romeinen en Kelten was geweest. Maar ook daar leek niemand op te letten, laat staan dat ze iets gaven om de fascinerende raadsels die zich enkele kilometers verderop bevonden. Deze mensen leken hun verleden niet uit te graven en te eren, je zou bijna kunnen denken dat zij op hun eigen parallelle tijdspoor zaten. Patrick stelde zich voor wat er zou gebeuren als er plotseling een ridder in volle wapenrusting op zou dagen. Waarschijnlijk zou hij zo goed in het beeld passen dat de dorpsbewoners noch hijzelf ervan zouden opkijken.

Ten slotte ging hij maar weer op weg naar Carcassonne. In de auto dacht hij over zijn overpeinzingen na. Hij verbaasde zich over zichzelf. Hij was nooit romantisch of filosofisch geweest. En toch had hem de behoefte aan rust bekropen. Of wellicht was vrede een beter woord. Innerlijke vrede. Hij zag vele dingen vanuit een nieuw perspectief, in een grotere samenhang. Plotseling verschrompelden tijd en continenten, maar de ijverige bezigheid van het individu leek hem daarentegen volslagen betekenisloos. Was het misschien zo dat je de zin van het leven niet in het bereiken van verheven doelen moest zoeken, maar in je eigen vrede met de wereld?

Wat een flauwekul! vloekte Patrick tegen zichzelf. *Alsof iemand in mijn kop heeft gezeten!* Sinds het voorval in de grot had hij af en toe heel rare bevliegingen, vond hij. Het werd de hoogste tijd dat hij naar dat sanatorium ging en die herder sprak om erachter te komen wat er met hem gebeurde. Misschien was hij nog maar in de beginfase en werd hij ook langzaam maar zeker gek.

Het bleek niet zo gemakkelijk het sanatorium te vinden. Het stond buiten Carcassonne, naar verluidt een paar kilometer, maar hij had nog wel een halfuur nodig om het te bereiken. Er stond geen bordje langs de weg, de meeste passanten hadden er ook nog nooit van gehoord. Een oude boerin wist het ten slotte te wijzen, maar de weg die ze beschreef voerde dwars door een wijngaard, over een landweg die eigenlijk alleen geschikt was voor tractoren.

Eindelijk verrees het gebouw uit kreupelhout van dennen en klimop. Het stond op een heuvel en had vroeger waarschijnlijk uitzicht gehad over het dal, maar de onverzorgde tuin had de bewoners het uitzicht inmiddels zo goed als ontnomen. Het sanatorium was ondergebracht in een oude villa van twee verdiepingen, het bouwjaar, 1882, was nog net te lezen op een blauwgroene, met korstmos begroeide gipsplaat boven de ingang. Het gebouw mocht er vanbuiten dan verwaarloosd uitzien, binnen was het interieur verrassend goed verzorgd. Patrick betrad een met tweekleurige tegels belegde hal, waar twee gangen op uitkwamen. In de hal hing een kroonluchter met lange, ranke armen en kale peertjes. De stenen trap was betegeld en aan beide zijden van een simpele messing leuning voorzien. Het rook naar ammoniakhoudend schoonmaakmiddel, een scherpe lucht. Direct aan de rechterkant zag Patrick een soort portiersloge of receptie. Die was tot op borsthoogte met donker hout beschoten, ging daarna over in een glasplaat, waarin een halfronde opening als doorgeefluik was uitgespaard. Daarachter zat een zeer serieus kijkende man met hemd en stropdas die zich belangstellend naar voren boog toen hij Patrick zag binnenkomen.

'Ik zoek monsieur Jacques Henrot, ik ben familie van hem.'

De man boog zich over een groot boek dat voor hem lag. Er stond niet veel in, maar hij maakte een zeer gewetensvolle indruk toen hij met zijn vingers enige regels volgde tot hij de naam aantrof.

'Die is niet aanspreekbaar, monsieur.'

'Wat zegt u nou? Wilt u zeggen dat ik niet met hem kan praten? En daarvoor ben ik helemaal uit Parijs gekomen. Mijn secretaresse heeft mijn bezoek al een paar dagen geleden aangekondigd. Gaat u me nou niet vertellen dat u er niks vanaf weet!'

De man achter het glas liet zich niet overdonderen. 'U kunt hem natuurlijk bezoeken, maar u kunt niet met hem praten. Hebben ze u dat dan niet verteld? Hij praat niet. Twee weken geleden kwam hier ook al iemand. Die heeft alleen maar wat gestamel uit hem gekregen.'

'Was hier iemand? Wie dan?'

'Ik had zijn gezicht al eens op televisie gezien. Een of andere politicus, geloof ik.'

'Wat wilde hij? Was hij soms ook familie?'

'Ik heb geen flauw idee, monsieur. Dat gaat me trouwens ook niks aan.'

'O. Nou ja. Waar is monsieur Henrot?'

'Kamer zevenentwintig, tweede verdieping, de trap op en dan de gang rechts door.'

De gangen op de bovenverdieping waren bekleed met ouderwets geel behang, de bodem belegd met bruin linoleum, wandlampjes dompelden het geheel in een troebel, vies licht. Een vrouw in een wit schort en met een wit kapje op kwam door een deur de gang op. Ze leek Patricks onzekere blik op te merken en liep naar hem toe.

‘Zoekt u iemand, monsieur?’

‘Kamer zevenentwintig, Jacques Henrot.’

‘Komt u maar mee. Bent u familie? Misschien zult u schrikken als u hem ziet, hij is er niet best aan toe.’ Ze opende een deur en liet Patrick binnen. De kamer was net zo duister als de gang. Links hing een gordijn aan een dunne roede. Tegenover de deur zat een klein tralievenster, met daarachter de diepe schaduw van dennen. Aan de rechtermuur stonden een houten bijzettafeltje en een bed. De vrouw wees.

‘Daar ligt hij.’ Ze keek op haar horloge. ‘Ik neem aan dat u niet van plan bent lang te blijven? Over een halfuur krijgt hij zijn medicijnen.’

‘Ik ben speciaal uit Parijs hierheen gekomen en ik blijf zolang ik kan. Wat voor medicijnen krijgt hij?’

‘Maar een paar pillen. U kunt er wel bij blijven als u wilt.’ Ze verliet de kamer.

Patrick was alleen. Alleen in deze vervloekte kamer, te midden van verval en ziekte. Hij voelde zich ongelooflijk misplaatst. Heel even had hij het gevoel dat hij zijn ogen kon sluiten en dan ergens anders weer wakker zou worden. Het was alsof hij zich in een vreemde wereld bevond. Eigenlijk werkte hij aan een wetenschappelijk project voor de Verenigde Naties, en nu stond hij hier, in een verwaarloosd sanatorium op het Franse platteland, waar de tijd was blijven stilstaan, in de kamer van een herder die zijn had verstand verloren...

Patrick realiseerde zich dat hij niet had gevraagd hoe de toestand van de herder zich liet aanzien. Was hij nog altijd gek? Was hij agressief? Was hij gevaarlijk? Een ongemakkelijk gevoel bekroop hem en bleef als een pokdalige pad in zijn keel steken. Aarzelend liep hij naar het bed toe en keek.

Geschrokken deed hij een stap terug.

Hij keek in het vertrokken gelaat van een waanzinnige met opengesperde ogen. Hij lag in foetushouding op zijn zij, warrige grijze haren als nat stro om zijn hoofd, ingevallen wangen, zijn mond verstard in een grijns, ogen enigszins uitpuilend zodat je de rode binnenkant kon zien. Hoe afschrikwekkend de aanblik ook was, Patrick kon er geen weerstand aan bieden. Hij merkte dat de man helemaal niet naar hem keek. De ogen van de herder bewogen weliswaar, maar hij scheen zijn omgeving niet te zien. Het was alsof hij sliep met open ogen.

‘Monsieur Henrot?’ Patrick voelde zich voor gek staan dat hij deze volledig afwezige man aansprak. ‘Jacques? Kun je me verstaan?’

De herder toonde geen enkele reactie. Patrick had wel eens gelezen over mensen die jarenlang in coma hadden gelegen en toch elk woord hadden verstaan dat tot hen gesproken was. Tot ze om de een of andere reden plotseling wakker werden. Misschien was dat bij deze herder ook zo. Misschien kon hij alles verstaan en moest je alleen maar de ontspanner vinden. Maar wat wilde hij eigenlijk doen? Moest hij hier in alle ernst tegen een muur gaan zitten praten? Aan de andere kant, deze man, of wat er van hem over was, was de enige connectie met de grot. Alleen deze man kon hem verder helpen. Nu hij al die moeite had genomen hier te komen, moest hij er maar het beste van maken en niets onbeproefd laten.

'Jacques, je moet naar me luisteren. Hoor je me? Geef een teken dat je me hoort!'

Nog altijd verroerde de man zich niet, alleen zijn ogen gleden weer door het niets.

'Je hebt een ongeluk gehad, Jacques, herinner je je dat? Dat moet je je herinneren. Je hebt een grot ontdekt. Dat hol, Jacques, herinner je je dat nog?'

De herder maakte een beweging, verkrampte een beetje en haalde zijn benen dichter naar zich toe.

'Ja! Heb je dat begrepen? Is dat het? Dat hol?' Patrick liep tot vlak bij het bed. De man staarde met spookachtig glazige ogen, hij leek helemaal star en tegelijk heel gespannen, alsof hij elk moment gillend uit zijn bed kon springen. Met trillende vingers stak Patrick een hand naar hem uit. Hij voelde een diepe afkeer hem aan te raken, maar ook een overweldigende behoefte hem wakker te schudden. 'Je hebt een grot ontdekt, Jacques, weet je dat nog?' Patricks vingers waren nu nog maar een paar centimeter van de schouder van de man verwijderd. Met zachte, maar indringende stem praatte hij verder op hem in. 'Een grot... met schilderingen... schrifttekens...' Zacht legde hij een hand op het laken.

'Dat heeft geen zin!'

Als gestoken kromp Patrick in elkaar en hij trok zijn hand terug. Een luid ruisen klonk achter hem op toen er een gordijn opzij werd geschoven. Daarachter stond nog een bed, waarin een oude man rechtop was gaan zitten. Hij had geen haren meer, een geplooide leerachtige huid en amper tanden. Hij keek met een scheve grijns naar Patrick. 'Hij luistert niet.'

Patrick begreep een ogenblik lang niet wat de man zei. 'Dat... hoe weet u dat?'

'Jongeman, zou u willen beweren dat ik iets niet wist? Ik weet wel iets, natuurlijk weet ik wel iets. Hij luistert niet naar u. Heeft in zijn schedel geen plek om te luisteren.'

'Hoe bedoelt u?'

'Hier vindt u hem niet. Ik weet wel iets. Het is altijd zo. Ze zijn op zoek, zo is dat. Het lijkt alsof ze leeg zijn, maar ze zijn te vol, dat is het.' De oude man stond op en kwam in zijn pyjama naderbij gestrompeld.

Patrick voelde zich zo mogelijk nog onbehaaglijker. Hij hoopte maar dat de zuster of wat zij ook was, weldra weer terug zou komen. Maar het halfuur was nog niet om. 'Hoe bedoelt u? Zijn er hier nog meer zoals hij?'

'Zoals hij niet. Maar toch. Toch wel zoals hij. Maar iedereen is anders, jongeman. Dat begrijpt u toch wel? Ik weet wel iets, zo lang ben ik hier al.'

'En die hebben allemaal een grot gevonden?'

'Grot? Nee, geen grot. Maar wellicht toch wel een grot. Als u grotten wilt. Ieder heeft zijn eigen grot. Iets vult ze, gooit ze eruit. Zo is dat. Ze zijn niet meer in hun schedel, omdat die vol is. Die vindt u niet in hun schedels. Ze zijn weg, ze zoeken, dat is wat ze doen.'

'Ze zoeken? Hoe bedoelt u?'

'Zoeken, gewoon zoeken, jongeman. Wel eens verdwaald? Zo is dat, ik weet wel iets. Ze zoeken. Zichzelf. En dan, als ze willen, zoeken ze een weg terug. Maar wie wil dat nog? Ik zeg: het heeft geen zin om te praten. Er zit niks in.'

Patrick vond zichzelf een idioot, om met een zwakzinnige oude man te zitten discussiëren, maar zijn trots was gekrenkt. 'Maar hij hoorde me. Hij heeft zich net bewogen, toen ik "grot" zei.'

De oude man slofte naar het venster, klampte zich vast aan de tralies en drukte zijn gezicht ertegenaan. 'Ja, beweegt niet veel, maar soms. Dat is goed, misschien ook niet. Is op weg terug, misschien ook niet. Zo is het altijd. Misschien, misschien. Misschien is het beter terug te komen, misschien niet. Misschien ben ik hier, misschien niet?'

'Natuurlijk bent u hier.'

De man draaide zich om en ontblootte zijn stompjes tand. 'Misschien droomt u mij? Ik weet wel iets, maar weet u wel iets? Wellicht droom ik u.' Hij liet een waanzinnig lachje opklinken, dat ogenblikkelijk overging in een droge hoest.

Patrick wendde zich af. Die oude verontrustte hem meer dan normaal. Het was weliswaar loos gebazel, maar op een rare manier raakte het een snaar. Hij keek naar de herder. Kon die maar praten.

'Ja, ja, dat doet hij.'

Patrick schrok. De oude man stond plotseling vlak naast hem en keek de herder recht aan. 'Spreekt veel. Zegt niks.'

'Hij spreekt? Wat zegt hij dan?'

'Zegt niks, zegt helemaal niks. Het is zo.'

'Oké, welke woorden laat hij dan horen?'

'Ik weet wel iets.'

'Ja, u weet wel iets. Maar zegt u nou toch wat voor woorden u gehoord hebt!'

'Misschien ook niet.'

'Wat? Hebt u nu wat gehoord of niet?'

'Woorden, wachten. Confisus, Confucius. Wat voor zin hebben woorden? Wie weet iets? Is het zo of is het niet zo?'

Patrick kreeg zin om de grijsaard door elkaar te schudden. 'Mijn god, man, verman je nou toch eens, dit is belangrijk. Wat heeft hij gezegd?'

De oude man hield plotseling op met grijnzen. Weer liep hij naar het venster en drukte zijn gezicht tegen de tralies. 'Ik weet wel iets, ik weet wel iets. Misschien, misschien...'

'Verdomme,' vloekte Patrick. Uit die lege kop viel niets te putten. Maar toch gaf het hem hoop te horen dat de schaapherder af en toe een beetje brabbelde. Hij moest hem weer aan de praat zien te krijgen.

Op dat moment ging de deur open en de vrouw met het schort kwam binnen. Toen ze de oude man bij het venster zag staan, liep ze meteen naar hem toe. 'Hugo, word wakker!'

De oude man keek de vrouw aan en zijn gezicht vertrok tot een ellendig ogende glimlach. Zonder verzet liet hij zich weer naar bed brengen. Zij ging op de rand van zijn bed zitten en trok het gordijn dicht terwijl hij ging liggen. Enkele ogenblikken later kwam ze weer achter het gordijn vandaan.

'Ik hoop dat hij u niet lastig heeft gevallen. Hij slaapt nu weer.'

'Nee, dat is niet erg. Wat hebt u met hem gedaan? Hebt u hem ook iets gegeven?'

'Ja, die hebben ze allebei met regelmatige tussenpozen nodig, omdat ze steeds weer bijkomen. Zo, en nu is het tijd voor Jacques.' Ze schudde twee pillen uit een bruin flesje in haar hand.

'Mag ik ze hem geven?' vroeg Patrick.

'Pardon?'

'Ik zou hem ze graag geven, is dat goed?'

‘Nou… ja, als u dat echt graag wilt…’ Een beetje onzeker reikte de vrouw hem de pillen aan.

‘Dank u wel. Weet u, het is het enige wat ik voor hem kan doen. Wij hadden een nauwe band…’ Patrick nam de pillen aan en deed alsof hij ze de herder gaf. Hij liet ze onopvallend in zijn holle hand liggen, zoals hij ook deed als hij een sigarettentrucje opvoerde.

De vrouw keek toe, maar leek niets te merken. Met een tevreden lachje verliet ze de kamer.

Weer was Patrick alleen. Alleen met een zwakzinnige oude vent en een duidelijk niet veel gezondere herder. Zou hij echt bijkomen nu hij geen pillen kreeg?

‘Jacques, hoor je me? Je moet wakker worden.’

De schaapherder verkrampte slechts even, zoals hij eerder ook al had gedaan. Maar het was niet duidelijk of dat een reactie was op Patricks stem. Hij bleef op zijn zij liggen, in elkaar gekropen als een baby.

‘Monsieur Henrot. Toe, u moet van die grot vertellen. Wat hebt u ontdekt? Jacques, de grot.’

Geen reactie.

‘Goed. Die oude vent heeft vast gelijk. Misschien zit er niet veel in. Misschien kun je me toch horen, waar je ook bent. Wij hebben die grot van je ook gevonden. Het is een prachtige grot, er staat een heleboel in geschreven en geschilderd. Kun je je dat nog herinneren? Wij zijn die grot aan het onderzoeken. We hebben een paar van de inscripties al ontcijferd. Heb je die ook gelezen? Heb je misschien de roos gezien? Misschien herinner je je dat. Met een Latijnse spreuk. “Hoc sit exemplum” en nog iets.’

‘“Ne sis confisus…”’ De krakende stem deed Patrick letterlijk elkaar krimpen.

‘Wat? Wat was dat? Heb je wat gezegd? Jacques!’

‘“Ne sis confisus… illis…”’ De woorden kwamen onduidelijk naar buiten. De herder bewoog plotseling zijn hoofd van de ene kant naar de andere, alsof hij met zijn ogen de kamer doorzocht.

‘Wat zei je daar? Jacques? Nesis confisis? Wat betekent dat?’ Patrick betastte panisch zijn zakken, zoekend naar schrijfgerei. ‘Nesis confisis idis?’ Terwijl hij nog naar een potlood zocht, probeerde hij zich de woorden in te prenten. ‘Zeg het nog eens! Nesis…’

De magere handen van de zieke grepen hem plotseling bij zijn jas en trokken hem naar het bed. De verwarde ogen keken hem strak aan, op een dreigende, boze manier.

'"Ne... sis...confisis..."' De woorden kwamen hortend en met veel nadruk. Patrick herhaalde ze hardop, terwijl de herder vervolgde: '"illis... qui te... adiuvare student!"' De stem van de herder werd nu vaster en luider. '"Ne sis confisus illis, qui te adiuvare student!!"' De herder schreeuwde nu. '"NE SIS CONFISUS..."' Patrick rukte zich los en tuimelde achterover. Hij móést iets vinden om te schrijven, hij rende de kamer uit, schoot door de gang, de trap af, rukte de man in het ontvangstloket zijn potlood uit de hand, greep een paar losse blaadjes. Met de protestkreten van de man nog in zijn oren, legde hij het traject terug nog harder rennend af en hoopte maar dat niemand het geschreeuw van de schaapherder had gemerkt en hem intussen een of ander kalmerend middel had toegediend. Toen hij de kamer betrad was alles weer rustig. Patrick snakte naar adem en schreef op wat hij zich nog kon herinneren. Wat waren dat voor woorden? Ze leken op Middelfrans, maar dat had waarschijnlijk gelegen aan de uitspraak van de herder. Voor de rest was het Chinees voor hem. Misschien waren het ook bedachte woorden. Maar de man had ze zo precies herhaald alsof ze iets betekenden. Nu lag hij daar weer in zijn rare bevroren toestand, ogen geopend, benen opgetrokken. *Ne sis confisus illis, qui te adiuvare student...* Hij was weer gaan spreken toen hij de roos en de inscriptie had vermeld, *hoc sit exemplum...* Latijn! Een herder die Latijn sprak? Dat was absurd. Hoe kon een herder in shock van de ene dag op de ander Latijn spreken? Het was zo goed als uitgesloten dat hij dat onder het schapenhoeden had geleerd. En toch...

Patrick was boos op zichzelf dat hij geen Latijn verstond. Ondanks zijn werk had hij er nooit behoefte aan gehad, en nu had hij het uitgerekend nodig voor een gesprek met een herder! Hoe zou hij hem weer aan de praat kunnen krijgen? In gedachten nam hij door wat hij nog wist uit de literatuur en zijn studie. Welke stukken Latijn kende hij nog? *Veni, vidi, vici,* ik kwam, ik zag en ik overwon, of *alea iacta est,* de teerling is geworpen... Daarmee kon je toch moeilijk een gesprek voeren.

Ach, wat zal het ook, hier hoort toch niemand mij, dacht Patrick en hij ging weer op de rand van het bed zitten.

'Ave,' zei hij en hij moest hoofdschudden om deze vreemde ironie. Die groet had hij de laatste keer in verband met Julius Caesar gehoord, die tweeduizend jaar geleden onder andere heel Frankrijk had veroverd en bezet.

De herder scheen daar echter geen aanstoot aan te nemen en bewoog zich weer. Zijn ogen doorzochten de ruimte, hoewel Patrick pal voor hem zat. '"Ne sis confisus illis, qui te adiuvare student,"' zei hij nogmaals nadrukkelijk en Patrick vergeleek de woorden met wat hij had opgetekend. '"Ne sis confisus illis, qui te adiuvare student,"' las hij voor, en de herder herhaalde de woorden.

'Ja ja, dat weet ik nu. Ken je ook nog wat anders? "Hoc sit exemplum." Wist ik maar hoe het verder ging. Hoor je me? "Hoc sit exemplum... veni, vidi, vici..."'

De blik van de herder had Patrick nu gevonden en fixeerde zich op hem. Zijn stem was echter niet zo stabiel als eerst toen hij zei: '"Ne intraveris..."'

Patrick noteerde wat hij hoorde en herhaalde het. Maar de herder sprak steeds zachter en Patrick moest zijn oor dichter bij zijn mond houden. '"Ne intra... eris... et cogno... sce... scientiam."'

'Harder, praat eens harder!' Haastig krabbelde Patrick een paar aantekeningen.

'"Ne intra... eris... cogno... scientia..."' De woorden waren bijna niet te verstaan.

'"Ne intraveris cogno scientiam?" Jacques? Nog een keer! "Veni, vidi, vici," hoor je?' De blik van de herder maakte zich weer van hem los en hij staarde in de leegte.

'Vervloekt!' Patrick moest de neiging onderdrukken de ongelukkige wakker te schudden. Nu was hij weer weggevallen. Net alsof hij plotseling was uitgeput, alsof hij het belangrijkste had gezegd. Nou ja, dat was misschien ook wel zo. Patrick hoopte dat Peter hem bij het ontraadselen van de zinsneden kon helpen. Hij wilde het toch nog eens proberen.

'"Ave", Jacques! "Ave"!'

De man bewoog zich een beetje, als iemand die slaapt maar niet wil worden gewekt. Patrick pakte hem bij zijn schouders en schudde hem zachtjes door elkaar. 'Ave, Jacques, ben je er nog? Hoor je me? Waar ben je? "Quo vadis"?' Die gedachte was plotseling bij Patrick opgekomen. "Quo vadis", waarheen gaat gij? "Quo vadis?"' herhaalde hij nadrukkelijk en daarna nog een derde maal vlak bij en in het oor van de herder.

Het antwoord kwam in langzame brokken als uit een verre verte: '"In... me... ma... nebo... dum... me... reppe... rero..."'

De deur van de kamer vloog open. Daar stond de man van de receptie met twee fors uitgevallen zusters, van wie ieder het gemakkelijk alleen tegen Patrick had kunnen opnemen.

'Monsieur, wij moeten u verzoeken uw bezoek onmiddellijk te beëindigen.'

Met tegenzin volgde Patrick dat bevel op. Uit de herder had hij trouwens toch niets meer kunnen halen. Toen hij door de deur liep, langs de portier, stak die zijn hand uit: 'Mijn potlood graag.'

Omdat hij 's middags niet meer naar de grot wilde, hield Patrick zich bezig met hun computers in het hotel en trof Peter dus pas bij het avondeten. De professor zat met een blonde vrouw aan tafel.

'Patrick Nevreux, dit is Stefanie Krüger,' stelde de professor voor. 'Zij is ons door Genève toegewezen als taaldeskundige.'

Patrick wisselde een vluchtige blik met Peter, maar deze reageerde niet op die stomme vraag. Hij begroette de vrouw kortaf, ging zitten en bestelde. Hij bekeek haar onopvallend en probeerde haar in te schatten. Op het uiterlijk afgaand was ze niet gewend aan harde lichamelijke arbeid en zou ze zich ook niet graag vies willen maken. Ze zag er verdomd goed uit. Volgens zijn persoonlijke ervaring ging zo'n uiterlijk vaak gepaard aan domheid of arrogantie. Maar in de loop van het volgende gesprek werd geen die vooroordelen bevestigd. Hoe zei je dat ook weer? Wat te goed was om waar te zijn, was meestal ook niet waar. Vermoedelijk had ze iets te verbergen.

Ze spraken over koetjes en kalfjes, over het werk in het British Museum en Patricks expeditie naar Midden-Amerika. Pas na een fles Corbières brak het ijs een beetje en Peter bracht het gesprek op het project.

'Dankzij Stefanie hebben we goede vorderingen gemaakt, we konden een paar meter tekst ontcijferen en hebben nog iets anders interessants ontdekt. Je moet zo meteen beslist de aantekeningen doorkijken.'

'Nog nieuws over de passage?'

'Helaas niet,' antwoordde Stefanie, 'maar ik heb een vermoeden. Het is nog een vaag vermoeden maar ik wil direct na het eten met het onderzoek beginnen.'

'En hoe viel het bezoek aan het sanatorium uit?' vroeg Peter. 'Heb je die herder gevonden?'

'Ja, die heb ik gevonden.' Patrick schonk nog wat wijn in. 'Leuk was het niet, dat kan ik je wel zeggen. Hij zag eruit als een zombie en was volledig afwezig. Als je die jongen als waarschuwing voor de ingang van de grot zou willen zetten, dan had je meteen vijfentwintig opzichters minder nodig.'

'Was het zo erg?' vroeg Stefanie.

'Wat erg was, was dat hij nog leefde.'

'Nee toch!'

'Nee, serieus. Jij bent er niet bij geweest, anders zou je hetzelfde zeggen. Hij was niet meer dan een kapot, verdord omhulsel en zijn geest was er niet beter aan toe.'

'Was hij dan volledig zijn verstand kwijt?' vroeg Peter.

'Hij heeft een paar brokstukken gebrabbeld, die aantekeningen heb ik boven. Ik weet niet of het klopt, maar ik heb het gevoel dat het Latijn was. Maar het was niet alleen duister, het was absoluut krankzinnig. Het resultaat van elektrische spasmen in de hersenen of zoiets. Ik had er in ieder geval genoeg van!'

'Wat erg,' zei Stefanie met sarcastische ondertoon. 'Goed dat je geen verpleger bent geworden, nietwaar?'

'Dat is wel hard!' Patrick fronste zijn wenkbrauwen. 'Ik heb mijn kop erin gestoken en daarbij is mij een of ander ongeluk overkomen. Ik heb geen zin om net als die vent te eindigen!'

'Sorry, Patrick, daar had ik niet aan gedacht. Peter heeft erover verteld.'

Patrick antwoordde niet en bekeek humeurig de kaart.

'Oké, Patrick?' Stefanie pakte zijn arm, maar hij negeerde het gebaar en riep in plaats daarvan een ober.

'Vergeet het maar. We nemen nog een dessert en gaan dan aan het werk.'

'Wat een uitrusting!' riep Stefanie verbaasd toen ze de kantoorsuite betrad. 'Zijn deze computers ook online?'

'Weet ik niet,' zei Peter. 'Zijn ze dat?'

'Internetverbinding? Heb ik nog niet uitgeprobeerd,' zei Patrick. 'Maar daar kun je wel van uitgaan.'

'Mooi. Dat zal mij van nut zijn bij mijn onderzoek.' Ze ging aan de conferentietafel zitten en spreidde haar aantekeningen voor zich uit. Die betroffen kopieën van de teksten in de grot, schetsen en symbolen. Beide collega's kwamen erbij zitten. Patrick stak een sigaret op en leunde achterover.

'Ja, ik heb er inderdaad last van als je rookt,' zei Stefanie. 'Dank je dat je dat gevraagd hebt.'

Patrick wilde iets zeggen, maar toen hij Peters doordringende blik zag, hield hij zijn mond en drukte zijn sigaret humeurig uit.

'De hoeveelheid teksten in de grot is bijna overweldigend,' begon Stefanie. 'Ik heb vandaag alleen die teksten bekeken en gekopieerd waarvan ik de taal enigszins bevredigend kan vertalen. Daarbij is ons al iets opgevallen. Zoals jullie allebei ook hebben kunnen vaststellen, zijn er twee verschillende soorten teksten. De ene soort is heel precies vervaardigd, past gedeeltelijk heel mooi bij de vorm van de ondergrond en lijkt nergens te overlappen. Misschien werden die allemaal tegelijk aangebracht. Daarbij gaat het in de regel om langere teksten. Wij hebben die de "oerteksten" genoemd. De andere inscripties zijn vaak vrijwel onleesbaar, zien eruit als een soort middeleeuwse graffiti. Met enige uitzonderingen zijn dit meestal kortere teksten, enkele zinnen, fragmenten of woorden. Deze teksten zijn op een later tijdstip aangebracht, wat ook te zien is aan het feit dat ze de oerteksten vaak overdekken.'

'De tekening van de roos,' mijmerde Patrick, 'met die spreuk eronder…'

'… is een graffititekst,' vulde Stefanie aan.

'En wat leid je daaruit af? Dat een of andere dilettant een paar honderd jaar later de grot heeft ontdekt en haar vol heeft gekrabbeld?'

'Wie weet? Na één dag weten we natuurlijk niet zeker of deze classificering in twee tekstcategorieën werkelijk voor alle inscripties opgaat. En wat het betekent, staat nog te bezien, maar het is tenminste een aanknopingspunt.'

'Mogelijk dat Stefanie bij de eerste ontcijfering wat aanwijzingen heeft gevonden die de teksten van elkaar onderscheiden,' zei Peter. 'Schijnbaar werd een groot deel niet alleen later en minder nauwkeurig aangebracht, maar de inhoudelijke samenhang is ook heel anders.'

Patrick speelde met zijn aansteker. 'Voor de draad ermee dan.'

'Welnu,' zei Stefanie, 'de oerteksten, voor zover ik dat tot nog toe kan zeggen, betreffen klassieke teksten, dus delen van bekende werken. Er zitten nogal wat Bijbelpassages tussen, maar ook fragmenten uit klassieke Latijnse of Griekse werken. Bij de Hebreeuwse teksten betreft het delen van de Thora en de boeken van Mozes. Als mijn theorie klopt, zullen we kunnen vaststellen dat de teksten in spijkerschrift stammen uit het Soemerische Gilgamesj-epos.'

'En wat houdt jouw theorie dan in?'

'De teksten zijn niet alleen rechtstreeks van religieuze aard, maar om een of andere reden is het gemeenschappelijk thema het scheppingsverhaal of de vraag naar de oorsprong of het verleden van de mensheid. Wie die inscripties ook heeft nagelaten, kon of wilde geen eigen teksten formuleren, maar maakte bewust gebruik van al bestaande bronnen.'

'Dat zou een teken kunnen zijn van gebrek aan creativiteit of van analfabetisme,' meende Patrick.

'Je bedoelt dat iemand dat gewoon zou hebben gekopieerd?' vroeg Peter.

'Dat lijkt mij onwaarschijnlijk,' bracht Stefanie in. 'Wie die grot ook beschilderd heeft, was zich heel goed bewust van de inhoud van de teksten. De correcties en de groepering zijn helemaal logisch en correct. Het was duidelijk geen kwestie van blindelings opschrijven.'

'Waarom zou iemand de wereldliteratuur gaan citeren?' Patrick tastte weer naar zijn sigarettenpakje, aarzelde, legde het vervolgens slechts voor zich op tafel.

'Misschien om ergens op te wijzen?' Peter zat hardop te denken. 'Iets wat alle teksten gemeen hebben, of iets wat ze allemaal onderscheidt?'

'Dat er een diepere betekenis achter moet steken,' bracht Stefanie in, 'daarop schijnt ook de spreuk onder de roos te duiden: "Dit moet een voorbeeld zijn voor degenen die mij volgen." Er moet iets uit die teksten te leren zijn.'

'Alles goed en wel. De oerteksten zijn dus scheppingsverhalen. En wat hebben die andere, die graffitispreuken gemeen?' Patrick vond die aanduiding heel curieus en legde er dus sterk de nadruk op. 'Ik durf te wedden dat het geen scheppingsverhalen zijn.'

'Doe niet zo bot,' zei Peter. 'We zijn nog maar aan het begin.'

'Als je daar rustiger van wordt mag je er wel een opsteken hoor,' zei Stefanie. 'Maar zet dan tenminste zolang een raam open.'

'Nou vooruit.' Patrick stond op, opende een van de ramen en ging op de brede vensterbank zitten roken.

Ondertussen vervolgde Stefanie: 'Terwijl de oerteksten gerangschikt zijn en religieus of historisch van belang lijken, hebben de graffititeksten alles bij elkaar een andere teneur. Ze lijken wel deels oppervlakkig aangebracht, maar zijn niet minder wijs.' Stefanie schoof een paar bladen naar voren en duidde op de regels:

נצבתי לפניו כנביא מול ההר
נמסתי לפניו כטיפה בים
אילם אנוכי לפניו

'Het is Hebreeuws,' verklaarde zij, 'en het ziet er religieus uit. Het lijkt een pioet, maar dat is het niet.'

'En wat mag een pioet dan wel zijn?' vroeg Patrick vanaf de vensterbank.

'Een pioet is een joods gedicht dat in de synagoge wordt voorgedragen.

"Nitsavti lefanaw ke navi lifne ha har,
namassti lefanaw ke-tippa ba-jam,
ilem anochi lefanaw."

Vertaald betekent dat:

"Ik trad voor Hem als een profeet voor de berg, Ik ging op Hem af als een druppel in de zee, Stom ben ik voor Hem."'

'Dat is geen Bijbelcitaat,' mijmerde Peter.

'Klopt,' zei Stefanie. 'Maar het duidt op geletterdheid. Andere graffitieksten stammen rechtstreeks uit de Bijbel zoals bijvoorbeeld "memento, homo, quia pulvis es, et in pulverem reverteris" dat jullie gevonden hebben, "gedenk mens, dat gij stof zijt, en dat gij tot stof zult wederkeren."' Stefanie wees op nog meer inscripties uit de grot. 'Hier is nog een goed voorbeeld. Daar staat als oertekst een passage uit de *Timaios* van Plato, een deel dat gaat over de schepping van de wereld. Een echte klassieker om zo te zeggen, weliswaar in het Latijn en niet in het Oud-Grieks:

"Haec igitur aeterni dei prospicientia iuxta nativum et umquam futurum deum levem eum et aequiremum indeclivemque et a medietate undique versum aequalem exque perfectis universisque totum perfectumque progenuit."

Zo gaat het nog een paar fragmenten verder. Voor de vuist weg vertaald betekent het ongeveer:

"Dat was de hele gedachte van de eeuwige god over de toekomstige god, en hij maakte het lichaam glad en gelijkmatig, aan alle kanten even ver van het midden verwijderd. Het was volledig en bestond geheel uit voltooide lichamen. De ziel plaatste hij in het midden, spande haar door het geheel en ook van buiten zodat ze het lichaam omhulde. En hij schiep de hemel als een cirkel die in een cirkel draait, een enkele, unieke, door deugd zichzelf genoeg, vermogend zichzelf te bevruchten, zonder behoefte aan een ander, en daardoor maakte hij van hem een gelukzalige god."

Een beroemde tekst, tweeënhalfduizend jaar oud. De bolvorm als volmaakt lichaam, overeenkomend met de aarde en de loop van de planeten.'

'Amper duizend jaar later werd je voor dergelijke ketterse gedachten op de brandstapel gezet,' zei Peter.

'Ja,' beaamde Stefanie. 'Heel indrukwekkend. En met liefde voor detail op de wand gezet. En dan smeert iemand er een graffititekst overheen die niet minder intelligent is. Een van de langste luidt:

"Ex quo omnia mihi contemplanti praeclara cetera et mirabilia videbantur.
Erant autem eae stellae, quas numquam ex hoc loco vidimus et eae magnitudines omnium, quas esse numquam suspicati sumus, ex quibus erat ea minima quae ultima a caelo citima terris luce lucebat aliena; stellarum autem globi terrae magnitudinem facile vincebant.
Iam vero ipsa terra ita mihi parva visa est, ut me imperii nostri, quo quasi puntum eius attingimus, paeniterent."

Dat is een fragment uit Cicero's *De republica*, als ik het me goed herinner, uit de droom van Scipio, zo'n vijfhonderd jaar later:

"Van daaruit leek mij, zoals ik het bezag, al het overige heerlijke en wonderbaar.
Er waren daar echter sterren die wij nooit vanuit deze plaats gezien hebben, en verscheidene grote daaronder, waarvan wij geen besef gehad hadden, en daarvan was de kleinste, als laatste aan de hemel het dichtst bij de aarde, en scheen met een vreemd licht. De bollen van de sterren echter overtroffen de omvang van de aarde met gemak.
Ja, de aarde zelf scheen mij zo klein dat ik mij schaamde om ons rijk, waarmee wij eigenlijk slechts een punt van haar aanraken."'

'En wat is dan nu je theorie?' wilde Patrick weten. 'Dat de graffitischrijvers intellectuelen waren?'

'Ja, dat kun je in elk geval wel aannemen. De graffititeksten werden later aangebracht, ten dele lijken het reacties op de oerteksten. Ze zijn geletterd, maar ze stralen allemaal ook een bijzonder soort eerbied uit. Eerbied voor de nietigheid van de mens in de kosmische samenhang, eerbied voor het weten en de grote geheimen van de wereld.'

'Wij weten nog steeds niet wie die teksten heeft aangebracht,' zei Peter, 'het lijkt wel alsof de schrijvers van de graffititeksten andere beweegredenen hadden.'

'Ja, dat wordt bijzonder duidelijk uit deze hier:

"Arcana publicata vilescunt; et gratiam prophanata amittunt. Ergo: ne margaritas obijce porcis, seu asino substerne rosas."

Ik weet niet of het een historisch citaat is, maar het betekent:

"Geopenbaarde geheimen worden goedkoop, het ontheiligde verliest alle aantrekkelijkheid. Dus: werpt uw parels niet voor de zwijnen, en strooi geen rozen voor een ezel."

Dat stond overigens naast die tekening met de roos, zij het in een wat ouderwets schrift, zodat we het pas vandaag hebben kunnen ontcijferen.'

'Ik ken het...' overlegde Peter. 'Ik kan er alleen niet opkomen waarvandaan...'

'Ik heb het gevoel dat we allemaal om de hete brij draaien,' zei Patrick. Hij sloot het venster en ging weer bij de anderen aan tafel zitten. 'Alsof we te laat bij een gesprek betrokken zijn geraakt en als enigen niet weten waar het over gaat. Alsof iedereen lacht, en jij hebt de grap niet gehoord.'

'Ik kan je niet volgen,' zei Peter.

'Ik wel,' zei Stefanie. 'Ik snap wat je bedoelt. Je krijgt het gevoel dat er een onbekend thema is, naar aanleiding waarvan al deze teksten en deze commentaren zijn geschreven. De schrijvers hadden allemaal hetzelfde in het achterhoofd. Welnu, wat was dat thema, wat was dat geheime weten? Hier is een tekst die nu net precies die toon aanslaat.' Ze legde de onderzoekers weer een papier voor.

Ει' ἰσοτης ἐστί δικαιοσύνη καί ἡ γνῶσις ισχύς
πόλις ἐστί αγαθή ἐν ῆ ᾇπασα ἡ γνῶσις προστή τοῖς πᾶσι.
Ταύτη ἓκαστος ισχυρος και ἃπαντες ἴσοι εἰσί.

Ισχυρότερος μέντοι ὁ εὑρών γνῶσιν.
Τοῦτον δέ ούτω σοφόν εἶναι δεῖ ὥστε νέμεσθαι
ταύτην δύνασθαι.

'Dit is Oud-Grieks,' verklaarde Stefanie, 'waarvandaan, dat kon ik zo één twee drie niet achterhalen. Het lijkt niet geheel vrij van vergissingen, maar grofweg vertaald luidt het:

"Als gelijkheid gerechtigheid is, en kennis macht, dan is de wereld goed, als de volheid van alle kennis voor iedereen toegankelijk is.
Iedereen die daarin leeft is machtig en allen zijn gelijk.
De machtigste echter is hij die de kennis vindt.
Hij moet wijs zijn, zodat hij haar aan anderen kan doorgeven."'

'Dat klinkt verdacht modern. Naar kennismanagement,' zei Peter.
Stefanie knikte. 'Nog interessanter is wat iemand heeft toegevoegd als aanvulling op de laatste zin:

και οὕτω σοφόν ὥστε ἀποκρύπτειν αυτών.

"... en hij moet zo wijs zijn het te verbergen."'

'Nou, leuk,' zei Patrick hoofdschuddend, 'nu hebben we een heleboel Hebreeuws en Latijn en Grieks gehoord, mijn hoofd loopt ervan om. Ik kan nog geen enkele rode draad ontdekken.'
'Misschien is het gewoon nog te vroeg,' gaf Peter toe. 'Maar in elk geval hebben we nu de stukjes van de puzzel, ook al kunnen we de puzzel nog niet leggen.'
'Bijna even opmerkelijk als de oude inscripties,' zei Patrick, 'vind ik de belangstelling van de mensen die in de huidige tijd leven. Dat gedrag van die grootmeesteres en dan die merkwaardige fax die...' Hij hield zijn mond toen zijn blik op het faxapparaat bleef rusten. Er was ondertussen weer een papier uitgerold en dat lag in het vangmandje. 'Wat is dat?' Hij stond op, greep het en bekeek de vellen. 'Dat kan toch niet!'
'Wat is het?'
Patrick nam de twee faxen mee naar de tafel en legde ze naast elkaar. 'Nu we het toch net over mevrouw Grootgoeroe hadden, jouw voorspelling is zojuist uitgekomen, Peter. Ze schrijft dat ze ons inderdaad nog een

keer zien wil.' Vervolgens wees hij op het andere papier. 'En moet je nu dit zien:

> "Zeer geëerde heren,
> Ons is ter ore gekomen dat u onderzoek verricht in een aangelegenheid waarvoor wij u noodzakelijke informatie willen geven. Mogelijkerwijs hebt u deze al meegekregen, maar ik denk dat u in dit geval zeker blij zult zijn de stand van uw onderzoek bevestigd te weten.
> Daarom zouden wij u willen uitnodigen voor een informatieve ontmoeting. De geheimzinnige aard van uw aangelegenheid willen wij graag respecteren, weest u zich verzekerd van onze discretie."

"Met vriendelijke groeten" enzovoorts, "Samuel te Weimar". Er zit ook een plattegrondje bij.'

'Samuel te Weimar?' Peter grinnikte. 'Dat klinkt naar een mislukt pseudoniem, wat vind jij?'

'Klopt,' zei Stefanie. 'Het doet een beetje Duits aan. Wie is dat, en hoe komt die man aan ons faxnummer?'

'Ik vermoed dat jouw kennis in Parijs niet helemaal zo betrouwenswaardig is als jij gehoopt had, kan dat kloppen, Peter?'

'Inderdaad, daar ziet het naar uit.'

'Moet je dat briefhoofd zien!' zei Stefanie verbaasd en ze wees op een vignet. Dat stelde een roos voor, met in het midden een kruis en de letters M.L. Boven de roos kringelden drie vlammen. Eronder stond een stukje tekst. '"Missie van het Licht – In nomine Patris et Filii et Spiritus Sancti"', las zij voor, 'in naam van de vader, de zoon en de heilige geest.'

'Amen.'

'Je bent een godslasteraar, Patrick.'

De aangesprokene grijnsde en liep weer naar het venster om een sigaret te gaan roken. 'Laten we even samenvatten,' zei hij na de eerste trek. 'Enerzijds onderzoeken wij een grot. Technisch komen we momenteel geen meter verder, maar we staan wel op het punt die oude teksten te ontcijferen. Helaas geven die ons tot nog toe geen enkele aanwijzing voor zin en doel van het geheel. Tegelijkertijd hebben verscheidene mensen inmiddels lucht gekregen van ons onderzoek. Daar heb je bijvoorbeeld de grootmeesteres van een vrijmetselaarsorde. Zij schijnt de tekening van de roos ergens mee in verband te brengen, wil ons echter eerst niks zeggen. Nu wil ze ons weer zien. Dan hebben wij een fax van een mysterieuze St. G., die ons op de een of andere manier voor onze eigen onderzoeksresultaten wil waarschuwen en we hebben een fax van ene Samuel te Weimar, die beweert dat hij informatie voor ons heeft. Hebben we nog wat overgeslagen?'

'Afgezien van de teksten in de grot,' merkte Stefanie op, 'zouden we ook verder onderzoek moeten doen naar de symbolen bij de passage zelf. Dat lijkt me eigenlijk nog belangrijker.'

'Dat klopt, zei Peter. 'Van die symbolen, die kringen en de passage weten we eigenlijk niets. Aanvankelijk hebben we immers gemeend dat de teksten in het voorste gedeelte van de grot ons verder zouden helpen, maar daar ziet het momenteel niet naar uit. Stefanie, jij had een idee, nietwaar?'

'Eerlijk gezegd is dat slechts heel vaag. Maar ik moet me daar nu op concentreren. Een of twee dagen aan deze computers en ik heb internettoegang nodig. Dan kan ik er meer over zeggen.'

'En, Patrick, jij zou nu toch werkelijk de afzenders van die faxen moeten achterhalen.'

'Ja, dat ben ik ook van plan.'

'En nog wat,' zei Stefanie.

'Ja?'

'Jij wilde ons je aantekeningen van het bezoek in het sanatorium laten zien.'

Patrick aarzelde. 'Ik geloof eerlijk gezegd niet dat je daar iets mee kunt.'

'Misschien wel,' zei Peter. 'Laat ze eerst maar eens zien.'

Patrick toverde een paar gevouwen blaadjes tevoorschijn. 'Ik heb het zo opgeschreven als ik het gehoord heb. Het is mogelijk volslagen onzin:

"Ne sis confisus illis, qui adiuvare student
ne intraveris cogno scientiam
in me manebo dum me repperrero."

Stefanie trok haar wenkbrauwen op. 'Dat is Latijn! Het begin is zonder meer te begrijpen: "Vertrouw niet degenen die je helpen willen." Kun je dat stuk in het midden nog een keer herhalen?'

Patrick las de regel opnieuw voor.

'Het begin betekent: "Treed niet binnen", maar dan zou er vervolgens “cognosce scientiam” moeten staan. Kan het dat zijn? Heeft hij misschien “cognosce” gezegd?’

‘Dat kan best, hij mompelde ook zo vreselijk.’

‘Dan betekent dat “erken het weten”. Maar als het zo onduidelijk was, kan hij dan ook wellicht “et cognosce scientiam” gezegd hebben?’

‘Dat denk ik wel. Maakt dat wat uit?’

‘Nou ja, dat zou het tegendeel betekenen. Ofwel hij wilde uitdrukken dat je niet moest binnentreden en in plaats daarvan het weten moest ervaren, ofwel hij wilde zeggen dat je niet moest binnentreden om daarmee níet het weten te ervaren.’

‘En dan roept het ook de vraag op waarin je dan niet mag binnentreden,’ zei Peter.

‘Nou ja, vooruit,’ zei Patrick. ‘Dat doet me denken aan die andere gek in het sanatorium. Misschien is het zo, misschien niet, zei hij de hele tijd.’

‘Misschien bedoelde hij de grot,’ mijmerde Peter.

‘Kan zijn,’ zei Stefanie. ‘Uiteindelijk is het een soort grot van kennis… hoe luidde die laatste zin ook alweer?’

‘Ik heb alleen brokstukken verstaan: “In me ma nebo dum me reppe rero.” Kun jij daar chocola van maken?’

‘Ja, dat is zo klaar als een klontje. “In me manebo dum me repperero” staat er en dat betekent: Ik blijf in mij tot ik mijzelf heb teruggevonden. Mooi filosofisch, die herder van je.’

‘Het klinkt als een van de graffitizinnen,’ zei Peter. ‘Vind je niet? Afgezien van het feit dat deze simpele man merkwaardigerwijs plotseling een geleerde taal spreekt, formuleert hij ook nog zeer gecultiveerde gedachten.’

‘Ja, wat hij in die grot heeft beleefd, moet hem beschadigd hebben… en weet je zeker dat jij niet plotseling ook Latijn verstaat, Patrick?’

‘Ik vind dat niet grappig, Stefanie!’

‘Het was dan ook bloedserieus bedoeld, hoor, Patrick. Heb jij enige veranderingen bij jezelf waargenomen? In je denken of in je begrip?’

‘Nee!’

‘Nou goed,’ mengde Peter zich in het gesprek. ‘We moeten dat thema maar laten vallen. Misschien moet je het in je achterhoofd houden en jezelf de volgende dag eens goed in de gaten houden. Interessant trouwens dat hij voor mensen waarschuwt die willen helpen. Wat moeten we daarvan vinden?’

Patrick stak een nieuwe sigaret op. ‘Nou ja, laten we dat dan ook maar in ons achterhoofd houden.’

9

5 mei, Palais de Molière bij Parijs

President Michaut had zich keurig in het pak gestoken, hoewel hij de graaf verzekerd had dat het hier ging om een privéonderhoud. De graaf nam alle noodzakelijke discretie in acht, maar toch baarde zijn verschijning altijd opzien, doordat hij wereldvreemd en tegelijk soeverein overkwam. President Michaut voelde zich nooit helemaal op zijn gemak in zijn aanwezigheid. Dat waren geen negatieve gevoelens, het ging niet om jaloezie, ook niet om wantrouwen of angst. Het was een soort onverklaarbaar respect, bewondering, meer nog dan dat. In zijn tegenwoordigheid voelde hij zich net zo zeker als hij zich vroeger als kind op de schouders van zijn vader had gevoeld. Ja, om de waarheid te zeggen voelde hij zich op een bepaalde manier een beetje inferieur aan hem, al was minderwaardig niet het juiste woord. In plaats daarvan voelde hij voor de graaf oprechte bewondering en eerbied. Soms kwam er iets van deemoed over hem. Een gevoel dat hem zo sluipend en zo vanzelfsprekend bekroop, dat hij zich moest vermannen en zich voor moest houden dat hij wel de president van Frankrijk was. Als hij sentimenteel of esoterisch aangelegd zou zijn, dan zou hij het bijna hebben kunnen duiden als religieuze liefde. Iets dergelijks moesten de discipelen voor hun Messias hebben gevoeld. In deze zin was de graaf voor de president een zeer persoonlijke heiland. En alleen daarom al voelde hij zich in zijn aanwezigheid in een pak beter dan in zijn normale, lichtere kleding.

'Goedenavond, monsieur le comte, ik ben blij u terug te zien.'

'Goedenavond, monsieur le président. Zoals altijd is de eer geheel mijnerzijds.'

President Michaut wees op een stoel. 'Gaat u toch zitten. Kan ik u iets te drinken aanbieden?'

'U zou mij een plezier doen met een glas droge witte wijn,' antwoordde de graaf, terwijl hij ging zitten. 'Uiteraard slechts als het u niet te veel omslag bezorgt.'

'Geenszins. Staat u mij toe u een ogenblik alleen te laten.' De president verliet het vertrek en begaf zich naar de keuken van de residentie. Met uitzondering van het noodzakelijke veiligheidspersoneel en de chauffeur was er niemand op het terrein aanwezig. Zo bleef weliswaar de geheimhouding van het onderhoud gewaarborgd, maar het betekende ook dat er geen bediening was. President Michaut was nuchter genoeg om daar geen punt van te maken. Een fles witte wijn kon hij ook alleen wel pakken en ontkurken. Hij overlegde of het niet nadelig zou werken op het breken van het ijs, als hij de fles gewoon mee naar de salon zou nemen, om haar daar voor de ogen van de graaf te openen en uit te schenken. Maar hij deed dat toch maar niet, bereidde een serveertafeltje met glazen voor, en een koeler met ijs. Toen hij in de salon terugkeerde leek het alsof de graaf geen millimeter bewogen had, zo rustig zat hij nog er altijd bij, met zijn handen gevouwen in zijn schoot en zijn blik gericht op de vlammen van de open haard.

President Michaut gaf de graaf een glas en ging toen ook zitten.

'Dank u zeer voor uw moeite,' zei de graaf en hij hief het glas.

'Weest u verzekerd van mijn sympathie, monsieur le comte. Op uw welzijn.'

'En op het uwe.'

'Zoals u wellicht zult vermoeden, berust mijn uitnodiging echter niet louter op sympathie.'

'Voor dergelijke gevoelens hebben de machtigen van deze wereld zelden tijd.'

'Zoals altijd kan ik vertrouwen op uw inzicht... en ik hoop dat ook verder te blijven kunnen doen.' De president stond op en ging naast de haard staan, waar hij zich aan de schoorsteenmantel vasthield. 'Ik heb uw hulp nodig.'

De graaf keek op en knikte. Het was niet helemaal uit te maken of dit nou instemming inhield of wellicht gewoon een beleefdheidsgebaar was, ofwel dat hij het verwacht had. 'Wat voor hulp wenst u van mij?'

'Ik weet dat u geen politicus bent, monsieur le comte, maar toch zit ik om politieke raad verlegen.'

'Hoe zou hetgeen mij in uw ogen apolitiek maakt, mij kunnen kwalificeren voor politieke raad?'

‘Als ik u apolitiek noem, dan wil ik daarmee niet uitsluiten dat u inzicht hebt in politieke samenhangen. Het is eerder uw openbare afzien van politieke aangelegenheden en uw weigering u in te zetten voor een politieke richting of zaak, die mij tot deze conclusie voeren. Ik zou u daarmee in geen geval willen bekritiseren, begrijpt u mij niet verkeerd.’

‘Ik voel mij ook niet bekritiseerd. En u hebt beslist gelijk dat ik geen politiek persoon ben. Maar de eerlijkheid gebiedt ons te overwegen of succesvolle politiek niet onopgemerkt dient te blijven en of het ontbreken van engagement voor een richting of zaak geen enkele kritiek aan dezelfde impliceert.’

De president kon een glimlach niet onderdrukken. ‘Dat is nu juist wat ik bij u zozeer op prijs stel, monsieur le comte. En het is deze scherpzinnigheid die ik nodig heb. Toen ik vroeg om politieke raad, heb ik mij wellicht verkeerd uitgedrukt. Inderdaad heb ik raad nodig voor mijn werk, in dit opzicht is het van politieke aard. Evenzogoed is daarbij slechts uw analytische verstand nodig om mij verder te helpen.’

‘Waar gaat het over?’

‘Zoals u weet is mijn positie in de partij zeker en, afgezien van de kritiek van de linkse oppositie – die overigens in de traditioneel te verwachten perken blijft – onaangetast. Mijn werk heeft succes, de media staan grotendeels aan mijn kant, de bevolking ook. Ik ben bijna zeker van de volgende ambtstermijn, op basis van de laatste peilingen kunnen de verkiezingen zo goed als pro forma worden genoemd. Natuurlijk kan en zal ik mij daar niet op verlaten, maar de algemene toestand geeft althans geen directe aanleiding voor bezorgdheid.’

‘Echter...’ begon de graaf en hij wachtte op de president om deze zin verder af te maken.

‘Echter, sinds enige dagen is er plotseling nogal sterk verzet vanuit de industrie. Ik heb geen verklaring voor de herkomst ervan, en ik weet ook niet zeker wat ik ertegen moet doen, als ik er iets tegen moet doen.’

‘En uw politieke raadgevers, hoe luidt hun analyse?’

‘Hun theorieën lopen uiteen. Zozeer dat ik het waag ze als radeloos te bestempelen. In het beste geval vermoeden ze een industriële intrige met internationale partners, mogelijk met andere landen.’

De graaf schonk zich nog wat wijn in. Een roodgouden zegelring schitterde even in de weerschijn van de vlammen. ‘En dat scenario bevalt u niet?’ vroeg hij aan de president.

‘Ik vind het een beetje te vergezocht, om u maar ronduit de waarheid te zeggen. Zou het een internationale dimensie hebben, dan zou ik eerst geheel nieuwe posten moeten instellen en verbindingen moeten activeren, wat op zijn beurt slechts weer mogelijk is met voldoende duidelijke aanwijzingen.'

'Waaruit blijkt het verzet waarover u het hebt?'

'Al jaren hebben we heel goede contacten met de industrie. De makers en beslissers in onze economie zijn de motor van de machine van het land, de politiek is slechts de olie. Ik vertel u daarmee niets nieuws.'

'Nee.' De graaf staarde in de vlammen. 'We hebben alles doorgemaakt. Religie, filosofie, politiek, sociologie en er zijn ideologieën overgebleven. Alleen geld en economie hebben steeds weer aan het langste eind getrokken.'

'De Banque Parisienne heeft haar banden met de partij verbroken,' ging de president nu door. 'Tegelijkertijd heeft de Banque Atlantique Direct, die al jarenlang met de partij samenwerkt, geen belangstelling meer getoond. Dan is er de ENF, de op twee na grootste stroomleverancier van het land. Die wendt zich plotseling af van onze staatsleningen en heeft letterlijk de uitnodiging voor de tentoonstelling van de volgende week ingetrokken. Datzelfde is gebeurd met de groep Ferrofranc, een conglomeraat van drie van de grootste ertsverwerkende concerns van het land, met TVF Média en Télédigit International. En dat alles is slechts vier dagen.'

'Dat is opmerkelijk.'

Nu schonk ook de president zich nog een glas in, maar hij bleef staan. 'Het zou mij niet zo verontrusten, als het niet zo uit het niets was komen vallen. Als we dit duidelijke gevoel van weerzin tot de bodem uit willen diepen zou dat nogal wat onderzoek, werk en vooral tijd kosten.'

'Zijn er al stappen ondernomen?'

'Ik heb alle informatie over de huidige en de geplande activiteit van de firma's laten analyseren. De geheime dienst is nog niet ingeschakeld, maar we hebben alvast de openbaar toegankelijke bronnen gebruikt. Al te veel kunnen maatschappijen onder het wakend oog van de media en de aandeelhouders niet geheimhouden. We hebben onze insiders gebruikt, om alles te horen over plannen van fusies of handeltjes van die omvang. Zoiets zou althans dat gedrag kunnen verklaren.'

'En?'

'Niets.'

'Wat concludeert u daaruit?'

'Ofwel er liggen helemaal geen plannen of beslissingen aan ten grondslag, ofwel het komt van hogerop.'

'En waar zou u dat hogerop willen situeren?'

De president aarzelde een ogenblik. 'Misschien is er een geheim binnen de firma's, waartoe noch de aandeelhouders noch de media noch onze contacten toegang hebben. Zo geheim dat zelfs het bestaan van het geheim onbekend is gebleven. Als je daarbij stilstaat is dat echter meer dan onwaarschijnlijk, nee, waarschijnlijk zelfs uitgesloten. Dan kan er alleen nog maar sprake zijn van plotselinge en beslissende handelingen...' President Michaut nam een slok en eindigde de zin half hardop: '... zoals zij slechts door een machtige medespeler kunnen worden afgedwongen.'

De graaf knikte amper merkbaar. 'Wat voor gevolgen verwacht u?'

'Voor het land of voor de partij?'

'Of voor uzelf.'

'Het land kan en zal geen inkomsten verliezen, desnoods wordt het omgeslagen op de belastingen. Het land heeft ook al heel wat partijen overleefd. Een nationale catastrofe zal het wel niet worden. De partij zal het niet zo goed bekomen, als zij minder vrolijke gevolgen uit het verlies van samenwerking met de industrie moet trekken.'

'Kunt u ervoor verantwoordelijk worden gehouden? Wordt u herkozen?'

'Nou, de oppositie zal het natuurlijk aan mijn persoon ophangen en dit aan de media en de bevolking ook zo voorstellen. Herverkiezing wordt wat moeilijker. Maar onmogelijk is het beslist niet.'

'Dat is geruststellend. U moet goed in de gaten houden wat er zou kunnen gebeuren als nog meer industriële ondernemingen u op deze manier de rug zouden toekeren.'

President Michaut antwoordde niet meteen. Toen ging hij in zijn stoel zitten en keek de graaf aan. Een glimlach streek over zijn gezicht.

'Weet u wat, geachte monsieur le comte? Zonder het te vermoeden hebt u mij vanavond een onschatbare dienst bewezen.'

Nu glimlachte ook de graaf. 'Werkelijk?'

'Ik weet nu wat ik moet doen. Ik ben blij dat u op mijn uitnodiging bent ingegaan. Ik hoop dat ik u op een dag een wederdienst kan bewijzen.'

'Het genoegen is geheel mijnerzijds, monsieur le président. Niettemin moet ik er uitdrukkelijk en dringend op wijzen dat ik er volstrekt geen enkele notie van heb waarvoor u mij dankbaar zou moeten zijn.'

'Laat mij nog wel even met u proosten. Op uw gezondheid!'

'En de uwe. "Non nobis, Domine, sed nomini Tuo da gloriam."'

10

7 mei, op een vlucht van Béziers naar Parijs

'Wat vind jij van haar, Patrick?' De stewardess had zojuist drankjes rondgedeeld en deed nu haar best in de korte tijd die nog restte totdat de passagiers voor de landing hun veiligheidsgordels zouden moeten vastmaken, met gespeelde rust en vriendelijkheid een maximum aan service te bieden, helaas zonder haar feitelijke stress volledig te kunnen verbergen.

'Van de stewardess?' vroeg Patrick grijnzend.

'Nee, van Stefanie. Volgens mij ben jij niet weg van haar medewerking. Het was bijna een opluchting toen ze in het hotel bij de computers wilde blijven.'

'Haar werk is goed. Ik heb niks op haar tegen.'

'Wacht eens even. Patrick, hoor ik daar jaloezie?'

Patrick wuifde het weg. 'Onzin, nee! Ze werkt goed. Af en toe is ze mij een tikkeltje te minzaam, begrijp je? Het knapste meisje van de klas.' Hij keek naar buiten.

Peter draaide het plastic bekertje langzaam rond en liet zo de ijsklontjes over elkaar heen tuimelen. 'Ik vraag me net af,' zei hij en hij bekeek Patrick van opzij, 'hoeveel kou zo'n ijsklontje kan afgeven om zo'n heel bekertje te koelen...'

'Dat ijsklontje geeft helemaal geen kou af.'

'O, nee?' Peter lachte.

'Dat ijsklontje smelt, omdat de omgeving warmer is dan nul graden. Voor die verandering van staat is energie nodig. Daarom haalt het de warmte-energie uit de omgeving. Het is niet het ijs dat de kou afgeeft, maar de vloeistof die warmte afgeeft.'

'Nou nou, ziet u, meneer de ingenieur, u vindt het toch zelf ook leuk om iets beter te weten. Nou vooruit, voor de draad ermee, wat stoort jou aan Stefanie?'

'Niks, dat zeg ik toch! Ik hoef haar toch niet meteen om de hals te vallen. Eerlijk gezegd maak ik mij momenteel zorgen over heel andere dingen.'

'De loge?'

'Ja. Ik weet niet of het zo'n goed idee was om nog eens naar die mensen toe te gaan, ik vind het griezels.' Patrick keek naar de professor. 'Jou lijkt het verder niks te doen. Wat weet jij nog meer over vrijmetselaars?'

'Dat heb ik je toch al verteld, ik heb Sebastian leren kennen tijdens mijn onderzoek, een paar jaar geleden. Die hebben hun rituelen en ceremoniën, daar moet je je niet druk om maken.'

'En die kabbala? Wat houdt dat in?'

'De kabbala stamt uit de joodse mystiek. Het gaat erom de ware, oorspronkelijke Thora terug te vinden, de waarheden en de wijsheden Gods.'

'Geheime leer?'

'Bijna de hele magie in de middeleeuwen, of althans wat zo genoemd werd, was doortrokken van kabbalistisch gedachtegoed. Ondertussen zijn er zoveel boeken over, met name uit de esoterische hoek, dat je het amper nog een geheime leer zou kunnen noemen.'

'En hoe komt het dat jij daar zo goed van op de hoogte bent? Jij lijkt mij toch ook meer te weten dan aan je af te zien is, meneer de professor.'

'"De triomftocht van het verstand – bijgeloof en rationaliteit in de loop van de eeuwen", kun jij je dat boek herinneren? Dat is een lezingenserie van mij.'

'Goed goed, vertel daar maar eens meer over. Wat is die Thora en hoe willen ze de wijsheden Gods daarin terugvinden?'

'Thora is het Hebreeuwse woord voor leer, en daarmee wordt geduid op de Pentateuch, de vijf boeken van Mozes. De gezamenlijke tekst staat op een rol, geschreven in het Hebreeuws. De religieuze Hebreeuwse teksten werden en worden steeds letterlijk gekopieerd, zodat bijvoorbeeld alle Hebreeuwse bijbels wereldwijd, hoe oud ook, altijd volstrekt identiek zijn. Nu zijn er verscheidene kabbalistische methodes om de Thora te lezen, of eigenlijk te ontraadselen, om de geheime, daarachter liggende boodschap te vinden.'

'Renée Grootmeesteres was ook al van mening dat Hebreeuws de taal van God was.'

'Jazeker, de zoektocht naar de volmaakte taal, die in de late middeleeuwen en de renaissance opbloeide, en de kabbala hangen samen.'

‘En? Hebben ze al verborgen boodschappen ontdekt?’

‘De kabbalisten zijn daar vast van overtuigd.’

‘Heb jij een flauw idee wat voor methodes dat zijn, waarmee daar gewerkt wordt?’

‘Er zijn verscheidene systemen, waarmee letters van plaats worden veranderd en anagrammen kunnen worden gemaakt. Bovendien heeft elke letter ook een getalswaarde. Zo kun je met woorden sommen maken. Die getallen vergelijk en verreken je dan met de getallenwaarden van andere woorden. Zo zijn er talloze soorten en combinaties. Koop er eens een boek over als het je zo interesseert.’

Er klonk een gong, gevolgd door de boodschap dat men zich ging voorbereiden op de landing, en of de passagiers zo vriendelijk wilden zijn hun veiligheidsgordel vast te maken, het tafeltje op te klappen en hun rugleuning recht te zetten.

‘Trouwens, je zou het ook rechtstreeks aan Renée Colladon kunnen vragen.’

Patrick lachte. ‘Ja, dat zou ik eens moeten doen. Denk je dat ze ons daar iets over zou willen vertellen?’

‘Ik denk dat ze ons nog iets heel anders te vertellen heeft ook. Zij heeft ons ten slotte uitgenodigd om ons tegemoet te komen, toch?’

‘Ik ben benieuwd, Peter, ik ben erg benieuwd.’

‘Renée schijnt een hang naar het theatrale te hebben.’ Patrick bekeek het middelste portaal van de kathedraal waarop een dramatische voorstelling van het laatste oordeel prijkte, waarbij Jezus als wereldrechter de zielen al naar gelang tot zaligheid of tot helse kwellingen veroordeelde, beide voor de eeuwigheid. Hier wordt dus het kaf van het koren gescheiden, overdacht hij. Zo, dat was het dan, ’t is weekend, jullie hebben je kans gehad, sukkels. Niks van: Hé, weet je wat, jongens, ik heb er nog eens over nagedacht, ik vergeef het jullie toch maar. Na eeuwen nog rancuneus, die ouwe heer.

‘Heb je enig idee hoe vaak ik al in Parijs ben geweest?’ zei Peter. ‘En nu moeten we eerst voor een geheime ontmoeting worden uitgenodigd voordat ik weer eens in de Notre Dame kom.’

‘Nou ja, dan is dat bezoek in elk geval lonend geweest.’

Te vroeg waren ze niet. Naast de geweldige zuilen bij de ingang stond een vrouw die met uitgestoken hand op hen af kwam toen ze haar zagen.

‘Monsieur Nevreux, professor Lavell, ik ben Renée Colladon.’ De vrouw scheen van middelbare leeftijd. Ze droeg een donkerrode combinatie van rok, blouse en jas, en zag er zeer zakelijk uit. Onder haar arm had ze een zwarte tas.

'Het is mij een genoegen u weer te zien,' begroette zij Peter.

'Uw stem komt me inderdaad bekend voor,' zei Patrick. 'Zomaar zonder kap?'

De vrouw glimlachte. 'Misschien lukt het mij nog u uw grappenmakerij af te leren.'

'Ik hoop dat u het hem niet kwalijk neemt,' zei Peter, maar Patrick was de hint niet ontgaan.

'*Try me*,' zei hij uitdagend.

'Dat zal ik niet doen, monsieur Nevreux. En weet u waarom niet? Omdat ik geen zendingsijver heb om u de ogen te openen, zolang u ze dichthoudt.' Ze draaide zich langzaam om en terwijl ze naar de zij-ingang van het middenschip slenterde vervolgde zij: 'Maar u zoekt en ik zal antwoorden geven. Daarom ziet u mij vandaag zonder vermomming. Ik zou graag mijn oprechtheid en mijn vertrouwen in u willen laten zien. Ziet u dat raam? De prachtige details die zichtbaar worden in het zonlicht? "Fiat lux", er zij licht! Wat kan ik voor u doen, monsieur?'

'U hebt de tekening gezien,' zei Peter. 'Wat kunt u over die roos vertellen?'

'Monsieur le professeur, u laat er geen gras over groeien. Maar laten we het niet over die roos hebben. Uiteindelijk zal ik het zijn die naar de roos vraagt, daarom moet u de kans benutten om vragen te stellen die u werkelijk na aan het hart liggen. Monsieur Nevreux, u leek mij bij onze laatste ontmoeting even onverbloemd als onervaren...'

'Goed, als u wilt, vertelt u mij dan nu eens wat over die hocus pocus in de loge, die kleding, die zaal, die gevangenen. En hebt u ook al goddelijke wijsheden in de Thora gevonden?'

'Patrick, alsjeblieft.'

'Laat maar, professor, ik had die vragen verwacht, en ik ben bereid er antwoord op te geven. Althans, zo goed als ik zo'n buitenstaander met weinig woorden kan verklaren. Professor, zegt u eens, waar staat volgens de wetenschap de wieg der mensheid? Is dat niet Afrika?'

'In zekere zin, en onder voorbehoud, ja.'

'Uw terughouding is niet nodig, monsieur le professeur, ik ben geen rechter.' Renée lachte. 'Het is alleen belangrijk dat u het bevestigt. Niet alleen de wieg van de mensheid stond daar. Daar namen de schepping en het verstand hun aanvang. Daar was het paradijs. Daar werd nog de taal van God gesproken, daar deden wij ook ervaring op met bouwen. De Egyptenaren bouwden er piramiden, Noach kon zichzelf en zijn gevolg redden toen God hem waarschuwde voordat de zondvloed alles verslond.'

'De zondvloed trof dus ook Noordoost-Afrika?' Patrick deed zijn best niet al te sarcastisch over te komen.

'Monsieur Nevreux, toe!' Renée Colladon schudde haar hoofd. 'Natuurlijk niet. De zondvloed was geen globale gebeurtenis en trof ook Egypte niet. Modern onderzoek bevestigt dat. Inmiddels is wel bewezen dat de waterspiegel van de Dode Zee destijds honderd meter lager lag, en dat het het gebied tussen Eufraat en Tigris betrof dat geheel overstroomd werd.' Ze keek eens naar Peter, als om de historische gegevens te bevestigen, maar deze hield zich tijdens de duur van deze toespraak gedeisd. Ze vervolgde: 'De zondvloed vond in het Nabije Oosten plaats, de beschaving was al tot daar doorgedrongen en de berichten over de zondvloed stammen ook uit die contreien.'

Ze waren inmiddels bij het transept beland en kregen hier pas een goede indruk van de geweldige hoogte van de kathedraal. Om te verhinderen dat andere toeristen om hen heen het gesprek zouden volgen, hielden zij hun gestage wandeltempo aan.

'Noachs zoon Sem was de stamvader van de Semieten, onder wie de Accadiërs ressorteerden die het Tweestromenland veroverden en de taal en het schrift van de Soemeriërs verrijkten. Zo kwam uit de Soemerische stad Ur uiteindelijk de stamvader van Israël voort: Abraham.'

'Waarom vertelt u dit allemaal?' vroeg Patrick.

'Om de verbanden duidelijk te maken. Het waren altijd weer de van Gods taal doordrongen Semieten die de loop van de dingen in de wereld beïnvloedden. De Grieken noemden de Soemerische stad Bab-Ilum later Babylon, waar de Semieten de Toren der Torens bouwden om dichter bij God te komen.' Ze zweeg even. 'Ze werden daarvoor vreselijk bestraft... Zoals u weet bouwden de uit Abraham geboren Israëlieten de tempel van Jeruzalem, die ze dikwijls hebben moeten herbouwen!'

'Wilt u zeggen dat er een verband bestaat tussen de taal van God en de grote bouwwerken van de oudheid?' Het was eerder een vaststelling dan een vraag.

'Klopt!' Renée Colladon lachte Patrick toe. 'Daar wilde ik inderdaad op aansturen. Dat is de heilige oorsprong van de tradities van de vrijmetselaars. Herinnert u zich nog het bezoek aan de tempel?'

'Tempel?'

'De grote hal van onze loge, waarin de begroeting plaatsvond.'

'Ach ja, dat weet ik nog.'

'U zullen twee zuilen opgevallen zijn. Die staan daar als verwijzing naar de twee zuilen die na de zondvloed werden gevonden. Zij bevatten de geheimen van de kennis die ten slotte via Noach werd verbreid. Hij trok naar het westen, naar Egypte, en zijn Semitische erfgenamen verspreidden de kennis ook in het oosten, in Soemerië en het latere Babylonië.'

Ze wendde zich tot Peter, die net met zijn ogen rolde. 'Monsieur le professeur, u kent daar natuurlijk geen historisch verslag van, want dat is kennis die in onze traditie al eeuwenlang behoed wordt. De ene zuil staat voor de Egyptische god Thot, de heer van het schrift, de talen en het geheime weten. De andere zuil gedenkt Henoch, de profeet van Elohim, die vóór de zondvloed leefde. Maar hij leerde schrijven en verspreidde de kennis. Het zijn twee aspecten van dezelfde macht die achter de woorden van de Thora verborgen ligt.'

'Waarmee we dus bij de Thora zijn aanbeland,' sprak Patrick. 'Hebt u de geheime kennis daarin al gevonden?'

'Sedert eeuwen wordt de heilige schrift gelezen, en het zou wel heel toevallig zijn als het tijdens mijn leven zou gebeuren dat de hele wijsheid ervan aan de mensheid werd geopenbaard. Mogelijk, of beter hoogstwaarschijnlijk, kunnen mensen nooit de ware Thora helemaal overzien, want dat zou betekenen dat wij ons Gods wijsheid eigen hebben gemaakt, wat ons in dit aardse leven echter niet beschoren is. Maar kleinere wonderen gebeuren dagelijks en eenieder die de Thora leest, vindt daarin zijn eigen waarheid.'

'Peter, je bent zo stil,' zei Patrick. 'Wat vind jij hier nou van?'

'Ik denk erover na,' antwoordde de professor, die schijnbaar opging in de architectuur en alleen terloops leek mee te luisteren, 'hoe vaak ik zulke gemeenplaatsen al gehoord heb. Ik wacht nog steeds op de tijd dat we iets minder vage antwoorden zullen krijgen.'

'Eerlijk gezegd, madame,' zei Patrick, 'heb ik ook de indruk dat u er een beetje omheen draait.'

'Dat is zeker niet het geval en ik voel absoluut niet de behoefte mij te rechtvaardigen.' Ze was voor het hek blijven staan en bekeek het koor. Toen er een groepje toeristen bij kwam staan, liep ze een paar passen verder en dempte haar stem. 'Het spijt mij als ik die indruk wek, maar u moet wel begrijpen dat de kabbala meer is dan alleen woorden en verklaringen. Zij is ook meer dan Gematria of Temurah, de zoektocht naar de ware Thora. Het gaat hier om een levenswijze.' Ze maakte haar tas open, haalde er een paar papieren en ook een boekje uit. 'Ik heb dit voor u meegenomen, zodat u iets meer te weten kunt komen over vrijmetselarij en kabbala.'

Patrick nam de papieren aan.

'Leest u het, en als u er wat dieper op ingegaan bent, zou ik graag uitvoeriger en op een wat rustiger plek met u praten. Belt u mij wanneer u wilt.' Ze gaf hen een visitekaartje met daarop *Claire Renée Colladon* en een telefoonnummer.

'Dat is allemaal heel erg aardig,' zei Patrick, 'maar we willen vooral iets meer te weten komen over de oorsprong van die tekening en de samenhang met uw loge. Hoe heette die ook alweer? De Broeders van de Roos en het Kruis?'

'De naam van onze loge is Broederschap van de Ware Erfgenamen van het Kruis en de Roos. En voor zover ik mij herinner heb ik u er de laatste keer al op gewezen dat ik u in dat opzicht pas verder kan helpen als u mij vertelt waar u die tekening hebt gevonden!'

Nu nam Peter het woord. 'Madame Colladon, met alle respect, maar we hebben niet de hele reis naar Parijs ondernomen om een voordracht aan te horen over vrijmetselarij en de ark van Noach. Dat weet u net zo goed als wij. Ik zou best willen zeggen dat alleen al dit bezoek aan de Notre Dame de moeite rechtvaardigt, maar nog liever zou ik wat meer informatie krijgen.'

'Professor, ik zie wel dat uw reputatie als hardnekkig onderzoeker bevestigd wordt, ook als u de waarheid nooit geheel zult kunnen achterhalen.' Haar stem klonk geërgerd. 'Maar ik weet echt niet hoe ik u verder helpen kan.'

'Voor u is die roos belangrijk, hè?'

'Dat heb ik niet beweerd...'

'Maar voor u is belangrijk waar die roos vandaan komt, toch?'

'Monsieur...'

'En het allerbelangrijkste voor u is de mogelijke omgeving waarin wij die roos vonden. Hoe, wie, wanneer, waar, klopt dat?'

Renée Colladon zweeg even, haar gelaatsuitdrukking liet niets blijken van wat er in haar omging. 'Goed, monsieur,' zei ze ten slotte, 'het ziet ernaar uit dat u een voorgekookte mening hebt over mij en over de loge.

Dat doet mij oprecht pijn, want ik zie dat als een groot verlies. Ik zou u graag verder hebben geholpen, maar ik wil me niet op dit niveau met u en uw dogma's bezighouden.'

Ze draaide zich om om te vertrekken, kwam echter nog een keer terug. 'Veel succes, monsieur le professeur, en ook voor u, monsieur Nevreux. Ik hoop voor u dat u het licht zult vinden.'

Peter hield haar niet tegen en maar keek haar na tot zij achter de pilaren en de andere toeristen verdwenen was.

'Was dat wel slim, Peter?'

'Je hebt geen flauw idee hoezeer ik de kriebels krijg van dat mens!'

Patrick grijnsde. 'Een vrouw geheel zonder zendingsdrang... Nog niet zo lang geleden was jij van mening dat ze ons alles zou vertellen wat we weten wilden.'

'Ik weet dat ze iets voor ons verbergt, maar ik ga nog liever veertig jaar de woestijn in dan te proberen het uit haar te krijgen. Ze kan die heilige zuilen van haar in haar je weet wel steken.'

'Peter, ik sta paf!' Patrick lachte. 'Zo ken ik je helemaal niet. Ik heb zo'n idee dat wij nu eerst iets gaan drinken!'

'Mijn verontschuldigingen voor mijn opmerkingen,' zei Peter, nadat hij zijn thee had neergezet. 'Ik hoop het dit geen nadelige gevolgen heeft voor onze naspeuringen.'

'Laten we het zo bekijken: één schip heb je in elk geval grondig achter je verbrand, de trompetten van Jericho hadden het niet beter kunnen doen.'

Peter moest grijnzen. 'Die hebben geen schepen in brand gestoken, die hebben stadsmuren laten instorten.'

'Komt op hetzelfde neer. Waar het om gaat is dat we nog ongeveer tweeduizend andere inscripties hebben.'

'Ja, daar reken ik ook maar op. En op wat Stefanie over de inscripties voor de passage uitvindt.'

'En dan zijn daar nog Samuel te Weimar en zijn Missie van het Licht. Zullen we nu we toch hier zijn van de gelegenheid gebruikmaken, of heb je voor vandaag genoeg gehad?'

'Daar heb ik ook aan gedacht. Inderdaad is mijn behoefte aan pseudohistorisch, esoterisch gebabbel enigszins bevredigd. Anderzijds heb ik ook geen zin nog een keer naar Parijs te vliegen...'

'Dus we zijn het met elkaar eens?'

'Goed dan. Op naar Samuel. Maar ik drink eerst even mijn thee op.'

Ze waren er niet op voorbereid op het genoemde adres een modern kantoorgebouw met spiegelruiten en designzetels in een foyer aan te treffen. Weinig op zijn gemak informeerde Peter naar de man die zij hoopten te treffen en hij verwachtte al een vriendelijke afwijzing. Maar de receptionist vroeg alleen wie hij kon melden dat er was, voerde een kort telefoongesprek en duidde toen uit hoe ze moesten lopen, terwijl hij op een knop drukte zodat ze de draaideur konden gebruiken.

Ze kwamen ten slotte in de zakelijke ruimte van Helix BioTech International, vierde verdieping. Ze wilden zich net bij de dame aan de receptie melden toen een heer in pak en das doelbewust op hen af kwam. Hij zag eruit als een belangrijk zakenman, smetteloos en geslepen. Zijn glimlach was wellicht niet echt, maar kwam zeer professioneel over. Hij heeft een dure tandarts en zit graag in de zon, dacht Peter. Bovendien is hij niet getrouwd of heeft liever niet dat je dat ziet.

'Ik ben heel blij dat u gekomen bent, mijne heren. Komt u binnen.' Hij wees naar zijn kantoor. 'Komt u binnen en gaat u zitten.'

Ze namen plaats.

'Kan ik u iets te drinken aanbieden? Thee, koffie, fris?'

'Nee, dank u.'

'Goed, maar zeg het gerust als u iets wilt hebben.' Hij ging zitten. 'Het komt uitermate goed uit dat u uitgerekend vandaag langskomt, want de rest van de week was ik er niet meer geweest.'

'Neemt u mij niet kwalijk, maar ik heb een vraag,' begon Patrick, 'is deze firma op de een of andere manier verbonden met Helix Industries?'

'Helix Industries?' vroeg Peter met een blik opzij. De naam zei hem niet zoveel als zijn collega.

'Helix Industries,' verklaarde de zakenman lachend, 'is het op twee na grootste farmaceutische en cosmetische concern ter wereld. Ja, dit bureau is, zo u wilt, de nucleus.'

'Hebt u ons deze fax gestuurd?' vroeg Peter en hij hield de man een papier voor.

'Die is van mij. U komt snel ter zake, professor Lavell.'

'Die "Missie van het Licht",' vroeg Patrick, 'wat heeft die te maken met Helix Industries?'

'Een vanzelfsprekende volgende vraag. Het antwoord is niet zo simpel. Het verband tussen de Missie van het Licht en Helix Industries ben ikzelf. Maar meer hoeft u daar momenteel niet van te weten.'

'Kan het zijn dat wij elkaar kennen?' vroeg Patrick.

'De wereld is klein, monsieur Nevreux. Ik had mij ook niet kunnen voorstellen dat u zich zou laten foppen door een naam.'

'Dus u bent Samuel te Weimar helemaal niet?' vroeg Peter nu.

'Een vaste eigenschap van namen is dat ze gebruikt worden. Dat ik hier zo genoemd wordt en u mij zo gevonden hebt, moet wel door mijn naam komen. Of een naam? Laat u het mij weten als u iets gevonden hebt.' Hij lachte schalks.

Peter keek opzij om te zien wat Patrick ervan vond, maar die leek er het zijne van te denken.

'Wat die Missie van het Licht betreft,' verklaarde de zakenman, 'dat is een virtuele gemeenschap. De naam moet duidelijk maken dat wij een missie, een opgave hebben. We zoeken inzicht. Het Licht. Een metaforische uitdrukking.'

'Naar welk inzicht streeft u? In wetenschappelijke of technische zin kan dit niet opgevat worden, waarop ook de christelijke zegen in uw briefhoofd duidt.'

'Het een hoeft het ander niet uit te sluiten, zoals u, meneer de professor, beter zult weten dan wie ook, nietwaar? "Geloof, bijgeloof en magie zijn voor buitenstaanders vaak uitwisselbare begrippen. Om hun wezen en hun historie wetenschappelijk te doorgronden, is het dus noodzakelijk er van nabij bij betrokken te zijn, meer dan de gebruikelijke wetenschappelijke methodes vereisen."'

'U citeert mijn boek, om indruk op mij te maken.'

'Als dat indruk op u maakt…'

'Maar u hebt mijn vraag nog niet beantwoord.'

'Nee. En dat doe ik niet ook. Alle vragen stuiten vroeg of laat op antwoorden, in veel gevallen ook omgekeerd. Maar genoeg raadsels. De reden dat u hier bent, is mijn fax. En die is u bijgebleven, omdat u de kabbalisten van de Ararat hebt getroffen.'

'De kabbalisten van de Ararat?'

'Ararat. De berg waarop Noach is geland,' verklaarde de zakenman.

'Hebt u het nu over de loge?'

'Ja, natuurlijk. Neem me niet kwalijk, het was een ongepaste grap. Maar dat was de reden waarom ik u heb uitgenodigd, om u daarover in te lichten.' Hij stond op en slenterde naar zijn boekenkast. 'U hebt een ontmoeting gehad met de Broederschap van de Ware Erfgenamen van het Kruis en de Roos. Daar hebt u veel gezien wat oningewijden normaal gesproken niet te zien krijgen, en men heeft u een heleboel verteld over de afstamming van de vrijmetselaars, dat vermoed ik althans. Waarschijnlijk ook, dat zij de ark van Noach, de piramiden en de tempel van Jeruzalem hebben gebouwd.'

'En de toren van Babel,' voegde Patrick eraan toe.

'Ja, dat klopt. En bij dat alles zal u opgevallen zijn dat de loge, hoewel zij 'Kruis en Roos' in de naam heeft en een dienovereenkomstige embleem, u niet wilde duidelijk maken wat zo interessant was aan de tekening die u Renée hebt laten zien.'

'U weet van die tekening?'

'Natuurlijk. Ik heb uw faxnummer toch.' Hij trok een zwart boek uit de kast. 'En? Renée heeft haar poot stijf gehouden, klopt dat?'

'Waar wilt u daarmee zeggen?'

'Dat de grootmeesteres helaas niet zo veel over Kruis en Roos kan zeggen als ze graag zou willen. Maar ze zit helemaal op het verkeerde spoor, want wat u zoekt, is dit.'

Met een plof liet hij het zwarte boek voor hen op tafel vallen, zodat ze het omslag duidelijk konden zien. Daar was in gouden lijnen de afbeelding van een roos te zien, met in het midden een hart en in dat hart een kruis. De titel van het boek stond er in grote letters op: Bijbel.

'Dit is een uitgave van de Lutherbijbel uit 1920,' verklaarde Samuel. En wat het symbool betreft, dat is gewoon het wapen van Maarten Luther. Sedert de zeventiende eeuw zijn daarvan verscheidene versies in omloop, maar de tekening die u gevonden hebt, staat waarschijnlijk dicht bij het origineel.'

'Good gracious!' liet Peter zich ontvallen.

Samuel te Weimar, of althans de man die zich zo noemde, ging weer zitten.

'Misschien neemt u het uzelf nu kwalijk dat u niet eerder op een zo voor de hand liggende oplossing bent gekomen. Geopenbaarde geheimen zijn gemakkelijk. Maar ik kan u geruststellen. Zo simpel ligt het natuurlijk niet.'

'Dat zou ook verwonderlijk zijn,' zei Patrick, 'anders had Renée Colladon niet zo'n mysterie om dat symbool heen geweven.'

'Nu zou ik nu toch wel iets willen drinken,' zei Peter. 'Iets alcoholhoudends met ijs zou er wel in gaan.'

'Ik hoop dat ik u niet kwets als ik u alleen bourbon kan aanbieden, geen echte scotch,' zei Samuel, terwijl hij opstond en bij een bijzettafeltje de drank inschonk. Toen opende hij een kastdeur, waarachter een koelkast verborgen ging, en pakte ijsklontjes. 'U ook?' vroeg hij Patrick.

'Ach, waarom ook niet.'

'Het gaat niet om het Kruis en de Roos,' zei Samuel toen hij weer zat. 'Het gaat om Maarten Luther. Om Maarten Luther en de kabbala. Dat is de verbinding tussen mij en Renée, als er tenminste sprake kan zijn van zoiets.'

'Maarten Luther had inderdaad enigszins mystieke neigingen,' mijmerde Peter, 'maar hij werd bekend als hervormer van de kerk en bijbelvertaler. Wat heeft hij met de kabbala?'

'Het is veelzeggend, professor Lavell, dat u in al die jaren van onderzoek op niets meer dan dat bent gestuit. Want hier steekt u een veel groter geheim achter dan u kunt vermoeden.'

'Ik heb zo'n flauw vermoeden dat u ons dat wel zult uitleggen,' zei Patrick en hij stak een sigaret op.

'De Missie van het Licht is niet alwetend, hoewel het natuurlijk ons uiteindelijke doel is ons door het resultaat van onze arbeid zelf overbodig te maken. Maar wij zijn nog niet zover en vele geheimen zijn ook voor ons nog gesloten. Ik kan u echter al wel iets vertellen en daarom heb ik u ook uitgenodigd.' Hij stond op terwijl hij verder sprak. 'Luther was een knappe kop, geboren in 1483, studeerde op zijn achttiende in Erfurt, werd heremietmonnik, studeerde toen nog eens theologie en promoveerde op zijn negenentwintigste tot doctor en professor in de heilige schrift. Een hele prestatie, nietwaar? Een grote geest, die door een bijzondere ambitie en wilskracht werd gestuwd.'

'Ja, dat staat althans in elke encyclopedie,' zei Peter.

'Klopt. Wat daar niet in staat, is dat deze "mystieke neigingen" of "invloeden" vandaag de dag nog slechts een zwak gloeien van een dovend vonkje zijn, vergeleken met de occulte vuurstorm die destijds de figuur van Maarten Luther als de vuurtoren van Alexandrië liet stralen. Hij werd niet slechts beïnvloed, hij had ook geen neigingen. Mystiek vervulde hem en zijn leven totaal.'

'Ik moet zeggen dat ik heel benieuwd ben waar u nu mee aankomt,' zei Peter.

'Gaat u maar eens bij uzelf te rade. De vijftiende eeuw was intellectueel gezien uitermate interessant en opwindend. Wetenschap en onderzoek bereikten een hoogtepunt. De Moren werden definitief uit Spanje en Portugal verdreven, het Byzantijnse Rijk stortte in toen Constantinopel was gevallen. Buitenlandse geleerden werden door families als De'

Medici gesponsord, de kennis die zij toegankelijk maakten werd meteen opgezogen. In Italië ontwikkelde zich een nieuwe kunstzinnige cultuur, de renaissance. Het perspectief in de schilderkunst werd voor het eerst mathematisch beschreven, Gutenberg vond de boekdrukkunst uit, de Honderdjarige Oorlog tussen Engeland en Frankrijk eindigde, er kwam rust voor bezinning, heroriëntering en nieuwe ontdekkingen. Zij wordt niet voor niets de eeuw van de ontdekkingen genoemd.' Terwijl hij sprak, liep hij druk gesticulerend heen en weer, alsof hij er zelf bij was geweest. 'Dat was het einde van de middeleeuwen, het begin van een nieuwe tijd. Maar de vooruitgang was niet over de hele linie zuiver wetenschappelijk. Veel werd nog beschouwd als duivels of goddelijk. Natuurlijk, buskruit en wapens waren verbeterd, maar u moet niet vergeten dat het Jeanne d'Arc was die een wending in de Honderdjarige Oorlog bewerkstelligde. Geleid door goddelijke visioenen, gevierd, verguisd en ten slotte als heks verbrand. In Spanje werd gelijktijdig Tomás de Torquemada tot grootinquisiteur benoemd en hij zorgde ervoor dat de Spaanse inquisitie synoniem werd met folter en gruwel.' De zakenman scheen niet meer te stuiten. 'Hendrik de Zeevaarder opende een zeevaartschool in Sagres met regels van strenge geheimhouding. Wat wij nu weten is dat wij zeevaarder niet alleen in maritieme zin moeten opvatten, want de Infante was grootmeester van de tempel. De zee was het symbool van de onwetendheid en de menselijke beperking, maar ook van de grenzeloze toekomst. De zeevaarders werden de stuurlieden in de chaos van het duister, leiders en tegelijkertijd pelgrims naar weten en wijsheid. Cristobal Colón, beter bekend als Christoffel Columbus, betrad de Nieuwe Wereld en nam haar in bezit in naam van de koningen van Spanje, maar ook in naam van de tempelorde, onder wier vlag, het rode breedarmige kruis, zijn schepen voeren.'

'De tempelorde werd echter tot de veertiende eeuw zwaar vervolgd en tot niets gereduceerd.'

'Jawel, maar in Portugal en Spanje overleefde zij onder de naam "Christusorde".'

'En wat heeft dat allemaal met Luther te maken?' vroeg Patrick.

'Het gaat om het volgende: in deze tijd werd er meer kennis verworven en toegankelijk gemaakt dan in de eeuwen daarvoor. Tegelijkertijd werd die kennis ook gevaarlijk, zoals de inquisitie, het bijgeloof en de heksenwaan op het platteland bewezen. Kennis en onderzoek gingen hand in hand met mystiek en geen onderzoek werd zonder een hoger doel van dat niveau gedaan. Hendrik de Zeevaarder wilde zijn zeevaarders de wereld laten veroveren, niet om het geld, maar om de kennis en de verbreiding van zijn geloof. Gutenberg drukte de eerste boeken, niet om het geld, hij drukte driehonderd keer een prachtuitgave van het woord Gods, de Bijbel. En dan Maarten Luther. Hij groeit op aan het einde van die eeuw, studeert, heeft toegang tot al die kennis. Hij leest heilige en minder heilige geschriften en trekt zijn conclusies. Hij wordt bijna ketter als hij partij kiest voor de twee eeuwen daarvoor door de kerk uitgeroeide katharen. Hij was van mening dat het goddelijke in de mens ligt, dat wij ons niet door daden bewijzen of ons door het voldoen van schulden kunnen of mogen vrijkopen. Dat Jezus al voor onze zonden is gestorven en dat het geloof in God en aan zijn genade van het hoogste belang is.' Hij pakte de bijbel van tafel. Terwijl hij sprak bladerde hij er verstrooid in en zette hem ten slotte weer terug. 'Luther zocht alles uit tot op de bodem. Hij bestudeerde de heilige teksten niet alleen, hij analyseerde ze ook. En hij stelde vast dat er meer was dan de Bijbel. Hij ging tot de oorsprong en achter de boeken van het Nieuwe Testament vond hij de boeken van Mozes, en in hun Hebreeuwse origineel de weg naar een dieper begrip van samenhangen.'

'De ware Thora?'

'Of de eeuwige Thora, de wijsheden Gods, ja. Luther kende de methode van de kabbala en wijdde zijn leven aan het bestuderen van de boeken van Mozes.'

'De boeken van Mozes maken deel uit van het Oude Testament, maar Luther werd bekend als hervormer, als grondlegger van het protestantisme. Het is toch juist het Nieuwe Testament dat het fundament vormt voor de protestantse kerk?'

'U hebt gelijk,' zei Samuel. 'Luther bezat buitengewone organisatorische talenten. Hij heeft niets aan het toeval overgelaten. Zijn onfortuinlijke voorganger Jan Hus werd in 1415 in Konstanz verbrand, maar Luther wist precies dat hij voor ketterij noch in Duitsland noch in Rome op de brandstapel zou komen als hij het gewiekst aanpakte. Zo kon hij de roomse kerk uitdagen, in de wetenschap dat zijn scherpzinnige thesen niet zonder meer terzijde konden worden geschoven. Ook wel wetend dat in een theologisch dispuut niemand hem de baas was. Tegenwoordig zou die man worden betiteld als een pr-genie. Hij kon fantastisch toneelspelen en als enfant terrible van de christelijke wereld kon hij zichzelf en zijn zaak promoten.'

‘Men is echter algemeen van mening dat Luthers uitdaging – en ten slotte schisma – van de roomse kerk volslagen onopzettelijk waren. En wat voor doel had het ook kunnen hebben? Als hij in het geheim mysticus of occultist was geweest, dan was al die openbare opmerkzaamheid toch gewoon hinderlijk?’

‘Op het eerste gezicht lijkt dat inderdaad zo. Maar Luther was nog iets anders van plan. Met zijn radicale gedachtegang veroorzaakte hij iets wat daarna moest worden verzorgd. Zijn kritiek op de roomse kerk kwam ook niet zomaar bij hem boven en zij raakte het tijdsgewricht. Dat diende als voedingsbodem voor zijn laatste grote zet: hij vertaalde de Bijbel in de taal van het volk. Geniaal. Schaak!’

‘Als ik eerlijk ben,’ zei Patrick, ‘kan ik u niet helemaal volgen... schaak?’

‘Als u bij het schaken schaak bereikt, dan concentreert uw opmerkzaamheid zich op uw koning. U hebt geen andere mogelijkheid dan hem in veiligheid te brengen of de binnendringer uit te schakelen. Luther deed dat ook. Hij had de aandacht van de openbaarheid in een uitgekiend spel van intriges geheel op zich weten te richten. Doordat hij de Bijbel vertaalde deed hij een schijnbaar consequente zet in dit spel, en de lutherse Bijbel werd tot het oogmerk van de “hervormer” Luther. Maar in werkelijkheid diende de lutherse Bijbel een heel ander doel.’ Samuel had een groot, met metaal beslagen boek gepakt. Toen hij het voor hen opende, bleek dat er kostbare, in het Hebreeuws beschreven perkamenten in zaten die in transparante folie waren verpakt.

‘Hij bereikte dat de aandacht werd afgeleid van de oerteksten!’

Peter en Patrick bogen zich voorover om de papieren te bekijken. Zij deden denken aan de teksten van Qumran of dergelijke documenten uit bijbelse tijden.

‘Moet u nagaan,’ vervolgde Samuel, ‘de boekdrukkunst was uitgevonden, er werd steeds meer gepubliceerd, het zou sowieso niet lang meer duren tot kopieën van het Oude Testament ook in het Hebreeuws in duizendvoud verspreid zouden worden. Omdat er nu echter naast de Latijnse bijbel een volksbijbel kwam, was het duidelijk dat de aandacht voor de Hebreeuwse tekst zou afnemen. Luther heeft de Thora tientallen jaren onderzocht, en hij zorgde ervoor dat de inzichten niet gemakkelijk in verkeerde handen konden komen. Aan hem is te danken dat de kabbala nog lang daarna alleen toegankelijk was voor ingewijden, voor serieuze studenten, en de Thora haar heilige geheimen verder kon behoeden.’

Hij zweeg even.

'Dus, als ik het goed begrijp,' zei Patrick, 'bent u van mening dat Maarten Luther dé kabbalist was.'

'Ja, inderdaad.'

'En de Missie van het Licht gebruikt de kabbala ook om hem na te volgen?'

'Wij gebruiken de kabbala, ja. Zoals ook de Broederschap van de Ware Erfgenamen van het Kruis en de Roos en vele andere gemeenschappen. Maar niet alle lopen in het spoor van Luther.'

'Renée Colladon ook niet, wel? Hoe komt dat dan?'

'Haar loge is nog niet zo oud, hoewel ze ongetwijfeld het tegendeel heeft beweerd. Zij was destijds een eenvoudige vrijmetselaarsloge, zoals er talloze van zijn. De grondvesters grepen bij de stichting en de naamgeving terug op allerlei mystieke verwijzingen. Dat schijnt Renée nu te onderzoeken, met weinig succes, zoals te zien is.'

'Wat mij interesseert,' zei Peter, 'is het volgende: nemen wij aan dat alles wat u zegt met de feiten strookt? Dan hebt u ons nu de echte, geheime geschiedenis van Maarten Luther openbaard, die amper bekend is. Wat zou ons – of ook mijzelf – ervan weerhouden dit aan de wereld mee te delen? Hoe kunt u zo'n revolutionair geheim gewoon prijsgeven, dat de fundamenten van de kerk ondergraaft?'

'Ik heb zo'n vermoeden wat er nu komt,' zei Patrick en hij vervolgde op theatrale toon: 'Wij zullen dit gebouw nooit levend verlaten!'

'De best bewaarde geheimen gaan schuil tussen twee waarheden. Dat is bij Luther ook zo. Zijn leven en zijn werk zijn zo bekend en doorgelicht, dat het onmogelijk lijkt daar nog iets in te verbergen. En inderdaad is alles wat over hem bekend is waar. Alleen, het is niet alles. Nee, ik ga u niet doodschieten en ik ga u ook geen geheimhouding opleggen. Wat u hebt gehoord, kunt u toch niet openbaar maken. Niemand zou u geloven.'

'En waarom zouden wij u dan moeten geloven?'

'Het zou u misschien verbazen, maar eigenlijk kan mij dat niets schelen. Er is mij echter wél iets aan gelegen de broederschap van de Ware Erfgenamen van het Kruis en de Roos van iets van haar geheimzinnigheid te ontdoen. Op de keper beschouwd hebben zoveel raadsels een gewone, profane aanleiding. In dit geval was dat het wapen van Maarten Luther. Dat Luther zelf daarnaast nog een geheim is, ligt op een heel ander vlak, evenals uw onderzoek.'

'Wat weet u van ons onderzoek?'

'U werkt voor een militair project dat top secret is, en afgaande op de stijl, had het maar zo van de Amerikanen kunnen zijn. Klopt dat?'

'Helaas niet.'

'Nou ja, zo u wilt. Ik vermoed niettemin dat u iets gevonden hebt wat verband houdt met het wapen van Maarten Luther. En nu kunt u zich wel indenken dat mijn ontmoeting met u natuurlijk altruïstisch is. Wilt u nog wat drinken?'

Zij sloegen zijn aanbod af.

'Ik heb het echt goed met u voor. Ik heb u een heleboel verteld en u achter de coulissen laten kijken. Ik zal eerlijk zijn en ik zal u nog meer vertellen: natuurlijk waren de ideeën van de stichter van de loge niet geheel uit de lucht gegrepen en evenmin is de Missie van het Licht een liefdadigheidsvereniging. Het is bekend dat Luther destijds enkele belangrijke ontdekkingen in de Thora deed en tot inzichten kwam – theologisch, historisch en wetenschappelijk – die tot op heden niet gevonden of nagetrokken konden worden. Er zijn enkele zeer duidelijke aanwijzingen dat Luther tijdens zijn asiel op de Wartburg veel meer deed dan slechts het Nieuwe Testament in het Duits vertalen. Zijn verzamelde papieren, notitieboeken en werken liet hij destijds uit de burcht verwijderen en verbergen. Dit archief hopen wij op een dag te vinden, want niemand heeft de weg van de Thora zo ver gevolgd als hij. En ik vermoed dat u nuttige aanwijzingen hebt ontdekt.'

Kort zwijgen volgde nu.

'Archief?' vroeg Peter. Zijn toon was meer dan sceptisch, en hij had een geamuseerd lachje op zijn gezicht.

'Wij kunnen elkaar helpen. U laat mij zien wat u gevonden hebt, ik zal u helpen de sporen en de verwijzingen te begrijpen.'

'Het spijt mij,' zei Peter, 'maar het moet u duidelijk zijn dat wij u niet kunnen laten deelnemen aan het onderzoek.'

'Omdat het een militair geheim project is,' voegde Patrick eraan toe.

'U begrijpt mij verkeerd. Ik vraag u niets, ik bied u iets aan. U zult al snel merken dat u bij uw onderzoek op te veel onbegrijpelijke tekens en verwijzingen zult stuiten die u zonder mijn hulp nooit zult kunnen ontraadselen of thuisbrengen. Veel aanknopingspunten zult u niet eens als zodanig herkennen.' Hij stond op. 'Maar ik heb geen haast. Wellicht wilt u de zaak nog een poosje overdenken.'

Patrick en Peter kwamen ook overeind. Ze hadden genoeg gehoord om zich een mening te kunnen vormen.

‘Ik dank u voor uw bezoek,’ zei Samuel toen hij ze een hand gaf. Hij gaf ze een visitekaartje. ‘Stuurt u mij maar een e-mailtje als u mij wilt spreken. Ik zie ernaar uit, en ik weet bijna zeker dat wij binnenkort weer van elkaar zullen horen.’

11

8 mei, Hôtel de la Grange, St.-Pierre-du-Bois

Ze zaten nog aan hun gezamenlijk ontbijt in de Salon Vert, te wachten op Fernand Levasseur, die zich had laten aandienen voor negen uur. Omdat ze niet van plan waren hem hun tot kantoorruimte omgebouwde suite te tonen, wilden ze hem hier treffen.

'Waar zit je aan te denken, Peter?' vroeg Stefanie. 'Je bent vanochtend zo stil.'

'Het onderzoek wil maar niet vlotten, en nu worden we ook nog door dit verhaal opgehouden.'

'Verhaal?'

'Hondsdolheid. Geen van ons hier is gekwalificeerd en nu treffen we iemand die er waarschijnlijk meer vanaf weet en moeten we ons eruit zien te kletsen. Ik ben bang dat het een spelletje is waarin wij alleen maar kunnen verliezen.'

'Niet zo pessimistisch, Peter.' Patrick stak een sigaret op. 'We zijn met drie tegen één. Heb jij dat materiaal dat voor ons was voorbereid nog eens doorgenomen?'

'Eerlijk gezegd niet.'

Patrick wees op een dossier. 'Dan kun je beter mij en Stefanie aan het woord laten. Wij hebben genoeg om hem een poosje bezig te houden. Hoe de burgemeester hem ook noemt, uiteindelijk is hij gewoon boswachter.'

'Ik hoop dat je hem niet onderschat. Daar is hij al.' Peter knikte naar de ingang van de salon. Patrick stond op en begroette de breedgeschouderde man met een stevige handdruk.

'Goedemorgen, monsieur Levasseur. Professor Lavell kent u al, en mag ik u Stefanie Krüger voorstellen? Zij is biologe en komt ons met raad en daad bijstaan.'

'Goedemorgen.'

'Gaat u zitten. Wilt u koffie of thee?'

'Dank u wel. Ik zou met u over uw onderzoek willen spreken.'

'Natuurlijk. Hebt u die meteorologische metingen voor ons?'

'Nee. Burgemeester Fauvel heeft uw verzoek doorgegeven en zal zich rechtstreeks met u in verbinding stellen. Hoever bent u met uw analyses?'

Patrick pakte het dossier. 'Zoals u ongetwijfeld al hebt opgemerkt, is het gebied in de wijde omtrek afgezet. Wij doen onderzoek naar de verbreiding van de epidemie aan de hand van steekproeven op knaagdieren. Het ziet er niet best uit. We hebben op strategische punten in het gebied vergiftigde vossenkeutels neergelegd.' Patrick trok een topografische kaart van het gebied uit de tas, die met allerlei cryptische lijnen, letters en getallen was bezaaid en waarop een indrukwekkend VN-stempel in de linkerbenedenhoek prijkte. 'Maar dat verhelpt natuurlijk slechts de symptomen.'

De boswachter bekeek de kaart slechts terloops. 'Bent u van mening dat vossen de hondsdolheid verspreiden?'

'Ja, helaas.' Patrick pakte een paar grote foto's uit het dossier, waarop dode vossen te zien waren, uitgeteerd en afstotend. 'Dit is een van de weinige uitspraken die we met zekerheid kunnen doen. Het is immers niet ongebruikelijk bij hondsdolheid.'

'En bent u er al achter waar die dieren vandaan zijn gekomen? Zoals u weet zijn er in dit gebied geen vossen.'

Peter trok onmerkbaar een wenkbrauw op en keek naar Patricks gezicht, maar die leek zich geen zorgen te maken. In plaats daarvan pakte hij een vel papier. 'U hebt volledig gelijk, monsieur Levasseur. In principe zijn vossen hier beslist endemisch, alleen zijn zij sinds de jaren twintig uitgestorven. Zoals u uit deze stukken hebt kunnen opmaken, werden hier acht jaar geleden enkele vossenparen uitgezet, om het biologisch evenwicht te herstellen.'

'Ik ken die stukken en ook het verwilderingsproject.'

'Natuurlijk.' Patrick verzamelde de papieren. 'Nu is de verstoring van de biologische balans op een ander punt uit de hand gelopen.'

'Die stukken zijn door mij vervalst.'

Patrick verstarde en keek de man sprakeloos aan.

Fernand Levasseur boog zich voorover. 'Er is nooit een verwilderingsproject geweest.'

Peter voelde dat hij zich begon op te winden. Dit was nu precies waarom hij zich er niet mee had willen bemoeien.

'U hebt burgemeester Fauvel ontmoet,' vervolgde de boswachter. 'Hij wenst de bossen rond St.-Pierre-du-Bois in zo'n groot mogelijke omtrek voor het toerisme te ontsluiten. Op grond hiervan heb ik acht jaar geleden een zogenaamd verwilderingsproject op touw gezet, om daarmee een natuurreservaat te scheppen en het aan zijn invloed te onttrekken.'

Peter zag hoe Patrick een blik wisselde met Stefanie.

'En daardoor blijft het zoals het is. Er waren hier geen vossen en die zijn er nog steeds niet. En daarom is er ook geen hondsdolheid. U hebt u bij de voorbereiding met uw materiaal helaas vergist.'

'Als ik u goed begrijp, monsieur Levasseur,' zei Stefanie, 'moet ik zeggen dat ik uw optreden niet vind kunnen!' De boswachter wilde tegensputteren, maar zij ging resoluut verder. 'Desalniettemin heeft dit niets uitstaande met wat wij gevonden hebben. Misschien zijn die vossen hier niet verwilderd. Misschien zijn ze vanaf het Centraal Plateau hier naartoe getrokken, over de Pyreneeën, uit Spanje. Wat dan nog? Ze zijn hier en waar ze vandaan zijn gekomen en waar ze naartoe gaan, dat proberen we nu juist te ontdekken.'

'Madame Krüger,' zei de man, 'ik wil u niet graag tegenspreken, maar ik ken in de omtrek van vijftig kilometer elke grasspriet.' Hij lachte welwillend, maar keek haar streng aan. 'Gelooft u mij, als ik u zeg dat hier geen vossen zijn.' Nu wendde hij zich tot alle drie. 'U bespaart uzelf veel problemen als u mij vertelt waarom u hier bent en wat u daarboven op de Vue d'Archiviste onderzoekt.'

'Vue d'Archiviste?' vroeg Peter. 'Uitzicht van de Archivaris? Wat is dat?'

'Dat is de naam van de berg die u hebt afgezet.' De boswachter wees op de kaart. 'Dat staat waarschijnlijk niet in uw stukken? Zo wordt hij in de volksmond genoemd. En vertel nu maar welk spelletje u eigenlijk speelt!'

'Ik vind het uitgesproken brutaal,' begon Stefanie verontwaardigd, 'dat u ons zo openlijk van leugens beticht. Voelt u zich wellicht gekrenkt omdat wij iets over uw "rijk" weten waar uzelf niet achter gekomen bent? Als u medewerking of informatie van ons wilt, dan moet u ons toch op een andere manier benaderen!'

Patrick was haar stiekem dankbaar. Ze speelde haar rol uitstekend en wist hoe ze het beste van de situatie kon maken. Bovendien, zo viel hem op, zag ze er echt verdomd goed uit, zeker als ze zich opwond.

De boswachter stond meteen op, zette beide handen op tafel en boog zich naar hen toe. Zijn stem was zacht, maar zeer nadrukkelijk.

'Messieurs-dame. Mijn verontschuldigingen voor mijn toon en mijn woordkeus. Maar ik blijf bij mijn standpunt, ik wíl weten wat u hier doet en ik kóm erachter! Goedendag.'

'Ik ben bang dat we er een vijand bij hebben,' zei Peter, toen de man weg was en zij naar hun bureau liepen.

'Tja... hij lijkt aardig vastberaden,' gaf Patrick toe.

'Laten we hopen dat hij zich niet laat verleiden tot iets waar hij spijt van krijgt.'

'Dat denk ik niet,' zei Patrick. 'Bovendien heeft hij zich blootgegeven, wij weten nu dat hij stukken vervalst heeft. En dan is hij een natuurreservaat kwijt.'

'Ik snap niet dat iemand zo dom is dit aan ons te vertellen.'

'Ik denk,' zei Stefanie, 'dat het geen domheid was zonder berekening. Hij wilde ons laten begrijpen dat hij zijn belangen veilig wil stellen, maar dat die niet noodzakelijker wijs parallel lopen aan die van de burgemeester. Op een bepaalde manier was het een aanbod.'

'Misschien kunnen we toch nog gebruik van hem maken.'

Stefanie deed de deur naar de suite open. 'Die boswachter komt later nog wel aan de orde. Nu jullie mij de dubieuze openbaringen van jullie Parijse reis, de geschiedenissen rond de afstamming van de vrijmetselaars en het onderzoek van de heer Te Weimar naar het archief van Luther hebben uiteengezet, wilde ik jullie ook graag wat laten zien.'

Ze nam ze mee naar de tafel, waarop ze verscheidene papieren had uitgespreid. Het waren tekeningen, uitdraaien en getallenreeksen. Ze duidde op de diverse onderdelen terwijl ze toelichting gaf.

'Hier zien jullie een nauwkeurige schets van de symbolen op de grond voor de passage. Kleinere tekens staan in vier groepen rond de grote cirkel in het midden, zodat het geheel bijna een groot vierkant vormt. Het zijn twaalf verschillende symbolen, en elk symbool wordt drie keer herhaald. Bij elkaar zijn er dus zesendertig meervoudig voorgestelde tekens.'

'Wat is dat voor teken, daar boven rechts?' vroeg Patrick.

'Dat is het zevenendertigste symbool. Het springt er duidelijk een beetje uit, nietwaar? Het komt ook maar één keer voor,' verklaarde Stefanie, 'en bovendien verstoort het de symmetrie van de rangschikking. Wellicht is het een soort sleutel, ik heb geen flauw idee.'

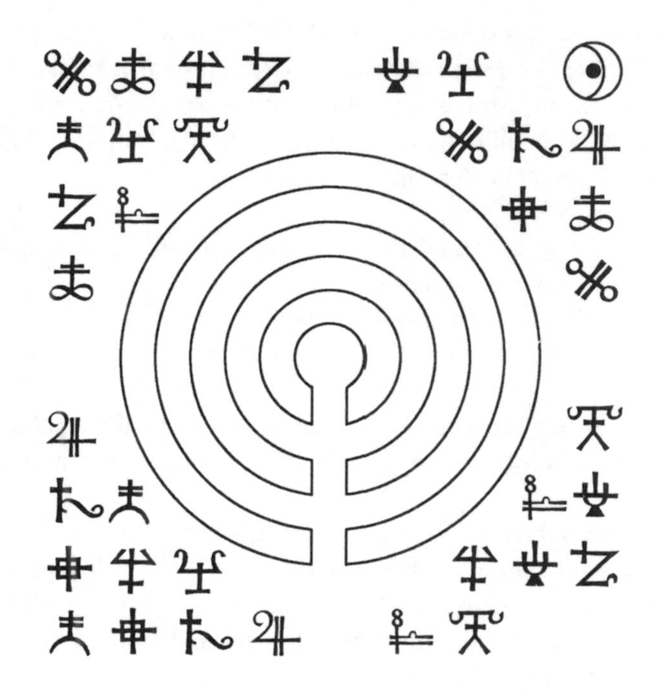

'Wat bedoel je met sleutel?' vroeg Peter. 'Geloof jij dat de symbolen een versleuteld bericht behelzen?'

'Zou kunnen. Deze tekens staan naar alle waarschijnlijkheid niet voor een tekst. Er zijn te weinig verschillende symbolen om voor bepaalde letters of lettergrepen te kunnen staan. Daarmee kun je geen tekst schrijven. Of alleen een heel korte. Het feit dat elk symbool precies drie keer voorkomt leidt vrijwel zeker tot de conclusie dat de ordening opzettelijk is.'

'Die aparte tekens,' vroeg Patrick, 'kun je die thuisbrengen? Ze zien er een beetje mystiek uit, middeleeuws.'

'Dit zijn toch alchemistische symbolen?' vroeg Peter.

Stefanie keek hem even verbaasd aan. 'Ja, je hebt helemaal gelijk.' Daarop duidde ze op een paar uitdraaien van Latijnse teksten, waarin gelijksoortige tekens stonden. 'Dat is een bijzonder interessant aspect. Al deze tekens werden in verschillende alchemistische werken gebruikt, hoewel pas sinds de zestiende eeuw.'

'De schilderingen in het voorste gedeelte van de grot stammen ongeveer uit de dertiende eeuw,' zei Patrick. 'Dus de vloer bij de passage is helemaal niet zo oud als die van de grot, of er werd pas driehonderd jaar later aan gewerkt en de alchemisten hebben bij hun werk op veel oudere kennis gesteund. Misschien hebben ze symbolen gebruikt die ze niet zelf hebben bedacht, maar die ze op de een of andere manier ergens vandaan hadden, wellicht uit deze grot...'

'Ja, het zou heel goed kunnen dat die tekens helemaal niks met die van de alchemisten te maken hebben, maar toevallig dezelfde zijn.'

'Het is misschien maar een strohalm,' zei Peter, 'maar wat betekenen ze dan bij de alchemisten? Heb je een verklaring voor die tekens gevonden?'

Stefanie knikte en tikte op de tekeningen. 'Dit is het symbool voor zwavel, dit voor lood.'

'Als het allemaal chemische elementen zijn,' mijmerde Patrick, 'dan vormen de atoomnummers in het periodiek systeem van elementen misschien een mathematische code. Of misschien hun chemische formules.'

'Nou, dat klinkt een beetje te veel naar sciencefiction, hoor,' zei Patrick, 'vind je niet?'

'Zo idioot vind ik het niet,' zei Stefanie. 'We weten trouwens helemaal niet waar we hier mee te maken hebben. De mensen die het voorste deel van de grot beschilderden, beschikten ook over een onmogelijk lijkende kennis. En wie weet welk verschijnsel of welke technologie achter deze merkwaardige passage schuilgaat? Maar je idee snijdt helaas ondanks dat geen hout. De chemische elementen zijn de uitzondering, als we er al van uitgaan dat de tekens daadwerkelijk op dezelfde dingen duiden die de alchemisten ermee omschreven. Dit teken staat voor azijn, dit voor loog. Allebei lijken me bijzonder weinig wetenschappelijk, er zijn in ieder geval geen formules of atoomnummers voor. Daarentegen is dit een teken dat gebruikt werd om het stadium van sublimatie te beschrijven. Dat is als de stof uit de vaste...'

'... rechtstreeks in gasvormige toestand overgaat, dank u wel,' maakte Patrick de zin af.

'Nou, ik wist het niet,' moest Peter toegeven en hij probeerde zo Patricks scherpe opmerking wat te verzachten.

'Misschien is het ook allemaal maar gewoon versiering, decoratief,' opperde Stefanie.

'Nee, dat denk ik niet,' zei Peter. 'Wie zou dergelijke ingewikkelde decoraties aan willen brengen op de bodem van een grot, waar niemand ze ziet? Bovendien is het daar niet regelmatig genoeg voor. Egyptische hiërogliefen zijn duidelijk zorgvuldiger gerangschikt en zien er inderdaad uit als versiering, terwijl het toch teksten zijn. Nee, ik geloof ook dat deze tekens iets te zeggen hebben. Maar een code...?'

'Ze staan gerangschikt in vier aparte groepen,' zei Patrick. 'Zijn er overeenkomsten tussen de groepen, of afwijkingen?'

Peter wees op het papier. 'Op de een of andere manier valt mij steeds weer dat teken op dat eruitziet als een mix van een twee en een vier. En dat hier, dat eruitziet als een Z.'

'Het ene staat voor staal, het andere voor kalk,' verklaarde Stefanie.

'Bij de alchemisten,' zei Patrick. 'We weten niet wat ze hier betekenen.'

'Natuurlijk niet.'

'Wat zijn dat voor getallenreeksen die je hebt uitgedraaid?' vroeg Peter.

'O, dat.' Stefanie haalde de papieren naar zich toe. 'Ik heb aan elk symbool een getalswaarde gegeven en er een paar numbercrunchers op losgelaten.'

'Geweldig idee!' riep Patrick oprecht verbaasd. 'Welke heb je gebruikt?'

'CryptWarrior en Word of Chaos.'

'Ik kan je de Amerikaanse versie van Word of Chaos met de 128-bitssleutel bezorgen. Misschien schieten we dan sneller op?'

'Wacht eens even,' onderbrak Peter hen. 'Hebben jullie het nu over ontcijferingsoftware?'

'Ja,' zei Patrick, 'Word of Chaos is een heel krachtige tool. De 128-bitssleutel is moeilijk te krijgen, hij valt namelijk onder het Amerikaanse exportverbod voor militaire doelen. Het programma werkt met fractale algoritmen. Je hebt er ook een goede computer voor nodig. Of heel veel tijd.'

'Goed, dat is voldoende,' zei Peter en rolde met zijn ogen. 'Neem me niet kwalijk dat ik iets gevraagd heb.'

'Patrick heeft wel gelijk,' zei Stefanie. 'Waar het om gaat is het volgende: om vooruit te komen moeten we eerst zoeken naar patronen, regels of andere aanknopingspunten. De software waarover wij het hebben is geschikt om zulke patronen op te sporen.'

'Over wat voor patronen heb je het?'

'Ze bedoelt geen grafische patronen,' veronduidelijkte Patrick, 'maar opvallende dingen die terugkomen, die… nou ja, gewoon patronen. Dingen die je kunt berekenen. Wanneer je bijvoorbeeld alle tekens een waarde geeft van één tot twaalf, en je zou er dan achter komen dat de symbolen hier op de grond zo staan gerangschikt dat steeds de som van de cijfers van een getal van twee symbolen met de som van de cijfers van het derde symbool overeenkomt, dan zou dat een patroon vormen.'

Peter staarde hem glazig aan.

'Ook talen vertonen patronen,' vulde Stefanie nu aan. 'Zo kun je aan de hand van woordlengte en verdeling van klinkers in de tekst elke taal rangschikken bij een bepaalde taalfamilie, ook al begrijp je de taal zelf aanvankelijk niet. Andersom kun je op die manier ook losse symbolen van een onbekende taal aanduiden met klinkers.'

'Aha... En heb je al iets ontdekt?'

'Helaas niet.'

'Misschien is het een verkeerde methode,' opperde Peter. 'Misschien zijn het helemaal niet de tekens die de doorslag geven, maar het aantal regels waarmee ze getekend zijn, of de maat van hun onderlinge afstand, wie weet?'

'Weet jij wat mij opvalt?' vroeg Patrick plotseling.

'Nou?'

'Het gat onder rechts is het spiegelbeeld van het gat boven rechts, behalve dan dat daar dat merkwaardige symbool met die halve maan staat. Als je dat even buiten beschouwing laat bevatten zowel de bovenste als de onderste twee regels telkens zes tekens. Hoeveel tekens waren het ook alweer bij elkaar, zesendertig?'

'Op die halve maan na, ja.'

'Dan kun je alle tekens in een normaal vierkant met zes rijen van telkens zes tekens zetten.'

'Nou en?' vroeg Peter.

Patrick pakte een schrift en schetste snel. 'Hebben we hier een vierkant, dan kunnen we nog een hoop aanvullende berekeningen maken. De som van de cijfers van het getal over het aantal rijen en de spaties bijvoorbeeld.'

Hij vergeleek zijn tekening met de getallen op Stefanies uitdraai en leefde nog verder op. Hij was in zijn element. 'Aangezien we geen uitgangspunt hebben, moeten we het probleem heuristisch aanpakken.'

'Heuristisch,' legde Stefanie uit, 'betekent dat je een deel van de oplossing bij wijze van test veronderstelt en uitprobeert, om te zien of je dan tot een resultaat komt dat bij het probleem past. Je tuigt het paard als het ware van achter naar voor op. Sommige mathematische problemen laten zich het best oplossen als je uitgaat van een resultaat en van daaruit achterwaarts rekent en probeert zo de opgave te reconstrueren.'

'Dat wist ik dan weer wel,' zei Peter.

'Heuristisch te werk gaan,' vervolgde Patrick, 'betekent voor ons bijvoorbeeld dat we er nu gewoon van uitgaan dat hier een numerieke code achter steekt die we mathematisch kunnen oplossen. Dat klopt misschien helemaal niet, maar we proberen gewoon een poosje van alle kanten of we mathematisch tot een bruikbaar resultaat of tot een duidelijk patroon kunnen komen.'

'Tja, waarom niet.'

Patrick zette de computer aan en Stefanie, die wist wat hij wilde, startte de nodige programma's op, terwijl Patrick verder praatte. 'Als hier een mathematische code achter steekt, dan hebben we twee problemen. We weten niet welke formules we moeten gebruiken, maar daar kan de computer bij helpen, én we weten we niet welke getallen we moeten gebruiken. Is het symbool voor staal bijvoorbeeld een drie? Of zevenentwintig?

'Misschien vierentwintig,' zei Peter, 'daar lijkt het een beetje op.'

'Ja, waarom niet? Of tweehonderdeenenveertig? Misschien staat het symbool ook voor een irrationeel getal, pi bijvoorbeeld, of de wortel van twee,' zei Patrick. 'Feit is, we weten het gewoon niet. Zo kan ook de krachtigste computer eeuwig blijven doorrekenen. Maar met een beetje geluk rolt er iets uit.' Hij zweeg even. 'Mijn volgende heuristische veronderstelling is dat de tekens opzettelijk in een vierkant moeten worden gerangschikt dat duidt op hun waarde.'

Patrick scheen de software aardig onder de knie te hebben, want hij hoefde maar een paar opdrachten in de computer in te voeren en kort daarop verscheen zes keer een zes velden omvattend vierkant. In de vakken veranderden nu razendsnel steeds groter wordende getallen, tot het beeld na een poosje plotseling stilstond. Rode strepen flitsten over het scherm en verbonden telkens de horizontale en de verticale velden met elkaar. Ten slotte trokken ze twee diagonale lijnen over het hele beeld.

'Bingo!' riep Patrick. 'Het is zelfs een magisch vierkant!'

'Dit programma heeft nu uitgerekend,' verklaarde Stefanie voor de wat onzeker toekijkende Peter, 'welke getallen de twaalf verschillende tekens zouden kunnen symboliseren. Als je het zo doet als de computer hier voorstelt,' ze wees op het beeldscherm, 'dan zie je dat de som van de velden in elke rij precies dezelfde is, of je nu een horizontale, een verticale of een diagonale rij pakt. Er komt steeds weer dezelfde som uit. Zo'n ordening noemen we een magisch vierkant.'

'Magisch vierkant,' zei Peter, 'is een toepasselijke naam. Het komt op mij allemaal nogal vergezocht over. We vinden hier een bonte mengeling van merkwaardige symbolen, en in nul komma niks hebben we ze gerangschikt in een vierkant en rekenen uit dat deze rangschikking een magisch vierkant oplevert, als je het teken voor... wat was het ook alweer? Staal? Als je het teken voor staal gelijkstelt met het getal 1,876121, een ander met 25400,1777 en ga zo maar door.'

'Waarom is dat zo onwaarschijnlijk?' vroeg Stefanie. 'Wil je daarmee zeggen dat het allemaal toeval is?'

'Ik zou het niet weten, dat kan ik niet beoordelen. Hoeveel mogelijke combinaties zijn er dan? En als we de tekens nou eens anders hadden gerangschikt? Of als de computer iets verder had doorgerekend?'

'Magische vierkanten zijn extreem zeldzaam,' verklaarde Patrick. 'Stel je voor, een vierkant met slechts negen in plaats van zesendertig getallen. Dus drie rijen van drie. Nu rangschik je de getallen van een tot negen zo dat er een magisch vierkant ontstaat. Hier is de oplossing.' Hij krabbelde wat op een papiertje en gaf dat aan Peter.

2	7	6
9	5	1
4	3	8

'De som van elke rij is vijftien. Het is een verrukkelijke puzzel. Ik heb mezelf geleerd het uit mijn hoofd te doen in tijden van stress. Maar probeer hetzelfde nu maar eens met ons raster van zes keer zes en met de beperking dat je twaalf verschillende getallen mag gebruiken, elk precies drie keer. Ik heb geen idee hoeveel verschillende oplossingen er voor dit wiskundige probleem zijn, maar ik weet vrijwel zeker dat het er niet heel veel zijn. Als dit toeval is, dan kun je mij volgend jaar op mijn knieën naar Santiago de Compostela zien schuifelen.'

Peter moest grinniken bij die gedachte. 'Goed dan. Dat kunnen we Sint-Jakobus niet aandoen. We gaan er dus van uit dat die alchemistische tekens voor deze getallen staan. En dan?'

Patrick ging weer achter de computer zitten. 'Als we alle getallen achter elkaar hangen, dan hebben we de mathematische code ongeveer in ruwe vorm. Word of Chaos zal deze getallen door zijn algoritme halen en intensief bekijken. Het programma maakt een protocol van de werkwijze en waarschuwt ook als het toevallige patronen ontdekt.'

‘Wat voor patronen verwacht je? Weer optellingen van cijfers van een getal?’ vroeg Peter.

‘Ik heb geen flauw idee, Peter. Maar daarom doe ik het ook niet zelf.’ Patrick grijnsde. ‘We laten de machine een beetje zweten en vanavond kijken we wat zij heeft uitgebroed. Er is alleen één ding...’ Hij stokte.

‘En dat is?’

‘We hebben nog een getal nodig. Iets... een sleutel, een proefsom of zo.’

‘Hoezo? Hoe kom je daarbij? Sorry hoor, maar sinds een kwartier of zo begin ik te twijfelen aan mijn eigen natuurwetenschappelijke opleiding.’

‘Nou ja, de software biedt je tenminste de optie een sleutel aan te geven. En het hoort bij het principe van het coderen, dat de ontvanger van de boodschap een sleutel heeft. Iets waarmee de oplossing ogenblikkelijk te reconstrueren is, zonder dat je van alles hoeft te gaan uitproberen. Meestal wordt informatie over welke sleutel nodig is met de gecodeerde boodschap meegestuurd. Deze speciale software gebruikt bovendien fractale berekeningsformules. Ook deze worden meestal gevoed met een initiaalwaarde, als met een zaadje, met sporen. En ten slotte,’ hij duidde op de tekening van de symbolen, ‘is het dat teken boven rechts dat mij niet met rust laat. Mijn intuïtie zegt me dat het iets te betekenen heeft, en dat het mogelijk de sleutel is, zoals Stefanie ook al vermoedde. Ik geloof in niet veel dingen, maar mijn intuïtie vertrouw ik wel.’

‘Momenteel maak je eerder de indruk alsof je intuïtie met je aan de haal gaat.’

‘Ik weet het ook niet,’ zei Patrick. ‘Maar het komt mij allemaal volstrekt logisch voor. Die ideeën lijken mij zo juist, alsof ze niet nieuw zijn, maar ik me ze nu opeens herinner... als je begrijpt wat ik bedoel.’

Peter trok een wenkbrauw op en keek hem een poosje aan. Toen keek hij weer naar de symbolen. ‘Het ziet eruit als een maan met een punt erin of zo. Alchemistisch is het niet, of heb jij een verklaring gevonden, Stefanie?’

‘Nee. Niet bij de alchemisten.’

‘Een astronomisch teken is het dus ook niet,’ zei Patrick. ‘Althans niet een dat ik ken.’

‘Astronomisch?’ Peter dacht na. ‘Jawel, ergens wel, wacht eens even. Dit zijn twee tekens over elkaar. De sikkel is het teken van de maan, en de grote kring met de punt in het midden is het teken voor de zon.’

'Zon en maan over elkaar? Dat is toch...'

'... een zonsverduistering,' vulde Peter aan, verrast over zijn eigen ontdekking.

'Natuurlijk! Prachtig!' riep Patrick uit. 'De datum van een zonsverduistering als numerieke sleutel voor de code. Dat was regelrecht geniaal en volstrekt logisch. Dan blijft nu nog de grote vraag, wélke zonsverduistering.'

'Als wij er heuristisch van uitgaan,' zei Peter, 'dat de passage en deze code net als de rest van de grot uit de dertiende eeuw stammen, dan zou het logisch zijn naar een zonsverduistering te zoeken die ongeveer in de dertiende eeuw in deze omgeving te zien was.'

'Goed idee,' zei Patrick, 'maar hoe komen we daarachter?'

'Dat is niet zo heel moeilijk,' meldde Stefanie zich. 'Ik kan dat via het internet wel uitzoeken. Er zijn een paar mensen in cyberspace die zoiets heel precies kunnen berekenen. Het is trouwens pas achthonderd jaar geleden.'

'Hoe lang gaat dat duren?' vroeg Peter.

'Hangt ervan af wanneer ze onze aanvraag verwerken, wellicht een dag, hooguit twee, ik geloof wel dat we zolang nog geduld kunnen oefenen, toch?'

'Natuurlijk. Daar ik steek er een voor op,' zei Patrick en hij ging naar het venster. 'En wat zeg je nu, Peter? Daarnet waren we nog vol kommer en kwel en nu zijn we opeens met zevenmijlslaarzen opgeschoten.'

Peter leunde achterover terwijl Stefanie aan de gang ging bij een andere computer en een internetverbinding opende. 'Ik moet toegeven dat deze vooruitgang me goed bevalt, ook al begrijp ik er maar de helft van. Misschien is dit het moment om een voorlopig bericht naar onze opdrachtgeefster in Genève op te stellen?'

Patrick grijnsde. 'Doe maar wat je niet laten kunt. Maar trek er niet te veel tijd voor uit. Ik ben voor vanmiddag iets van plan wat wij ons niet moeten laten ontglippen.' Hij haalde een opgevouwen papiertje uit zijn zak. 'Dit vlugschrift zat bij de papieren die de grootmeesteres ons gisteren in de kathedraal heeft gegeven. Het is de aankondiging en uitnodiging voor een symposium vanmiddag in Cannes. Het thema luidt: "Permutatio XVI". Het is een gesloten gebeuren, uitsluitend voor genodigden.'

'Ik weet niet wat ik daarmee aan moet,' zei Peter.

'Wacht nou even tot ik het heb voorgelezen:

"In het middelpunt van onze zestiende samenkomst staat de kabbala. Sprekers en afgezanten van grote scholen van de mystiek hebben zich al ingeschreven. Zoals altijd geldt het strikte consigne: het symposium dient ter uitwisseling. De grond van de Permutatio is heilig. Wij zijn gezamenlijk open, tolerant en ondogmatisch. Wij verrichten geen zendingsarbeid. Wij bestrijden elkaar niet."'

'En wat wil je daar dan?' vroeg Peter.

'Ik pieker nog steeds over die roos,' zei Patrick. 'En of onze Renée nou iets over de ark van Noach heeft verteld en of de heer Weimar ons met Luther de kop heeft gek gezeurd, vast staat toch dat er iets met die roos is. Al die mensen die zich met mystiek en kabbala en dergelijke flauwekul bezighouden, die vormen toch het ideale publiek voor ons onderzoek. In feite heeft die meneer Weimar wel gelijk: veel van wat wij ontdekken zien wij wellicht niet eens als duidelijke aanwijzing. Wij kennen enkele samenhangen helemaal niet, terwijl ze in de dertiende eeuw alledaags waren. Althans onder de mystici. En dat deze grot iets mystieks heeft, zul je toch moeten toegeven.'

'Ja, dat kan ik niet ontkennen...'

'Jullie vinden dus de verklaring dat die roos het wapen van Luther is niet afdoende?' vroeg Stefanie.

'Misschien is er inderdaad een soort samenhang,' gaf Peter toe. 'Luther werd pas veel later geboren, twee of drie eeuwen nadat de muren van deze grot waren beschilderd, maar zijn wapen kan natuurlijk zijn oorsprong in deze grot hebben. Nou zie ik nog niet in wat wij daar dan aan zouden hebben. Hij heeft die grot zeker niet geschapen en dat onheilspellende Lutherarchief zullen we hier beslist ook niet aantreffen...'

'Tenzij,' onderbrak Stefanie, 'hij erachter is gekomen hoe je door de passage heen komt!'

Peter en Patrick staarden haar verbaasd aan.

Zij vervolgde: 'Zeiden jullie niet dat Luther kennelijk belangrijke ontdekkingen had gedaan? Misschien was een daarvan deze passage en hoe je er doorheen komt. Dan zou het dus kunnen dat hij zijn aantekeningen veilig heeft opgeborgen achter de passage.'

'Stefanie heeft gelijk,' zei Patrick. 'Dat zou best kunnen. Als dat archief tenminste bestaat.'

'Maar dat zou nog steeds het raadsel van de passage niet oplossen,' zei Peter. 'Dan heeft hij die alleen maar gebruikt. En aangezien die al dan niet bestaande aantekeningen daarachter liggen, hebben we er ook helemaal niets aan. We zijn gewoon weer terug bij af. Het raadsel van de passage moeten we alleen oplossen.'

'Dan gaan we vanmiddag naar Cannes en vragen een paar van die mensen naar de roos,' zei Patrick. 'Ik stel voor dat we met een tekening van het grote symbool tussen ons in gaan rondlopen.'

'Die concentrische cirkels?' vroeg Stefanie. 'Dat is in mijn ogen alleen maar decoratief. Als een eenvoudig labyrintmotief of zo.'

'Het is inderdaad heel regelmatig opgebouwd,' meende Peter. 'Maar dat zijn klassieke labyrinten ook. Hier echter voert een rechte weg naar het midden, en twee verdere wegen om het centrum heen. In klassieke labyrinten is er weliswaar slechts één weg, waarlangs je het hele vlak doorloopt, tot je bij het centrum komt. Dat is iets heel anders.'

'Sinds wanneer is daar slechts één weg?' vroeg Patrick. 'De bedoeling is toch dat je verdwaalt in een labyrint?'

'Je verwart het met een doolhof,' zei Peter. 'Een labyrint is een veel ouder symbool. Het is een concentratieoefening die de geestelijke weg van buiten naar binnen voorstelt. Als je dit teken goed bekijkt lijkt het niet op een doolhof, maar ook niet op een labyrint. Het ziet er eerder uit als drie om elkaar gelegde ringen of schalen.'

'Het lijkt wel een beetje op een antenne waar golven van uitgaan, vind je niet?'

'Ik zou jouw fantasie wel willen hebben, Patrick,' zei Peter. 'Maar je hebt gelijk, het ziet er een beetje technisch uit. Ringen, spiralen en labyrinten zijn archaïsche symbolen, en in mijn studies heb ik er een heleboel van gezien en beschreven. Dit teken is echter duidelijk anders. Het zou geen kwaad kunnen als we het eens aan een paar mensen zouden laten zien. Als iemand het herkent, kan die ons een aanwijzing geven naar de oorsprong.'

'Dan ben je het dus eens met Cannes?' vroeg Patrick.

'Ja, laten we dat mystieke symposium maar eens bezoeken. Ik hoop dat ze zich allemaal houden aan hun "ijzeren wetten" en inderdaad niet gaan werven.'

8 mei, bureau van de burgemeester, St.-Pierre-du-Bois

De dikke vingers van Didier Fauvel trilden licht, maar hij schonk toch zonder morsen een glas cognac in. Hij reed het bijzettafeltje naar zijn bureau en liet zich vervolgens in zijn stoel zakken. Hij leegde het glas bijna ad fundum, leunde achterover en liet de gebeurtenissen de revue passeren.

Het bezoek was niet lang geweest, maar onaangekondigd en bijzonder onaangenaam. Hij had nog gesproken met Fernand Levasseur voordat die de onderzoekers in het hotel ging opzoeken. Toen had hij de krant gepakt en onderweg naar de schrijftafel had hij gezien hoe een donkere Mercedes kwam voorrijden...

Uit de auto stapten een chauffeur en een bijrijder, beiden heel serieus, breedgeschouderd, in dure pakken gestoken. De bijrijder liep naar achteren en opende het portier voor een man in een sportjasje en met een modieuze bril. Hij liep doelbewust op het huis af, gevolgd door beide mannen. Daarna zag Didier Fauvel aan de manier waarop een van de begeleiders een gordel onder zijn jas rechtschoof dat ze gewapend waren.

Hij was nog niet gaan zitten of zijn secretaresse betrad het kantoor.

'U hebt bezoek, monsieur le maire,' kon ze nog net zeggen, voordat ze door een van de lijfwachten opzij werd geschoven om ruim baan te maken voor de man uit de Mercedes. Van dichtbij zag hij er glad en intelligent uit. Hij liep naar het bureau, terwijl zijn begeleiders bij de deur bleven staan.

'Goedemorgen, monsieur Fauvel.'

'Goedemorgen, monsieur...?' Hij liet zijn zin met een vraagteken eindigen, maar de man ging er niet op in.

'Ik kom uit Parijs.' Hij reikte de burgemeester een visitekaartje aan. 'Kent u dit kaartje?'

Nou en of hij dat kende. Hij had gehoopt dat dit nooit zou gebeuren, dat ze hem vergeten zouden zijn... Eigenlijk was hij het zelf bijna vergeten. Maar nu achterhaalde het lot hem. Onbedwingbaar en naar alle waarschijnlijkheid bijzonder pijnlijk.

'Ja, dat ken ik.'

'Mooi. Dan kan ik het kort houden. Enkele zeer invloedrijke heren in Parijs zijn bijzonder geïrriteerd over bepaalde onderzoeken die bepaalde personen in uw omgeving aan het verrichten zijn.'

'Hoe bedoelt u dat?' Heel even was hij oprecht verward.

'Een Fransman en een Engelsman. Ze zitten in de mist te porren met willekeurige onderzoeken, maar ze genereren al doende de verkeerde aandacht bij de verkeerde mensen. Begrijpt u wat ik bedoel?'

‘Ja… Dat wil zeggen… Ergens wel…’

‘Zorg ervoor dat die twee ophouden met hun onderzoek, wat ze ook precies aan het doen zijn.’

‘Ze onderzoeken een paar gevallen van hondsdolheid…’

‘Parijs maakt het niet uit wát ze onderzoeken, al was het de kuisheid van de Maagd Maria. Van u wordt verwacht dat u dat gedoe een halt zult toeroepen. De onderzoekingen moeten meteen worden gestaakt.’

‘Gestaakt? Maar hoe… Ze zijn van de VN, ik heb geen enkele bevoegdheid wie dan ook ook maar iets voor te schrijven.’

‘U hoeft niemand iets voor te schrijven. U hoeft er alleen maar voor te zorgen dat ze niet doorwerken. Is dat zo moeilijk?’

‘Maar… ik kan ze toch niet gewoonweg laten verdwijnen! Of… is dat de bedoeling? U wilt dat ik hen laat ombrengen?! Maar hoe stelt u zich dat voor?’

De man boog dreigend dicht naar Didier Fauvel toe. ‘Mijn beste monsieur Fauvel, uw dikke reet rust op een schietstoel en dat weet u. De vingers die de knop bedienen hoeven maar één keer zenuwachtig te trekken. U gaat nu zoeken naar een duurzame oplossing voor uw probleempje, of u hebt weldra helemaal geen problemen meer. Is dat duidelijk?’

‘Volkomen duidelijk.’

‘Goed zo.’

Zwijgend draaide de man zich om en verliet met zijn begeleiders het kantoor. Alleen het visitekaartje bleef achter.

Didier huiverde bij het terugdenken. Met al hun traagheid hadden de machten in Parijs ten overvloede ook nog het spreekwoordelijk geheugen van een olifant. Hij schonk zijn glas nog eens vol en trachtte de herinneringen aan de belevenissen van de zomer van 1968 te verdringen, die, opgerakeld door die harde confrontatie met zijn verleden, nu in hem opwelden, naar boven drongen, naar boven werden geperst, uitgespuugd en erkend wilden worden.

‘Monsieur le maire?’

De stem van zijn secretaresse haalde hem uit zijn gepeins.

‘Wat is er?’ vermande hij zich.

‘Monsieur Levasseur zou u even willen spreken… Moet ik hem zeggen dat u…’

‘Nee, laat maar.’ Hij wuifde haar weg, blij met de afleiding, al zou zijn stemming daardoor niet verbeteren. ‘Laat hem maar binnen.’

Met een voet schoof hij het bijzettafeltje een stuk verder weg. De boswachter stond al voor hem voor hij zijn glas achter een stapel akten kon verstoppen.

'Hoe was uw bezoek bij de mensen van de VN?'

'Daar ben ik niet veel verder mee gekomen, zoals ik al vermoedde.'

'Hoe dat zo? Hebben ze je niet geholpen?' Het zou wel wellicht nuttig zijn als die onderzoekers niet tot medewerking bereid waren. Misschien kon dat een valstrik voor hen worden.

'Integendeel. Ze waren maar al te bereid te helpen en ze hebben mij hun resultaten tot nog toe laten zien. Ik moet toegeven dat ik aanvankelijk wantrouwig was, maar het is inderdaad zoals ze zeggen, ze hebben al die meteorologische gegevens nodig. Die zult u toch echt uit Carcassonne moeten laten komen.'

De burgemeester vertrok zijn mond. In plaats van een goede aanleiding te krijgen zich van beide heren te ontdoen, moest hij zich nu ook nog eens verder om hen bekommeren.

'Denkt u dat die twee de hondsdolheid onder de knie kunnen krijgen?'

'Het zijn er inmiddels drie, ze hebben hulp gekregen van een biologe.'

'Ach... maar dat is interessant. Waarom ben ik daar niet van op de hoogte gesteld?'

'Dat weet ik niet niet, monsieur le maire, maar ik weet zeker dat u haar nog zult leren kennen.'

'Zo. Nou, goed dan. En gelooft u dat die drie het probleem kunnen oplossen?'

'Ja, absoluut. Ze zijn uitstekend uitgerust met hoogstaande technische snufjes.'

'Hm... oké. Ik zal voor die meteorologische gegevens zorgen. Dank voor uw evaluatie.' Hij pakte schijnbaar geïnteresseerd een papier op. 'Als u mij nu wilt verontschuldigen...'

'Natuurlijk. Prettige dag nog, monsieur le maire.' De boswachter verliet het kantoor, voldaan om het feit dat hij voldoende tijd had gewonnen die hij meende nodig te hebben om het ondoorzichtige geheim van die onderzoekers te onthullen die zich werkelijk met van alles bezighielden, behalve met hondsdolheid.

12

8 mei, bureau van de Franse president, Parijs

President Michaut schoof de stukken aan de kant, leunde achterover en masseerde zijn slapen. Hij dacht na. Zijn mensen hadden goed werk geleverd. Zonder de achtergrond te vermoeden hadden ze alle informatie bij elkaar gezocht die hij nodig had, waardoor de analyse en de conclusie niet moeilijk meer waren geweest. Maar juist dat deed hem nog aarzelen. Het kon niet zo simpel zijn. Toch?

Er was maar één persoon die hij iets kon vertellen van zijn ontdekking en die hem zekerheid kon geven: de graaf.

Hij pakte de hoorn en toetste een nul. Zijn secretaris meldde zich.

'Een veilige buitenlijn, niet een van de officiële,' beval de president en hij legde de hoorn op de haak. Hij had op zijn toestel ook rechtstreeks een beveiligde verbinding kunnen kiezen, maar die werd geregistreerd. Even later ging de telefoon over.

'De lijn is vrij, monsieur le président.' Er volgde een licht klikken en daarop een kiestoon.

De president koos een nummer in Zwitserland. Toen er na een poosje werd opgenomen meldde hij zich: 'Met Emmanuel, ik wil graag de graaf spreken.'

Normaal gesproken meldde hij zich nooit met zijn voornaam, maar op die manier hoopte hij de vertrouwelijkheid te onderstrepen. Het duurde niet lang of de onmiskenbare, sonore stem van de oude man kwam door de telefoon.

'Hallo?'

'Monsieur le comte, dit is Emmanuel Michaut, neemt u mij niet kwalijk dat ik u zo plompverloren bel.'

'Monsieur le président, wat een eer! Wat kan ik voor u doen?'

'Naar aanleiding van ons laatste gesprek heb ik wat inlichtingen ingewonnen en een mogelijk interessante ontdekking gedaan die ik u graag wilde vertellen.'

'Dat is heel aardig van u. Ik hoop dat u van mij geen professionele beoordeling van uw ontdekking wenst?'

'Nee, maar misschien zou u mij gewoon spontaan uw mening kunnen geven, zodat ik een vermoeden kan krijgen dat ik in de juiste richting zoek, als u begrijpt wat ik bedoel.'

'Uw vertrouwen vleit mij en ik ben heel benieuwd naar uw ontdekking. Ik kan echter uiteraard niet beloven dat ik er iets constructiefs aan kan bijdragen.'

'Nee, dat snap ik. Het gaat om het volgende: ik had het met u over mijn contacten met de industrie en dat enkele ondernemingen zich van mij afgewend hadden.'

'Ja.'

'Na ons gesprek heb ik in toenemende mate het gevoel gekregen dat het hierbij niet om toeval ging. Daarvoor was hun optreden te vreemd en te abrupt. Het konden ook geen geheime acquisitie- of fusieplannen of iets dergelijks zijn, dat zouden we snel genoeg gemerkt hebben. Ik raakte ervan overtuigd dat het bewuste en plotselinge beslissingen waren die op hoog niveau werden genomen. Door mensen met voldoende macht.'

'U bedoelt de grootindustriëlen?'

'Niet alleen zij. Ook anderen die mogelijk een meerderheidsaandeel in de ondernemingen hebben, maar dan stille vennoten, raden van toezicht en dergelijke.'

'Op die manier.'

'Ik heb dus de managementstructuren, de kapitaals- en vermogensverhoudingen van de betreffende firma's en concerns opgevraagd en geanalyseerd. En daarbij heb ik het volgende ontdekt: ze hebben iets gemeen.'

'Echt waar?' Echt verrast klonk de stem van de graaf niet.

'Het was niet meteen duidelijk. De beide banken bijvoorbeeld behoren toe aan Miralbi, wier grootste concurrent trouwens de Britse Halifax-groep is. De raad van toezicht wordt min of meer beheerst door Yves Laroche, de vader van Jean-Baptiste, u weet wel wie dat is?'

'U bedoelt Jean-Baptiste Laroche, uw tegenkandidaat van de Parti Fondamental Nationaliste?'

'Die ja. En het volgende waar ik achter kwam was dat zijn broer verantwoordelijk vennoot van de ENF is, de stroomaanbieder die zich van mij heeft teruggetrokken. Hij heeft eenenvijftig procent van de aandelen en u mag raden van wie de overige negenenveertig procent zijn?'

'Ik ben benieuwd.'

'Die zijn van de groep Ferrofranc.'

'Waarmee u eveneens problemen hebt.'

'Zo is dat.' De president bladerde door de stukken op zijn tafel. 'En zo gaat het verder. Ik zal u niet lastigvallen met details. In elk geval blijkt dat de familie Laroche op een of andere manier steeds zoveel deelneemt dat ze voldoende macht kan uitoefenen.'

'Dat is hoogst opmerkelijk. Dat geldt ook voor de andere firma's waarover u het hebt?'

'Ja. TVF Média en Télédigit International zijn van hetzelfde mediaconcern, met weer een oom van Jean-Baptiste in de raad van toezicht.'

'En wat is uw conclusie na deze ontdekking?'

'Nou, het zal wel geen verrassing zijn dat Jean-Baptiste Laroche met zijn partij graag de volgende verkiezingen zou willen winnen. Verontrustend is echter dat hij de middelen schijnt te hebben om al zijn familieconnecties bij een politiek spelletje om de macht te betrekken.'

'U denkt dat één enkele persoon industrieconcerns en banken tot zulke drastische schreden kan aanzetten? De betrokkenen moeten zich toch bewust zijn van het feit dat ze daardoor staatsleningen en andere gunsten ontlopen.'

'Maar kunnen wel een familielid als Franse president naar voren schuiven.'

'Met alle respect, monsieur le président… staat u mij toe dat ik mijn mening geef?'

'Natuurlijk, daarom heb ik u gebeld. Wat vindt u?'

'Ik ben geen Fransman en niet zo vertrouwd met uw staatssysteem, maar ik me maar moeilijk voorstellen dat uw positie als president zo'n groot offer waard is.'

'Hoe bedoelt u dat?'

'Nou, met een beetje fantasie zou men de omstandigheden die u schildert als een nauwkeurig voorbereide staatsgreep kunnen zien. Maar als die zonder succes blijft, zullen andere ondernemingen en verbanden de opengevallen plaatsen innemen die de dan in ongenade gevallenen achterlaten, om als nieuwe partners te dingen naar de staatsgunst.'

'U bedoelt dat het onwaarschijnlijk is dat zovele industriële zwaargewichten de regering tegen zich in het harnas willen jagen omdat zij daardoor hun positie nadelig zouden beïnvloeden.'

'Ja.'

'U hebt misschien gelijk...' Hij aarzelde en sloeg toen met zijn vlakke hand op tafel. 'En toch is het zo. Het lijkt verdomme de maffia wel!'

'Als u inderdaad in zo'n parket bent beland zou het van nut kunnen zijn als u uw vermoeden aan de werkelijkheid toetst, monsieur le président.'

De president draaide zich met stoel en al om zodat hij uit het venster kon kijken. 'Hoezo?'

'Als het zo is als u vermoedt, dan blijkt daaruit dat de familie Laroche heel goed weet waar ze mee bezig is.'

'Ja, daar lijkt het op.'

'Waar zou dat op kunnen duiden?'

'Wellicht zijn er bijzondere omstandigheden die wij niet kennen die het optreden van de familie Laroche kunnen verklaren.'

'Goed... en ga nu eens bij uzelf te rade. U bent kiezer, zou u voor Jean-Baptiste Laroche en de PNF kiezen? Of anders gezegd, denkt u echt dat die man de verkiezingen kan winnen?'

'Nee, weinig kans. Die man straalt geen enkele competentie uit. Hij kan charisma hebben, maar hij is arrogant en egocentrisch.'

'Dan zou u zich kunnen afvragen waarom er toch zo veel vertrouwen in hem wordt gesteld. Een zelfbewustzijn dat hij, zoals u al zegt, ook persoonlijk aan de dag legt. Waarom gaat u niet eenvoudigweg de confrontatie aan? Als hij er werkelijk zo zeker van is, dan zal hij u misschien het een of andere aanknopingspunt kunnen verschaffen.'

'U bedoelt dat ik hem moet ontmoeten?'

'Zeker.'

'Dat is bespottelijk. Hij vermijdt het zelfs om in het openbaar mijn naam uit te spreken. Hij zal nooit instemmen met een ontmoeting.'

'Misschien zit u op het verkeerde spoor,' zei de graaf. 'Misschien ook niet.'

De president zweeg even. 'U hebt gelijk, het is het proberen waard, denk ik... Monsieur le comte, ik dank u.'

'Niet nodig, ik heb u slechts aangehoord.'

'Zoals zo vaak, ja. Desalniettemin veel dank, het was mij een genoegen.'

'Dat was geheel mijnerzijds, monsieur le président.'

8 mei, Royal Casino Hotel, Cannes

'Jammer dat Stefanie niet mee wilde.'

'Je verbaast me, Patrick. Gisteren heb je haar nog uitgemaakt voor het knapte meisje van de klas, en nu mis je haar al.' Peter lachte. 'Of had je haar er graag als getuige bij gehad als jij op jouw onmiskenbaar charmante wijze een hele zaal mystici voor schut gaat zetten?'

'Ik zal je nog meer verbazen, dat ben ik helemaal niet van plan.'

'Alles goed en wel, maar ik kan me nou toch moeilijk voorstellen dat jij je in deze leeuwenkuil zult kunnen inhouden.'

'Mag ik je eraan herinneren dat jij degene was die in de Notre Dame zijn zelfbeheersing verloor.'

'Dat is waar.' Peter moest weer grinniken. 'Denk je dat dat symptomatisch is? Misschien word ik de Judas van de mystieke geschiedenis die ik onderzoek, en word jij van Saulus tot Paulus, de rotsvaste stichter van een nieuw religieus begrip.'

Nu begon ook Patrick te lachen. 'Ik dacht het niet!'

'Tja, dan ben je toch wel gek op mevrouw Krüger geworden.'

'Ik ben mij slechts bewust geworden van de intellectuele capaciteiten van mevrouw Krüger, meneer de professor.'

'... en haar lichamelijke aantrekkelijkheid is je naar het hoofd gestegen?'

'Dat is geen schande, dat duidt op smaak. Maar jíj verbaast míj dat je die charme ook hebt opgemerkt, Peter,' grapte Patrick.

'Ik ben dan misschien ouder dan jij, maar ik ben niet blind,' repliceerde Peter. 'In tegenstelling tot jou kan ik mijn lentegevoelens echter in toom houden.'

'Ja, hoor,' zei Patrick lachend, 'daar ligt het natuurlijk aan!'

Ze hadden hun weg gevonden aan de hand van een bord in de foyer en bereikten een gedeelte van het gebouw dat duidelijk kon worden afgesloten voor conferenties van allerlei aard. Bij de ingang stond een keurig geklede heer die de aankomende gasten papieren overhandigde.

'Mag ik uw uitnodiging zien?' vroeg hij toen ze naar hem toe liepen.

Patrick gaf hem het blaadje met de aankondiging van het symposium.

'Het spijt me, maar u hebt uw schriftelijke uitnodiging nodig. Hebt u de brief erbij?'

'Meer uitnodiging hebben wij niet gehad,' verklaarde Patrick, 'we zijn pas kortgeleden op de hoogte gesteld...'

De man scheen niet in het minst onder de indruk. Hij wierp een blik op een voor hem liggende lijst. 'Dat kan ik natrekken. Uw naam, alstublieft.'

'Monsieur, ik zei toch dat wij pas vandaag op de hoogte waren van dit symposium...'

'Uw naam?'

Peter stapte naar voren. 'Ik ben professor Peter Lavell, onderzoeker en schrijver. Ik houd momenteel lezingenreeksen aan internationale faculteiten over het thema mystiek. De organisatoren zullen mij zeker kennen, en ik denk niet dat ze mij zullen willen missen.'

De man leek hem niet te horen. 'Zonder uitnodiging kan ik u... Ah, ik zie het al. U bent professor Lavell en monsieur Nevreux?' Hij keek op.

'Ja.'

'U staat inderdaad op de gastenlijst.' Hij ging aan de kant en wuifde hen door. 'Welkom op de Permutatio!'

Peter fronste zijn wenkbrauwen toen ze doorliepen, maar nog voor hij iets kon zeggen, drukte een jonge vrouw hem een programmablad in handen. 'Welkom en moge de tijd die u hier doorbrengt rijk zijn aan ervaring, broeder.' Toen wendde zij zich tot andere gasten.

'Staan we op de gastenlijst?' Patrick keek verbaasd om. 'Wij schijnen een weldoener te hebben. En ik heb ook zo'n flauw vermoeden wie dat is...'

'Ja, ik ook,' zei Peter en hij gebaarde met het programmablad. 'Over een halfuur begint een podiumdiscussie. Een van de deelnemers is Claire Renée Colladon.'

'Misschien wil ze hier ook haar ark van Noach-verhaal verkopen.'

'Het is interessant, maar er staat niets over de broederschap van de Ware Erfgenamen van het Kruis en de Roos. In plaats daarvan wordt ze hier aangeduid als *Grand maître de l'Ordre RC...*' Peter aarzelde en sloeg toen tegen zijn voorhoofd. 'Maar wacht even, dat kan toch niet, waarom ben ik daar niet eerder opgekomen! Idioot!'

'Wat?'

'Nu weet ik waar ik die spreuk uit de grot van ken!'

'Welke spreuk?'

'"Arcana publicata vilescunt"... Weet je nog? Geopenbaarde geheimen worden goedkoop, het ontheiligde verliest alle aantrekkingskracht.'

'Hm... ja, zal best. Ken je dat citaat?'

'Ja, het kwam mij meteen bekend voor, ik kon me echter niet meer herinneren uit welke context.' Snel liep hij naar voren en doorzocht de gang en de zaal met zijn blik. 'Het is zo duidelijk. Kom mee, we moeten Renée vinden!'

'Ben je eigenlijk van plan mij ook in te wijden?' vroeg Patrick, die de professor doodgemoedereerd volgde en nog een sigaret uit zijn verkreukelde pakje viste.

'Daar is ze!' riep Peter en hij bleef in een deuropening staan. Enkele mensen stonden in groepjes te praten. Toen Patrick naderde en naast Peter door de zaal keek, loste een van de groepjes op, alleen Renée Colladon bleef staan en wenkte de beide heren.

'Ik ben blij dat u op de uitnodiging bent ingegaan, messieurs. Vooral u, monsieur le professeur. Ik had niet verwacht u terug te zien.'

'Nu wij toch hier zijn,' zei Peter, 'zal het u niet verbazen dat wij geheel anders tegenover elkaar komen te staan.'

'Ik begrijp niet wat u bedoelt.'

'Toen wij elkaar in Parijs zagen, hadden wij meer vragen dan u, maar nu zijn de kaarten opnieuw geschud en is er geen geheim meer waarmee u ons kunt misleiden.'

'Monsieur Lavell, u doet alsof we in een Arabische tapijtenbazaar aan het afdingen zijn.' Ze lachte. 'Als u niets meer van mij weten wilt, waarom zocht u mij dan?'

'Ik heb iets wat u wellicht ook wilt hebben. En ik wil weten wat u ervoor biedt.'

Ze lachte weer. 'En wat kunt u hebben wat ik zou willen hebben?'

'Ik weet waar het Huis van de Heilige Geest zich bevindt.'

Patrick keek hem verbaasd aan, maar de grootmeesteres verstarde.

'Wat zegt u?' fluisterde zij na een poosje. 'Doe niet zo belachelijk!' Uit de reserve in haar stem te horen voelde zij zich volstrekt onzeker.

'Ik zal u een verhaal vertellen,' begon Peter, 'dan mag u mij zeggen wie van ons beiden zich belachelijk heeft gemaakt.'

'U drijft de spot met mij,' siste Renée en ze kneep haar ogen half dicht.

'Medio vijftiende eeuw,' begon Peter, 'leefde er een man uit een adellijk, Teutoons geslacht, die vanaf zijn vijfde jaar in een klooster werd gevormd in alle humanitaire wetenschappen. Op zijn vijftiende gaat hij naar het Heilige Land. Als hij in Damascus hoort van een geheime kring van wijze mannen, gaat hij op zoek en belandt uiteindelijk in Damcar. Daar wordt hij al verwacht en hij krijgt jarenlang onderwijs in de geheimste magische kunsten.'

Terwijl Peter sprak, keek Renée hem met een onbewogen gezicht aan.

'Na zijn studie reist hij via Egypte naar Fez en leert daar het bezweren van natuurgeesten. Na zijn opleiding begeeft de jongeman zich op de terugweg, eerst naar Spanje, dan naar Duitsland. Jarenlang filosofeert hij als heremiet, daarna wil hij zijn kennis doorgeven en weldaden verrichten. Hij richt het Huis van de Heilige Geest op, hij geneest zieken en trekt een steeds groter aantal volgelingen aan die zich verder verspreiden om zijn wijsheden door te geven over Europa. Die man heette Christian Rosenkreuz, tegenwoordig nog steeds bekend onder de initialen C.R.C.'

Renée zweeg.

'Maar het verhaal gaat door: de man stierf op een bijbelse leeftijd en werd op een geheime plek begraven. Anderhalve eeuw later werd die plek gevonden. Het was een grot die werd verlicht door de "zon van de magie", met magische symbolen was beschreven, en een volledig geconserveerd lijk bevatte.'

Patrick bekeek zijn collega met toenemende verbazing, terwijl deze verderging.

'Halverwege de zeventiende eeuw wordt dat hele verhaal actueel als er een boek verschijnt dat *Fama Fraternitatis* heet. Eenieder die zich wil aansluiten bij de zogenaamde Rozenkruisers moet dit laten weten door zijn eigen daden en zijn publicaties. Nog heden ten dage zijn er enkele geheime genootschappen en ordes die zich beroepen op de Rozenkruisers. En dat is ook het geval met de broederschap van de Ware Erfgenamen van Kruis en de Roos, nietwaar? Voor de buitenwereld doet u alsof u een eenvoudige vrijmetselaarsloge bent, maar in werkelijkheid beschouwt u zich als de ware erfgenamen van de mystieke Rozenkruisers. Zelfs uw naam hebt u aan de initialen van de heilige stichter aangepast, nietwaar, Claire Renée Colladon?'

Ze haalde diep adem, maar Peter gaf haar geen kans iets te zeggen.

'U wilde graag weten waar die tekening van de roos vandaan kwam en de spreuk "Dit zij een voorbeeld voor mijn volgelingen", niet? U vermoedt dat wij Christian Rosenkreuz op het spoor zijn. Misschien zijn wij dat inderdaad. Stelt u zich voor: wij hebben een grot gevonden, vol inscripties, deels onleesbaar, met een onverklaarbaar schijnsel, en op de muur staat de tekening van een roos, met de signatuur C.R.C. En de Latijnse spreuk: "Arcana Publicata vilescunt..."'

'"... et gratiam profanata amittunt", vulde Renée Colladon monotoon aan. 'Dat wil zeggen: "Werpt geen paarlen voor de zwijnen, strooit geen rozen voor de ezels." Dat is niet het Huis van de Heilige Geest, maar het graf van Christian Rosenkreuz!'

Peter zweeg en een poosje zei niemand iets.

'Als het klopt wat u vertelt,' begon Renée ten slotte aarzelend, 'kunt u zich dan eigenlijk wel voorstellen wat dat betekent? U zou net zo goed kunnen beweren de echte *Tabula Smaragdina* of de stenen tafelen van Mozes te hebben gevonden... Nee! U liegt. Het kan niet waar zijn!'

'Tja, het zou kunnen dat ik dit ook allemaal alleen maar heb verzonnen,' zei Peter. 'Een paar geschiedenisboeken en occulte encyclopedieën uitpluizen en weten wat er op het omslag van de *Chymischen Hochzeit des Christian Rosenkreuz* staat, dat is niet zo'n kunst, wel? Maar natuurlijk is er ook de mogelijkheid dat ik de waarheid spreek en daar zo dichtbij zit als u nog nooit hebt gezeten. Ik zou het daar natuurlijk niet met u over moeten hebben... Er zijn nog meer mensen die deze openbaring interessant zouden kunnen vinden. Bovendien zijn er ook nog die van mening zijn dat hart en roos gewoon het wapen van Maarten Luther voorstellen.'

Dat wuifde ze boos weg. 'Heeft Samuel u dat verteld? Die dilettant is altijd op kruistocht om het Lutherarchief te vinden, hoewel Luther na Christian Rosenkreuz leefde. Luther wilde bij leven graag Rozenkruiser zijn, althans door hen opgemerkt worden. Vandaar zijn wapen en zijn publicaties, maar voor een reputatie als succesvol geleerde en mysticus was dat onvoldoende. Samuels ideeën zijn ronduit belachelijk!'

'Nu maar wij hopen dat hij u niet gehoord heeft, madame,' zei Patrick, 'aangezien u hier geen zendingsarbeid mag verrichten.'

'Het zij verre van mij, monsieur Nevreux, echt waar.' Ze wendde zich weer tot Peter. 'Goed, u hebt mijn aandacht, maar helaas moet ik nu naar het podium. Zeg wat u van mij wilt. En u hoeft niet te denken dat u van me afkomt voordat ik bewijs heb gezien!'

'Ik heb twee vragen: wat kunt u mij over dat fabelachtige schijnsel in het graf zeggen?'

'Niet zo veel. Volgens de legende wordt het graf inderdaad verlicht door de "zon van de magie". Veel jongeren zijn van mening dat het bij die beschrijving niet gaat om feitelijke straling, maar dat boven het graf het symbool daarvan is aangebracht. Het graf zou dan alleen in overdrachtelijke zin worden verlicht.'

'Deze "zon van de magie",' zei Peter, en hij haalde de tekening van de concentrische cirkels in de grot tevoorschijn, 'is dat dit symbool?'

Renée keek meteen de andere kant uit, maar kon niet voorkomen dat ze de tekening toch even zag. 'Nee, nee, de "zon van de magie" is een pentagram. Dat symbool heb ik nog nooit gezien... Maar...Wat is het? Hoe komt u daar nu weer aan?'

'Dus u hebt dit symbool nog nooit gezien?'

'Nee, en geloof me, ik zou het echt zeggen, zeker met het oog op wat er allemaal op het spel staat. Was dat uw tweede vraag?'

'Ja, inderdaad,' zei Peter een beetje bedremmeld.

'Ik moet weg,' zei Renée, 'ga alstublieft mee naar binnen en luister naar de discussie. Misschien komt u op nog meer vragen. Ik zal u nadien graag meteen weer spreken, als dat mag.'

'Natuurlijk.'

Toen Renée weg was, nam Patrick het woord.

'Nou moet je me toch eens vertellen wat dat te betekenen had.'

'We hebben haar aan de haak,' antwoordde Peter. 'Ze gaat ons alles vertellen wat we willen weten.'

'En is die Rozenkruisersgeschiedenis jou zomaar opeens te binnen geschoten?'

'Die heb ik niet bedacht, ik heb nu pas de link gelegd. En naar het schijnt heb ik meteen een voltreffer gescoord.' Hij lachte.

'De volgende keer dat je zo'n openbaring hebt, wil je dan zo vriendelijk zijn mij vooraf in te lichten?'

'Natuurlijk, het spijt me, het ging een beetje snel, vrees ik.'

Patrick knikte. 'Maar je denkt toch niet echt dat wij het graf van Christian Rosenkreuz hebben gevonden?'

'Nou ja, onze grot past verdomd goed in die Rozenkruiserslegende, toch?'

'Maar geloof je nou in het bestaan van dat graf of niet?'

'Natuurlijk niet!' Peter lachte. 'We hebben toch zelf al vastgesteld dat de grot stamt uit de dertiende eeuw. Toen waren er nog geen Rozenkruisers, als die er überhaupt ooit geweest zijn. Maar dat hoeven we Renée niet te vertellen.'

Patrick keek Peter bewonderend aan. 'Je blijft me verbazen, Peter!'

'Overigens kan het heel goed zo gegaan zijn, Christian Rosenkreuz in de vijftiende eeuw en Maarten Luther, die hem wilde nastreven, daarna. Misschien heeft een van hen onze grot ontdekt. En aangezien de Rozenkruisers de samenwerking van alle geleerden ongeacht nationaliteit, gezindheid of faculteit voorstonden, schreef de betrokkene op de muur: "Dit zij een voorbeeld voor mijn volgelingen".'

'Klinkt plausibel,' zei Patrick. 'Helaas weten we daarmee nog altijd niet waar de grot haar oorsprong vindt.'

'Dat is waar. Het symbool van de cirkels is nu ons enige aanknopingspunt en totdat wij de inscripties ontraadseld hebben, moeten wij alles uit Renée zien te peuteren wat ze weet.'

'Denk je dat ze nog altijd iets verbergt?'

'Zeker weten! Zij leeft en werkt in een andere wereld waarvan we, net als bij Plato's grotgelijkenis, als het ware alleen maar de schaduwen op de muur zien. Ze weet een heleboel, maar ze is veel te intelligent om ons alles al te vertellen.'

'Kan ik u helpen?'

Patrick en Peter draaiden zich om bij het horen van de onbekende stem. Een jongeman stond achter hen. Hij was begin dertig, gekleed in een modieus en duidelijk duur driedelig pak, en er speelde een open, wereldwijs lachje om zijn mond. Hij had kort donker haar, een borstelkuif met veel gel, kraaienpootjes in zijn ooghoeken en zag eruit als een castingplaatje van een jonge dynamische toneelspeler.

'Ik ben Ash Modai. Neemt u mij niet kwalijk als ik mij zo brutaal aan u opdring, maar ik hoorde toevallig uw laatste woorden, over een andere wereld. Vandaar dat ik mij wilde aanbieden, om u hier een beetje bekend te maken.'

'Dat is heel aardig van u,' begon Peter. 'Monsieur...'

'Zegt u toch Ash.'

'... Ash. Heel aardig van u. Maar waarom denkt u dat wij het over dit symposium hadden?'

'Het is duidelijk dat u hier nog nooit geweest bent. Daar vergis ik me toch niet in, of wel?'

'Dat hangt ervan af wat u bedoelt,' bromde Patrick.

'U hoort hier niet omdat u niet in abracadabra gelooft, niet in kabbalistische letterspelletjes of in de ware Thora.' Ash etaleerde een samenzweerderig glimlachje en boog zich een beetje naar voren, alsof het om een bespreking op het voetbalveld ging. 'Omdat u geen respect hebt voor de eeuwige jood, de graaf van Saint Germain, omdat u net zomin in de profetieën van Nostradamus gelooft als in de tranen van de Zwarte Madonna. U hebt nog nooit van de Homunculus gehoord, en u kent de namen van de aartsengelen niet, evenmin als die van de vorsten van de demonenscharen. Hoogstwaarschijnlijk denkt u dat Paracelsus een arts was en Hugues de Payens een kruisridder. Klopt dat?'

Peter aarzelde en Patrick antwoordde voor hen beiden: 'Ja, dat klopt. Is dat een probleem?'

Ash begon te lachen. 'Welnee! Op dit symposium worden geen zieltjes gewonnen. Dat was van meet af aan de regel. Ieder van de hier aanwezigen heeft zijn eigen waarheid bij zich. En die eigen waarheid is natuurlijk, zo gaat het altijd, een voorwerp van afwijzing en verachting door anderen. Maar ons wederzijds respect zorgt ervoor dat wij op het symposium allemaal gelijk zijn.' Hij maakte een onschuldig gebaar. 'Alleen ben jezelf altijd gelijker dan de rest.' Hij lachte weer.

'En waar gelooft u in?'

'Dat mag ik u niet zeggen en het doet ook niets ter zake, monsieur...'

'Patrick Nevreux. En dit is mijn collega professor Peter Lavell.'

De gladde Ash hield even zijn adem in. 'Professor Lavell... Toch niet dé professor Lavell?'

'Mij is geen naamgenoot bekend,' zei Peter.

'Kennen jullie elkaar?' vroeg Patrick.

'Nee, niet persoonlijk. Maar uw "invloed" heeft in onze vijvers toch zeker kringen veroorzaakt. Sommigen van ons zijn daar beter van geworden, anderen minder.'

'En bij welke groep hoort u?' vroeg Peter.

'Ik koester geen persoonlijke wrok, professor,' zei Ash met een glimlach. 'Anderzijds, wat doen persoonlijke meningen ertoe als er zulke grote dingen op spel staan als het geloof of de zoektocht naar de waarheid?'

'Willen jullie nou eindelijk eens vertellen waar dit over gaat?' vroeg Patrick.

'Over mijn studies uit het verleden,' legde Peter uit, 'over mijn nieuwste boek en ten slotte ook voor mijn huidige lezingen. Ik heb veel onderzoek gedaan, veel gelezen en met veel mensen gesproken...'

'En veel geschreven,' merkte Ash op.

'En dat nemen ze je kwalijk?' vroeg Patrick.

'Ach, laten we die oude koeien lekker in de sloot laten.' Ash maakte een afwijzend gebaar. 'Staat u mij toe dat ik u een beetje rondleid, incognito.'

'Ach, waarom niet.'

'Prachtig. Loop gewoon onopvallend achter mij aan.'

Ash nam ze mee door enkele gangen en zijgangen, gedeeltelijk belegd met weinig aantrekkelijke maar slijtvaste vloerbedekking, andere met parket, nog weer andere met tegels. Het voor het symposium gereserveerde gedeelte van het gebouw was wijd vertakt en zo weinig homogeen ingericht dat je het gevoel kreeg ongemerkt door verscheidene aan elkaar grenzende gebouwen te lopen. Ze kwamen langs een paar zalen, waarvan de deuren openstonden en waarin duidelijk kleine exposities of losse gespreksrondes werden gehouden. Ash keek af en toe onopvallend naar links of rechts.

'Deze manifestatie, de Permutatio, vindt slechts zeer onregelmatig plaats, ongeveer om de tien jaar,' verklaarde hij. 'Zoals u zich wellicht kunt voorstellen en wij uit eigen ervaring weten, professor, bent u de verscheidene scholen van de mystiek niet bepaald gunstig gestemd. Enkelen zien zich als Essenen of bewakers van het oorspronkelijke christendom, anderen als satanisten of als leerlingen van Aleister Crowley, weer anderen zouden graag de Keltische druïden nieuw leven inblazen en met Beltane naakt in het bos dansen. Aangezien wij principieel van elkaar verschillen, haten en bestrijden wij elkaar. Is het u al eens opgevallen dat de fanatiekste en bloedigste oorlogen altijd uit naam van het geloof zijn gevoerd? Dat was bij de kruistochten niet anders dan nu in Noord-Ierland of in het Nabije en Midden-Oosten. Precies zo hebben Hitler en Stalin religieuze vervoering gebruikt om hun volk een oorlog in te sturen.'

Ash bleef toevallig naast een zuil staan en leunde daartegenaan.

'Wie onze geschiedenis ver genoeg terug volgt, stuit opvallend frequent op oorspronkelijke overeenkomsten. Enkele daarvan hebt u opgespoord, professor Lavell. Vaak waren die te vinden in de renaissance, vaak in de middeleeuwen, nog vaker in de vroeg-christelijke tijd en soms nog verder in het verleden. Het bleek dat er een begrensd aantal historische raadsels en vragen naar onze oorsprong bestaan, waarmee wij ons allemaal in gelijke mate bezighouden. Vandaar dat dit symposium wordt gehouden. Wij zetten onze verschillen overboord en wij wisselen uit, in alle onschuld en in alle wetenschappelijkheid, slechts op die gemeenschappelijke punten. Het idee daarvan is gekomen van de graaf van Saint Germain. Hij riep de eerste vergadering bijeen. Later heeft hij deze opgave doorgegeven en is steeds minder vaak gekomen. Als ik het goed heb, is hij er nu al voor de vierde keer niet bij.'

'Ik neem aan dat hij na meer dan honderdvijftig jaar eindelijk is gestorven,' zei Patrick met een cynische ondertoon. 'Of vergis ik mij?'

'Daar zou ik niet zo zeker van zijn. Hoe het ook zij, hij schijnt de honderdvijftig al ver gepasseerd te zijn.' Ash begon te lachen. 'Maar ik wil u niet te veel belasten. Terug naar mijn rondleiding: zoals u weet staat deze

Permutatio in het teken van de kabbala. Dat betekent echter niet dat hier geen andere dingen besproken worden.' Hij duidde met een hoofdknik op een belendende zaal. 'Ziet u die heer met die sigaar?'

In een groep van mensen viel een vrij gezette man op, die ondanks zijn hoge leeftijd een trotse, rechte houding had. Op zijn borst prijkten allerlei orden en onderscheidingen. Zijn sigaar behandelde hij met zuidelijke nonchalance.

'Dat is João-Fernandes de Sousa,' verklaarde Ash zachtjes. 'Hij is Portugees, en grootmeester van de Tempelorde. Hij kan de gehele charta van grootmeesters van zijn orde tot de stichting in Jeruzalem in 1118 oplepelen, en desgevraagd zal hij het ook nog historisch kunnen documenteren. En ziet u die dikke dame met wie hij praat? Dat is Ellen Blavatsky, een Amerikaanse, niemand weet hoe ze echt heet. Zij beweert de wedergeboren madame Blavatsky te zijn, die in 1875 de Theosofische Vereniging stichtte.'

Ash liep weer verder naar een andere zaal. Hier stonden glazen vitrines die stuk voor stuk door twee bewapende bewakers werden geflankeerd. In de vitrines lagen opengeslagen boeken of stukken perkament.

'Deze documenten komen overal vandaan, uit alle culturen. Ze zijn niet te koop, maar bedoeld om gesprekken op gang te brengen. Hebt u ooit zoiets gezien?' Ash ging met hen beiden langs de vitrines. 'Dit zijn de brieven van Paulus aan de Korintiërs en de Galaten, naast het omstreden Jakobusevangelie. Dit twee nog ongeopende Qumranrollen, en dit een bladzijde uit het beruchte *Necronomicon* van Abdul Alhazred. Daar ziet u de originele aantekeningen van Nostradamus, daar de versleutelde documenten die in Rennes-le-Château werden gevonden, en dat daarboven is het nog altijd niet ontraadselde Voynich-manuscript.'

'Ongelooflijk,' zei Peter. Hij zette zijn bril op en liep naar een vitrine. 'Het schijnt echt te zijn.'

'Natuurlijk zijn ze echt. Volgens de traditie heeft iedere genodigde de verplichting maar ook de innerlijke behoefte iets mee te nemen om met de anderen te delen. Daarbij worden kosten noch moeite gespaard. Wat mij als vanzelfsprekend op de kwestie brengt hoe u aan uw uitnodiging bent gekomen, messieurs.'

'Wij stonden op de gastenlijst,' antwoordde Patrick.

'Natuurlijk stond u op de gastenlijst. Iedereen hier staat op de gastenlijst, anders zou u nooit binnen gekomen zijn, en zou u gewoon aangenomen hebben dat dit een besloten gezelschap was dat de avond doorbracht met het reciteren van antieke lyriek.'

'Hoe het ook zij, wij hebben geen uitnodiging gekregen.'

'Neemt u mij niet kwalijk dat ik u tegenspreek, maar dat is niet waar, monsieur Nevreux. Zonder uitnodiging zou u nooit over deze bijeenkomst hebben gehoord. Ik ben heel benieuwd wat u ter uitwisseling hebt meegenomen.'

'Wij hebben inderdaad iets bij ons,' zei Peter, die zich van de vitrines had afgewend. Hij pakte de tekening van het cirkelsymbool uit de grot. 'Wij zijn op zoek naar een verklaring voor dit symbool.'

'De kring van Montségur!' riep Ash verrast uit, en heel even brak het gladde masker om plaats te maken voor een heftige, bijna woedende opwinding. 'U bent de kring op het spoor...' Hij kneep zijn ogen half toe. 'Waar hebt u dit gevonden?'

'Dat doet even niet ter zake,' zei Peter. 'Wij willen details over de tekens en zoeken iemand die ons daar meer over kan vertellen.'

Ash deed een stap achteruit. 'Steek dat alstublieft weer weg, monsieur le professeur!' zei hij dringend, met een blik op de nabije bewakers.

Peter deed onwillekeurig wat hem gezegd werd, maar keek de man eens goed aan. 'Wat is er aan de hand?'

'Met die tekening maakt u zich hier in een ommezien zo impopulair als maar mogelijk. Weliswaar bent u momenteel op neutraal terrein, maar die houdt meteen na de uitgang op. U moet heel voorzichtig zijn!'

'Zou u ons niet eens willen vertellen wat er gaande is?' vroeg Patrick.

'Bent u echt zo naïef als u doet voorkomen? Die kring is ouder en machtiger dan wij hier allemaal met onze gezamenlijke kennis. Niemand spreekt over die kring, want iedereen heeft er zijn eigen slechte ervaringen mee. En nu alstublieft een ander onderwerp!'

'Vreemd genoeg leek Renée Colladon het symbool helemaal niet te kennen.'

'Hebt u het háár laten zien?' Ash sloeg zijn ogen ten hemel. 'In drie duivelsnamen! Waarom hebt u het niet meteen aan de kerkdeur gespijkerd? U krijgt de honden van Tindalos achter u aan, professor!'

'Pardon?' vroeg Patrick.

'Dat is een literaire metafoor,' zei Peter. 'Lovecrafts visioen van de bloedhonden uit de hel die hun slachtoffers door tijd en ruimte tot in de eeuwigheid achtervolgen.'

Patrick wilde iets scherps zeggen, maar de mengeling van boosheid en angst die uit de ogen van Ash straalde weerhield hem. Misschien had hij ze niet allemaal op een rijtje, maar wat hij zei meende hij ongetwijfeld bloedserieus.

'Ik handel nu tegen de code van neutraliteit in,' vervolgde Ash. 'Maar dit kan ik u wel vertellen: Renée Colladon is onschuldig en naïef. Ze beweegt zich nog niet lang genoeg in deze kringen om te weten hoe de kaarten verdeeld zijn. Hier zijn grotere machten aan het werk dan Christian Rosenkreuz. Machten waar u zich geen voorstelling van kunt maken. Dit is van een heel andere orde van grootte. Ik kan u slechts aanraden u niet aan het spel te wagen. Als u lang genoeg in de afgrond kijkt, dan kijkt de afgrond terug!'

'En wat raadt u ons dan wel aan?' vroeg Peter.

'Geef mij die tekening en vertel mij waar u die vandaan hebt. Dan zal ik mij verder met de zaak bemoeien en bent u ervan af.'

Nu deed Peter een stap terug. 'Geen denken aan. Dat gebeurt pas als we een paar antwoorden hebben.'

'Ik waarschuw u, monsieur le professeur, u gaat aan tafel met de hand van Belial, dat moet u niet onderschatten!'

'De hand van Belial?' vroeg Patrick. 'Wat is dat nou weer?'

Ash' ogen spuwden vuur. 'Ik!' snauwde hij. 'Ik ben de Hand van Belial en jullie zullen er spijt van krijgen dat jullie meer inlichtingen eisten, dat zweer ik jullie!'

'Ik begrijp waarom u zich zo opwindt,' zei Peter met nadrukkelijke rust, 'maar u krijgt niets van ons.'

'Goed.' Ash' scheen zijn kalme superioriteit in een oogwenk te hervinden. Hij knikte en glimlachte beiden toe. 'Jammer dat het zo afloopt, messieurs. Ik moet afscheid van u nemen, nog een prettige avond.' Hij wachtte hun antwoord niet af, maar draaide zich om en verliet snel de zaal.

'Oeps,' zei Patrick na enkele ogenblikken stilte. 'Wat heeft die opeens?'

'Die kring van Montségur heeft hem duidelijk gechoqueerd. Maar wat was het eigenlijk? Angst? Of begeerte?'

'Hij leek mij niet het type dat zich snel laat intimideren, dus áls hij ergens bang voor is, dan moet hij daar een verdomd goede reden voor hebben. Eerlijk gezegd word ik daar een tikkeltje nerveus van...' Patrick stak een sigaret op. 'En als het begeerte was, dan niet minder... Fanatiekelingen die gaan dreigen kan ik missen als kiespijn.'

'Ik moet toegeven dat ik me er ook niet helemaal lekker bij voel. Zouden we ons per ongeluk in een wespennest hebben gestoken?'

'Dit symposium schijnt in elk geval geen goed idee te zijn geweest... Misschien is dit het goede moment om onopvallend te verdwijnen, voordat wij van mond tot mond gaan.'

‘Begrepen. “*Manners make the man*”, maar hier lijkt de stille trom toch de aangewezen methode te zijn.’

‘Jaren in Duitsland hebben je Britse karakter kennelijk niet kunnen aantasten.’ Patrick grijnsde.

‘Ik kan alleen hopen dat dat een compliment is,’ antwoordde Peter, en ze gingen op weg naar de uitgang.

8 mei, herenhuis bij Morges in Zwitserland

‘Wel, Jozef, wat vind jij?’ De man die had gesproken richtte zijn blik op de grote glazen pui die uitzicht bood op het Meer van Genève. Ook bij het helderste weer was de overkant van het meer niet te zien. Nu viel de schemering in, er vormden zich mistbanken boven het water, zodat het meer op een rivier ging lijken.

Zijn gesprekspartner keek ook naar buiten. Hij nam nog een slok wijn uit een kelkachtig glas, voordat hij antwoordde. ‘Je hebt gelijk, Steffen, de situatie wordt urgenter. De tijd dringt en we weten nog steeds niet of alles zich ten goede zal keren.’

‘Johanna raadt ons aan vertrouwen te hebben. De onderzoekers hebben een goede inborst, zijn niet vervuld van bijgeloof en machtshonger, twee eigenschappen die wij maar al te vaak hebben aangetroffen.’ De oudste heer streek over zijn baard. ‘Tegelijkertijd vallen ze naar mijn smaak veel te veel op.’

‘Misschien zouden we ze iets explicieter in de richting van een oplossing moeten helpen?’ opperde de jongere.

‘Maar ze moeten leren, Jozef. Wij moeten hun inzicht steeds weer op de proef stellen.’

‘Twee mannen staan aan de oever van een rivier, die ze willen oversteken. Een van de twee kijkt een poosje toe en komt dan tot de conclusie: “De stroming is te sterk.” De ander vraagt: “Hoe weet je dat?” en de eerste zegt: “Zie je die rollende keien in de rivierbedding?” en de ander begrijpt het. Is het inzicht van de tweede man minder waard omdat hij geholpen werd? Nee, dat is het niet. Inzicht is altijd evenveel waard, los van de vraag hoe het verkregen werd.’

‘Je hebt gelijk, Jozef. Maar toch zou ik nog even willen afwachten of zij alleen tot inzicht kunnen komen.’

‘Wat jij wilt is wijsheid, Steffen. En zoals wij al zo vaak hebben besproken: het is de wijsheid die jullie op de proef willen stellen. Wanneer informatie zelfstandig wordt gecombineerd en tot inzicht wordt, is het wijsheid, maar zonder voldoende informatie is zoiets onmogelijk. Als wij deze mensen eerlijk willen beoordelen, moeten we ze steeds dezelfde fundamenten aanreiken.'

De bebaarde man wendde zijn blik van het meer af en lachte. 'Jij zult ook altijd een humanist blijven! Maar ik verwacht meer van hen dan dat. Alle kennis is altijd aanwezig, en tegenwoordig zelfs toegankelijker dan ooit tevoren. Je moet die echter wel verwerven, je mag die niet voorkauwen.'

'Er is ook aanmerkelijk meer kennis dan ooit tevoren. Een deel ervan lekt weg in de steeds ondoordringbaarder nevel van de geschiedenis en de sluier van vergetelheid en verkeerde interpretatie die daarover is komen te liggen. Je moet toch toegeven dat het steeds moeilijker wordt alles te weten en dat waarheden steeds meer facetten krijgen.'

'Er is maar één waarheid.'

'Waarheid ligt in het oog van de toeschouwer, Steffen.'

'Nee, waarheid onderscheidt zich daardoor dat zij altijd geldig en enkelvoudig is.'

'Enkelvoudig? Wat was er eerst, de kip of het ei? Of beter nog, welke religie heeft het bij het rechte eind?'

De oude man schudde lachend zijn hoofd. 'Jozef, je dialectiek is als gewoonlijk waterdicht, ook al zijn het gewoon zakkenrollerstruukjes.'

'Heiligt het doel niet vele middelen? Als jullie toegeven dat het tegenwoordig niet veel makkelijker is de juiste conclusies te trekken dan honderden jaren geleden, en ik heb dat met zakkenrollerstruukjes bereikt, nou en?'

'Goed dan. Laten we aannemen dat het zo is: vertel me dan maar eens wat we zouden moeten doen.'

'Laten we ze nog een poosje steunen. Ze hebben bijna alle kaarten in handen en we zullen wel zien hoe ze die uitspelen. Natuurlijk kunnen we dat alleen wagen als we weten welk risico we lopen. In geval van twijfel moeten we grondig ingrijpen, om onze belangen voor de toekomst te beschermen.'

De oude man keek weer uit over het meer. 'Dat is een gok... maar misschien is dit er inderdaad het juiste moment voor.'

13

9 mei, Hôtel de la Grange, St.-Pierre-du-Bois

Didier Fauvel had hetgeen hij gehoord had gisteren de hele dag overwogen. Of liever gezegd, dat had hij willen doen, maar zijn gedachten waren steeds weer afgedwaald. Hij verwenste zichzelf en zijn ondoordachte jeugd. Als na al die jaren het verleden als een demon boven hem uit kon rijzen en hem kon bevelen, hoe kon hij er dan ooit tegen beschermd zijn? Hoe zou hij ooit nog rustig kunnen slapen zonder te hoeven vrezen de volgende dag in de gevangenis wakker te worden? Hoezeer wreekte zich al het kwaad op de lange duur, ongeacht hoe lang het schijnbaar ongestraft was gebleven? Had de duivel hem al die jaren alleen maar uitstel van executie verleend en was dit nu Gods gerechtigheid? Of juist andersom?

Hij had haar gezicht nooit vergeten. Als hij zijn ogen sloot en zijn gedachten de vrije loop liet, dook zij op uit het donker. Hij was gewend geraakt aan dat beeld en de cognac gaf hem de kracht en het geloof in zichzelf en in de veronderstelling dat geesten uit het verleden hem niets konden maken. Maar afgelopen nacht was ze er weer geweest, de hele tijd vlak bij hem, waarheen hij ook gekeken had. Haar onschuldig jong gezicht, met het neusje en de tere huid. Dat naar beneden gebogen mondhoekje, de wangen nat van de tranen, en haar rode ogen, die in ontzetting werden opengesperd toen zij zich realiseerde dat zij na haar vernedering en haar pijn ook nog eens moest sterven, haar mond, die zij opende in een stille kreet…

Meer dan eens de afgelopen nacht had hij moeten kotsen, tot hij niet meer kon en zijn maag steeds vergeefs samenkrampte. Met zijn ochtendjas aan, in de leren stoel van zijn werkkamer weggedoken, had hij lethargisch de dag zien aanbreken. Hij kon niets beginnen tegen het verleden. Helemaal niets zou wat dan ook kunnen veranderen. Ze leefde in hem, ze zou hem zijn leven lang blijven aanklagen. Hij kon alleen maar proberen te verhinderen dat ook nog andere omstandigheden zijn leven moeilijk zouden maken. En daarom moest hij zijn wereldlijke schuld aan diegenen afbetalen die hem daartoe opriepen. Het was het enige wat hij kon doen.

De burgemeester betrad het hotel en vroeg bij de receptie naar de onderzoekers. Hij hoorde dat ze behalve drie aparte kamers ook een suite hadden, die tot kantoor diende.

'Vraagt u even of ze er zijn,' zei hij tegen de dame bij de receptie. 'Ik wil ze graag onmiddellijk spreken.'

De vrouw keek op een monitor. 'Ze zijn niet aan het ontbijt verschenen. Moet ik u met een van de kamers verbinden, monsieur le maire?'

'Ja graag. Het liefst met de Fransman.'

De receptioniste reikte hem een hoorn aan. Kort daarop meldde zich een stem. 'Nevreux.'

'Goedemorgen, meneer Nevreux, met Fauvel. Ik moet u dringend spreken.'

'Mij alleen? Waar gaat het over?'

'U alle drie. Ik moet uw verdere werk bespreken.'

'Is er een probleem?'

'Ik sta in de foyer, ik kom naar u toe.'

'Nee, wij komen wel naar beneden. Wij zien elkaar in de Salon Vert.'

'Goed.' Hij hing op.

'Goedemorgen, monsieur le maire,' begroette Peter de burgemeester. 'Mag ik u voorstellen: Stefanie Krüger.'

Ze gaven elkaar een hand, de dikke man deed geen moeite vriendelijk te lachen. 'U zult voor het eind van de week moeten vertrekken.'

'Waarom?' vroeg Peter.

'Ik verwacht hoog politiek bezoek uit Parijs. Het hele hotel is geboekt.'

'Maar het is nu niet eens helemaal vol. Weet u zeker dat er geen plaats is voor de heren?'

'Denkt u dat ik daar niet aan gedacht had?' Fauvels gezichtsuitdrukking smoorde elke tegenspraak in de kiem.

'Kunt u een vervangend onderkomen regelen?' wilde Peter weten.

'Nee.'

'Zonder onderkomen en bureauruimte kunnen we ons onderzoek niet voortzetten.'

'Daar ben ik mij van bewust, monsieur le professeur. En eerlijk gezegd maakt dat ook niets uit. Monsieur Levasseur heeft de situatie volkomen onder controle.'

‘Wilt u daarmee zeggen dat u ons eruit gooit?’ vroeg Patrick.

‘Het kan me niet schelen hoe u het wilt noemen, monsieur Nevreux, als u maar voor het eind van de week uit het hotel bent.’

‘Dat is toch hondsbrutaal,’ liet Peter zich ontvallen, maar de burgemeester negeerde hem, draaide zich om en liep weg.

‘Wat een vieze vetzak,’ schold Patrick. ‘Ik weet zeker dat we dat te danken hebben aan die boswachter.’

‘Die maakte op mij eigenlijk niet de indruk alsof hij dergelijke drastische middelen wilde inzetten,’ wierp Stefanie tegen, ‘hij wilde er ten slotte slechts achter komen wat we hier doen.’

‘Ik geloof ook niet dat die boswachter er iets mee te maken heeft,’ zei Peter. ‘Maar waar die burgemeester nu precies last van heeft, is mij een raadsel… Ik vind dat we dringend met Elaine moeten overleggen.’

‘Laten we dan naar het kantoor gaan en bellen,’ zei Stefanie. ‘En daarna zal het jullie zeker interesseren wat ik gisteren heb ontdekt!’

‘Dat is goed,’ zei Patrick. ‘Ik heb toch al geen honger meer.’

‘Geen probleem, professor.’ De stem klonk net zo streng als hij zich de opdrachtgeefster in Genève herinnerde. ‘Ik zal voor alles zorgen. Ga gewoon door met uw werk. Uw voorlopige bericht gisteren was zeer veelbelovend. Ik hoop spoedig meer van u te horen.’ Daarmee werd het gesprek abrupt beëindigd.

Ze zaten aan hun conferentietafel en keken elkaar aan. Patrick had een sigaret opgestoken en Stefanie had hem zonder een woord te zeggen een asbak gegeven. Ondanks Fauvels optreden scheen zij een goed humeur te hebben.

‘En hoe was het in Cannes?’ vroeg ze ten slotte.

‘Afgaande op de duur van ons bezoek was het vooral heel veel inspanning,’ zei Peter. ‘Wij hebben Renée Colladon natuurlijk weer gezien en haar in haar gezicht gezegd dat haar vrijmetselaarsorde eigenlijk alleen maar wil verhullen dat zij in werkelijkheid de leer en de raadsels van de mystieke Rozenkruisers wil volgen. We hebben haar doen geloven dat wij mogelijk het graf van Christian Rosenkreuz hebben ontdekt, waarop zij meteen aanbood verdere vragen te beantwoorden. Maar helaas is het daar niet meer van gekomen.’

‘We kregen namelijk direct daarna een tamelijk onvriendelijk heerschap op ons dak,’ voegde Patrick eraan toe, ‘waarna wij er de voorkeur aan hebben gegeven ons zo snel mogelijk te verwijderen.’

'Echt?' vroeg Stefanie. 'Zijn jullie bedreigd?'

'Er liep een rare snuiter rond,' verklaarde Patrick, 'die tamelijk onbeschoft werd toen we hem het symbool met de cirkels toonden. Hij kende het, noemde het de kring van Montségur, en werd nogal fanatiek toen we hem niet wilden vertellen waar we het vandaan hadden. Hij was van een of andere rare sekte. Hand van het een of ander.'

'Belial,' zei Peter. 'Hand van Belial. Belial is een Hebreeuwse demon. In de middeleeuwen een van de vele pseudoniemen voor de duivel, Satan.'

'Ach, flauwekul,' reageerde Patrick. 'Ik zeg het je: fanatiekelingen.'

'Maar dat is toch meer dan niks,' zei Stefanie. 'We hebben nu een aanknopingspunt: kring van Montségur. Weten jullie wat dat betekent?'

'Ik heb er nog nooit van gehoord,' bekende Peter. 'Hoewel er in de Languedoc wel een burcht is die ook zo heet.'

'Hier in de buurt?'

'Nou ja, het zal niet zo heel ver van hier vandaan zijn, misschien honderd of honderdvijftig kilometer.'

'Hoe ken jij Zuid-Frankrijk zo goed?'

Peter schudde zijn hoofd. 'Dat is gewoon historische kennis. Montségur heeft in de middeleeuwen een belangrijke rol gespeeld. Het was de laatste vesting van de katharen en werd ingenomen tijdens de kruistocht tegen de Albigenzen.'

'Alle respect voor uw historische kennis, professor,' zei Patrick, 'maar kunt u ons de historie zo vertellen dat wij domme ingenieurs er ook iets van begrijpen?'

'Neem me niet kwalijk... natuurlijk. En nu ik er bij stilsta is het zelfs bijzonder zinvol...' Hij dacht even na. 'Ja, natuurlijk... wat een boel nieuwe perspectieven en samenhangen. Dit zou wel eens een goudader kunnen zijn...'

'Houd ons niet zo in spanning!' riep Stefanie.

'Nou goed dan.' Peter ging voor de tafel staan, alsof hij in een collegezaal op het podium plaatsnam. 'Verplaats je in de twaalfde en dertiende eeuw. De tijd van de kruistochten. Mensen verzamelen zich, trekken op tegen de Moren, de Saracenen, tegen Jeruzalem. De kruistochten zijn min of minder succesvol, steeds weer keren de kansen, landen komen in opstand. Niet alleen door die oorlogen, maar ook door intriges, voortdurend nieuw verdeelde machtsverhoudingen, politieke en religieuze verwarring en de mensen en groeperingen die uit alles munt willen slaan. Zo is de orde van de tempeliers aan zo'n groot kapitaal gekomen dat zij koningen geld kan lenen, en aan zo'n grote macht dat de kerk haar in toenemende mate begint te vrezen.

Het gebied van de Languedoc was destijds een vreemde streek. Het was modern, stond open naar de wereld, was welvarend en doordrenkt van liberaal gedachtegoed. Het was een mengeling van New York en Woodstock, zo je wilt.'

'Je gaat me toch niet vertellen dat je in Woodstock bent geweest?' zei Patrick lachend.

'Hoe bedoel je?'

'Niks, grapje. Ga verder.'

Peter vervolgde: 'De Languedoc was steenrijk: Toulouse was de op twee na rijkste stad van Europa en zeer progressief, zowel economisch, technisch als geesteswetenschappelijk. Het was ook een goede voedingsbodem voor nieuw gedachtegoed. Verscheidene hageprekers, sekten en geloofsgemeenschappen vestigden zich hier. Een bijzonder invloedrijke geloofsbeweging werd gevormd door de katharen. Zij hadden eigen instellingen en ideeën die de roomse kerk recht tegen de haren in streken, om zo te zeggen, maar toch kregen zij steeds meer invloed. Vermoed wordt dat ze werden gesteund door de tempeliers. Ten slotte waren hele steden praktisch in handen van de katharen. Albi was er daar een van, vandaar dat zij ook wel Albigenzen worden genoemd, hoewel de verschillen tussen de diverse groeperingen vaag zijn.'

'En de kruistocht tegen de Albigenzen?'

'Hun gedachtegoed en hun invloed vormden een bedreiging voor de integriteit van Frankrijk en de kerk. Dat is te zeggen, in de ogen van de overheid. Het was slechts een kwestie van tijd tot de kerk een aanleiding zou vinden. Paus Innocentius III riep ten slotte op tot een kruistocht tegen de Albigenzen en wilde ze helemaal laten uitroeien. Die genocide was gruwelijk, rigoureus en fanatiek. Later werd verteld dat de grootste verdienste van de inquisitie de vernietiging van de katharen was geweest. In 1209 werd de hele stad Béziers met de grond gelijkgemaakt, meer dan twintigduizend vrouwen, mannen en kinderen werden zonder pardon vermoord, onder het beruchte motto: "Dood allen, God zal de zijnen wel herkennen".' Hij wachtte even en haalde diep adem voordat hij verder ging. 'In het hele land werden katharen vervolgd en vermoord. De burcht van Montségur was hun laatste belangrijke bolwerk. Een groot aantal *parfaits*, zo heetten de aanvoerders van de katharen, verschanste zich daar, samen met hun geloofsgenoten. Montségur lag boven op een berg en werd als onneembaar beschouwd. De burcht werd een halfjaar lang belegerd, tot de ruim tweehonderd mannen, vrouwen en kinderen zich overgaven en gezamenlijk aan de voet van de burcht werden verbrand. Dat was in 1244.'

Er volgde een stilte.

'Halverwege de dertiende eeuw,' dacht Patrick hardop, 'nieuw gedachtegoed, nieuwe wetenschappelijke, filosofische en religieuze inzichten en een grot vol tekens...'

'Ja,' zei Peter, 'je zou je goed kunnen voorstellen dat de katharen de grot hebben aangelegd, daar iets hebben opgeborgen omdat het daar veilig kon worden achtergelaten ...'

'Ja,' voegde Stefanie eraan toe, 'en dat was in de zomer van 1239.'

Peter en Patrick keken haar verbaasd aan.

'Ik heb de uitkomst van de berekening gekregen,' verduidelijkte zij. 'Op 13 juni 1239 was er een totale zonsverduistering in de Languedoc te zien. Dat zou dus de datum kunnen zijn waarmee de symbolen op de grotvloer zijn versleuteld.'

'Geweldig' zei Peter. 'Zou alles dan toch nog samenvallen?'

'Dus 03061239 is de datum?' vroeg Patrick. 'Heb je het al geprobeerd?'

'Nee, ik heb die e-mail net gekregen, vlak voor we naar beneden gingen.'

'Kom op dan, naar de computer!'

Ze zetten de computer aan, startten programma's op en voerden de gegevens in. Ondertussen zat Peter naast hen op een stoel en keek geboeid toe hoe de getallenreeksen veranderden, afgemaakt werden, verdwenen, weer opdoken, en vervolgens langzaam in stukken tekst veranderden. De situatie scheen een bijna volmaakte metafoor voor hun eigen toestand en de menselijke geest in het algemeen. Alle informatie was aanwezig, ze moest alleen gecombineerd worden. Soms ontbrak een kleine sluitsteen, een naam, een getal, waarna uit het zwarte vlak dan langzaam maar zeker een patroon tevoorschijn kwam: de oplossing, het inzicht.

'Het is Latijn!' riep Stefanie.

Op het beeldscherm waren lettercombinaties te zien die steeds geleidelijk aan werden aangevuld en hele woorden vormden. Ten slotte was het computerprogramma klaar met zijn taak en liet een tekst op het beeldscherm zien:

haecsuntscientiaearchiaqueaepatentilli
squisuntcustodesmysteriorumhicestregi
ussanguisquemintelleguntilliquisuntsa
xidubitatoreshaecestvisquamundisuntcr
eatihocestpericulumquomundisuntdeleti

Ze keken zwijgend naar het beeldscherm. Geen van hen kon al bevatten of uit de symbolen en hun rekenspelletje daadwerkelijk een zinvol lijkende reeks letters gedestilleerd was.

'Zou je dat kunnen vertalen, Stefanie?' vroeg Peter ten slotte.

'Het is heel raar. Er staat:

"Haec sunt scientiae archia quae patent illis, qui sunt custodes mysteriorum hic est regius sanguis, quem intellegunt illi, qui sunt saxi dubitatores haec est vis, que mundi sunt creati hoc est periculum, quo mundi sunt deleti.

Dit is het archief van het weten, toegankelijk voor degenen die de mysteriën behoeden. Dit is het koninklijk bloed, dat bevattelijk is voor diegenen die twijfelaars aan rotsen zijn. Dit is de kracht waardoor werelden worden geschapen. Dit is het gevaar waardoor werelden ten onder gaan."'

'Archief van het weten,' herhaalde Patrick, 'waar heb ik dat eerder gehoord... Grot van de kennis, Lutherarchief...'

'Inderdaad,' zei Peter, 'ons vermoeden lijkt dus te kloppen. Hier werd kennis gearchiveerd. En hoe noemde de boswachter die berg ook alweer? Vue d'Archiviste, archivarisblik. Ongelooflijk, hoe dat woord de eeuwen heeft overleefd. Zou hier het archief van de katharen liggen?'

'Maar hoe komen we erin?' vroeg Patrick. 'We moeten door die passage.'

'Toegankelijk voor degenen die de mysteriën behoeden...' las Peter. 'Dat is natuurlijk geen erg behulpzame hint. Als we het mysterie zouden kennen, wisten we natuurlijk hoe we erin moesten komen. Het is net zoiets als: "Te openen voor hem die de sleutel heeft." Maar waar of wat is de sleutel...'

'Misschien is het anders bedoeld,' zei Stefanie. 'Misschien heeft het niets te maken met het mysterie van deze grot, maar slaat het in het algemeen op personen die geheimen bewaren.'

'Maar wie bewaart er geheimen?' vroeg Patrick zich af. 'Alchemisten? Ingewijden in de godsdienst van de katharen? Priesters? En is het dan voldoende om priester te zijn om er zonder kleerscheuren doorheen te komen? Het zou toch echt te gevaarlijk zijn dat uit te proberen! Dus ik weet het niet...'

'Koninklijk bloed,' onderbrak Peter hem. 'Wat associeer je daarmee? "Dit is het koninklijk bloed..." Dat kan toch ook alleen maar zinnebeeldig bedoeld zijn, of vergis ik mij?'

'Nee,' zei Patrick. 'Wellicht is het iets waarvoor een koning zelf een bloedige dood is gestorven. Iets waarvoor hij zijn leven heeft gegeven.'

'Of iets wat werd afgedwongen als er een koning werd gedood,' zei Peter. 'Bloedgeld.'

'Zo dramatisch?' Patrick dacht na. 'Er kan ook gewoon een erfenis mee bedoeld worden.'

'Een erfenis?'

'Jazeker, zoals koninklijk bloed door de generaties heen erfgenamen bepaalt, zo kan dit hier het erfgoed van een koning betreffen. Zijn ware nalatenschap die als zo belangrijk werd beschouwd dat ze met zijn eigen bloed werd vergeleken.'

'Dat zou best eens kunnen,' zei Peter. 'Een revolutionaire nalatenschap, iets wat alleen hij begrijpt die het waagt om "de rots te betwijfelen". En de rots kan daarbij als symbool voor iets gevestigds, iets onbeweeglijks gelden...' Plotseling klaarde zijn blik op. 'Weten jullie wat mij daarbij spontaan te binnen schiet? Petrus.'

'Petrus? Welke Petrus?' vroeg Patrick.

'Dé Petrus, die uit de Bijbel. Die heette eigenlijk Simon, maar Jezus noemde hem Pétros, Grieks voor rots, en zei dat hij de rots zou zijn waarop Zijn Kerk zou worden gebouwd... en wat was in de dertiende eeuw meer verstard dan de roomse kerk en het christelijke geloof?'

'Je bedoelt, met "rots" kan ook de kerk bedoeld zijn?'

'Ja, waarom niet,' antwoordde Peter.

'Dan kan het ook betekenen: "Hier ligt een koninklijke nalatenschap verborgen, die slechts diegenen begrijpen die niet de leer van de kerk volgen".' Patrick stak weer een sigaret op. 'En hoe ging het verder, Peter? Jij zei dat de katharen inderdaad inzichten hadden die niet bij de kerk pasten?'

'Ja, precies.' Patrick knikte. 'Het woord "ketter" is ook afgeleid van kathaar. De katharen hingen een sterk binair wereldbeeld aan, goed en kwaad, geest en stof. Ze geloofden dat niet God maar de duivel de wereld had geschapen. Dat het kwaad ervoor verantwoordelijk is dat alles aan de materie is gebonden, en dus onvrij. Dat ieder mens een goddelijk wezen in zich draagt, dat echter in de wereld gevangen zit. Ze weigerden mee te doen aan de aanbidding van het kruis en de heilige sacramenten, omdat die in hun ogen wereldlijk, materieel en dus satanisch waren. Ook de doop met water wezen ze af, ze voerden de doop uit door handoplegging, want Johannes de Doper zou over Jezus hebben gezegd: "Ik heb u met water gedoopt, Hij echter zal u met de Heilige Geest dopen."'

'Dat past prachtig bij elkaar. Dan hebben de katharen hier een erfgoed voor hun gelijken gedeponeerd.'

'En wat kun je uit de twee laatste zinnen afleiden?' vroeg Stefanie.

'Moeilijk te zeggen,' gaf Peter toe. 'Van welke macht kan sprake zijn, die werelden schiep of werelden vernietigde?'

'Je zei net dat de katharen van mening waren dat de schepping het werk van de duivel was,' meldde Patrick zich weer. 'Anderzijds zou verwoesting, verlossing van materie, dus iets goddelijks moeten zijn. Dan zou ik de tekst zo vertalen:

> Dit zijn de archieven van de katharen, voor hen toegankelijk die de geheimen kennen. Dit is hun koninklijke erfgoed, voor hen begrijpelijk die de kerk weerspreken.
> Dit is de kracht van de duivel.
> Dit is het gevaar van God."

En zet daar maar onder: "Vrij naar Nevreux."'

'Ik weet dat nog zonet niet,' zei Peter en hij schudde zijn hoofd. 'Een duivelse macht? God een gevaar?'

'Nee,' stemde Stefanie in, 'dat kan ik ook niet geloven… Hoe goed ken jij de katharen en het verhaal van Montségur, Peter?'

'Oppervlakkig. Ik weet slechts wat ik een paar jaar geleden door onderzoek te weten kwam. Goed mogelijk dat ik op het een of ander niet goed gelet heb. Ik zal dat nu in elk geval goedmaken. Er kunnen nog meer samenhangen zijn.' Peter stond weer op en keek naar de aanwezige boeken of er toevallig geschikte naslagwerken bij stonden. 'Wellicht is er ook nog iets over het verband tussen katharen en tempeliers te vinden.'

'Maar hoe kom je dan nu op de tempeliers? Je bedoelt de tempelorde?'

'Ja, die. De tempeliers zijn later door de inquisitie vervolgd en beschuldigd van ketterij. Zij werden verdacht van ongodsdienstige praktijken en van afgoderij. Naar verluidt vereerden zij Baphomet, een duivelsgedaante. Er waren ook geruchten dat zij de katharen gesteund hebben. Ik kan het niet verklaren, maar ik heb zo'n gevoel dat daar een verband ligt en wellicht heeft onze grot daarmee te maken...'

'Wie weet,' zei Patrick. 'Maar probeer dan ook eens het begrip kring van Montségur te onderzoeken. Die vent in Cannes kende het. Kun je dat nazoeken op het net?'

'Waar?'

'Zou je dat op internet willen nazoeken?'

'Tja, weet je...' begon Peter en hij wilde net zijn mening over internet gaan ventileren toen hij besloot het anders aan te pakken. 'Waarom ook niet. Ik heb geen flauw idee hoe het werkt, maar misschien moeten jullie maar eens laten zien hoe je dat doet.'

'Geen punt,' zei Stefanie. 'Ik help je graag.'

'Dat kan ik ook wel,' bemoeide Patrick zich met een chagrijnige blik op de onderzoekster.

'Dat is werkelijk heel aardig.' Peter lachte. 'Zoveel behulpzaamheid! Ik zou echter de voorkeur geven een vrouwelijke ondersteuning. *Ladies first*. Ik hoop dat je me dat niet kwalijk neemt, Patrick?'

'Dit is echt zuiver beroepsmatig,' voegde Stefanie er ter geruststelling aan toe en lachte plagerig naar de Fransman.

'Heel leuk,' bromde Patrick en hij wendde zich af.

'Heb je echt nog helemaal geen ervaring met internet?' vroeg Stefanie, terwijl zij met Peter voor de computer ging zitten.

'Ik kan een zekere argwaan niet verhelen.'

'Nou, eens kijken of ik je iets kan leren. Geloof me, het is doodsimpel. En maak je geen zorgen: je kunt internet niet per ongeluk kapotmaken...'

'Ik wil jullie niet storen in jullie onderonsje,' riep Patrick opeens aan de andere kant van de kamer, 'maar dit zouden jullie toch wel even moeten bekijken.' Hij wuifde met een papier. 'Een fax. Van onze mysterieuze St.G.:

"Zeer gewaardeerde onderzoekers,
Uw onderzoekingen werpen al vruchten af. U hebt het teken van Montségur en het archief van het weten gevonden. En u hebt nog meer gevonden. Iets waarop u niet lette en iets wat u niet zocht. Nu

gaat het om een waardeoordeel, om scheiding en samenvoeging.
Al het weten is aanwezig. Het moet samengevoegd en op de juiste manier gecombineerd worden. Hij die een geheim opschrijft alvorens het tegen onwetenden te beschermen is waanzinnig. Daarom is er als sleutel misschien een of andere verwijzing nodig.
Pas op de heilige graal en de cirkel die in mijn eerste brief werden beschreven. Voeg die samen. U hebt niet veel tijd meer.
In vertrouwen, St. G."'

'Heel vreemd,' zei Peter na een poosje.

'Hij weet precies wat hier gebeurt.' Patrick was verbijsterd.

'Hoezo "hij"?' vroeg Stefanie. 'Het zou net zo goed door een vrouw geschreven kunnen zijn.'

'Ja, natuurlijk,' gaf Patrick toe. 'Maar vind je het niet buitengewoon merkwaardig dat deze persoon zo goed op de hoogte is van ons onderzoek?'

'Tja, afgaande op wat je me van Cannes hebt verteld, zou het daar inmiddels bekend moeten zijn dat we dat teken hebben gevonden.'

'Maar hier is sprake van het "archief van het weten", een betekenis die we nog maar net ontraadseld hebben.'

'Dat is wel zo,' zei Stefanie, 'maar wellicht weten andere mensen veel meer over die kring van Montségur dan wij. Die hoefden wellicht niet eerst middeleeuwse inscripties te ontraadselen om te weten dat dat symbool en het archief bij elkaar horen.'

'En is jullie de aanhef opgevallen? "Onderzoekers" worden wij genoemd. In de eerste brief stond nog "heren". Alsof ze weten dat we nu ook een vrouw in het team hebben.'

'Ik geloof dat de tekst te veel lading wordt toegedicht,' zei Peter. 'Hoe kan iemand dat weten?'

'Misschien op dezelfde wijze als waarop iemand ons faxnummer heeft achterhaald, wat denk je?'

'Ik weet het niet...' zei Peter. 'Wat ik veel interessanter vind is de stijl. Eenvoudig en toegankelijk, wat je van de eerste brief niet bepaald kunt zeggen. Bovendien staat hier dat we naar de eerste brief moeten kijken, want daar staat een cirkel in beschreven. En dat zou dan een "verwijzing" zijn, zoals ik het hier lees. Zou het kunnen zijn dat in de eerste brief een boodschap verstopt zat? Hij was er merkwaardig genoeg voor.'

'Hm... zou kunnen,' gaf Patrick toe. 'Ik moet die brief nog eens bekijken. Misschien valt me iets op. En trouwens…' Hij las de tekst opnieuw. 'De "heilige graal"… wat wordt daarmee bedoeld? Zijn we nu bij Alice in Wonderland?'

'De heilige graal heeft niets met Alice in Wonderland te maken,' corrigeerde Peter met een kritische blik.

'Ja, zoveel weet ik ook wel, professor. Maar het heeft minstens net zoveel met geschiedenis te maken.'

'Ik dacht dat jij het niet altijd zo serieus nam,' wierp Peter tegen. 'Was jij niet eens op zoek naar Eldorado?'

'Eldorado heeft bestaan! Maar de "heilige graal" is iets voor Indiana Jones.'

'Wie weet…'

'Of denk jij er anders over? Heb je al weer een geschiedeniscollege klaar?'

'Doe toch niet zo lomp,' probeerde Stefanie te sussen.

'Laat maar,' zei Peter. 'Hij heeft gelijk. Het is natuurlijk de stof waaruit legenden bestaan… Anderzijds zijn er een heleboel interessante historische of minstens pseudohistorische aanwijzingen. En als ik erover nadenk… Ja! Er is een bepaald verband en nu we erop zijn gestuit worden we uitdrukkelijk uitgedaagd het uit te zoeken.'

'Wat bedoel je? Wat voor verband?'

'De "heilige graal" is een deel van de Arthurlegende, zoals je wellicht weet. Maar wisten jullie ook dat die van Franse oorsprong is? Wolfram von Eschenbach schreef in zijn *Parzival* dat de "heilige graal" op de afgelegen burcht Munsalvaesche werd bewaard. Dat is niets dan een andere naam voor de burcht van Montségur.'

'Peter, je blijft ons verrassen.'

'Dank je.'

De telefoon ging. Peter keek de anderen eventjes besluiteloos aan. Ze schokschouderden en ten slotte nam hij op.

'Lavell.'

'Elaine de Rosney. Goedemorgen, professor.'

'Goedemorgen…'

'Ik bel even om u mee te delen dat u uw werk zonder enig bezwaar kunt voortzetten. Ik heb ervoor gezorgd dat burgemeester Fauvel u niet uit het hotel kan zetten.'

'Ach, dat is heel aardig. Maar hoe…'

'Als er nog meer moeilijkheden rijzen, wilt u dan zo vriendelijk zijn u meteen met mij in verbinding te stellen.'

'Ja natuurlijk, wij...'

'Ik wens u nog veel succes. Tot spoedig.'

Een klik en het gesprek was ten einde.

'Een praatgrage dame,' constateerde Peter.

'Elaine?'

'Ja, ze heeft geregeld dat monsieur Fauvel ons er niet uit kan gooien. Maar we moeten ons melden wanneer er weer problemen zijn.'

'O. Nou, dan...' Patrick schokschouderde. 'Gaan jullie het net op? Dan zal ik mij ondertussen bezighouden met die eerste komische fax. Het móét mogelijk zijn vast te stellen wie de afzender is. Ik heb een idee...'

14

9 mei, Rue des Anges, Parijs

Hij had niet anders verwacht. Toen ze met de verduisterde limousine voorreden, stond er al een groep journalisten. Voordat hij uitstapte, greep Jean-Baptiste Laroche in de binnenzak van zijn jas, haalde er een leren etui uit en klapte dat open. Daarin lag, zorgvuldig in het midden gevouwen, een enkel blaadje. Er stond niet veel tekst op. Op de linkerkant stond:

Dagobertus in te
rex es
si exsurrexeris,
te sequentur
et magnum imperium delebis.

Het waren de woorden die de herder in zijn verstandsverbijstering had geprofeteerd. De vertaling luide:

Dagobert is in u,
gij zijt koning.
Als gij u verheft,
zal men u volgen
en gij vernietigt een groot rijk.

Tevreden lachte hij in zichzelf. Alleen al hiervoor was het de moeite waard geweest de Languedoc jarenlang in de gaten te houden, op zoek naar merkwaardige voorvallen. Slechts een lokaal blad had over een zogenaamd ongeluk van een herder bericht, maar Laroche had dat nagetrokken en hem opgezocht om te zien of het waar was. Hij begreep weliswaar niet hoe, maar de herder scheen toegang tot hoger weten te hebben verkregen, en zoals Frankrijk zich achter Jeanne d'Arc had geschaard, zou het zich nu ook weer achter een nieuwe koning scharen.

Toen hij ten slotte uit de wagen glipte werd hij weliswaar niet door donder en bliksem ontvangen, maar een golf van vragen spoelde over hem heen, als gelukwensen voor een profvoetballer na een gewonnen kampioenschap. Natuurlijk was hij niet van plan ook maar één vraag te beantwoorden, maar hij genoot van de aandacht en deed zijn best de belangstelling van de verslaggevers aan zich te binden.

'Wat is de reden voor deze ontmoeting?'

'Gaat u coalitiegesprekken voeren?'

'Wat is uw persoonlijke betrekking met president Michaut?'

Hij bleef bij de auto staan en keek glimlachend rond. Toen haalde hij diep adem en gaf met zijn mimiek de indruk alsof hij nu een uitvoerige verklaring ging afleggen. Hij bereikte daarmee dat de vragen wegebden en de journalisten hem vol verwachting aanstaarden.

'Ik dank u zeer voor uw vragen, mijn perswoordvoerder is gaarne bereid u nadere inlichtingen te verschaffen. Neemt u mij niet kwalijk.'

Hij drong door de menigte, door een gang die zijn secretaris al had geprobeerd te scheppen. Er waren nu enige wanklanken in de menigte te horen, maar Jean-Baptiste negeerde ze en betrad de foyer van het gebouw, waarvoor de sensatiebeluste meute door twee bewakers op afstand werd gehouden.

'Weet u zeker dat u mijn hulp niet nodig hebt?' vroeg de secretaris.

'Nee, dank je wel. Ik denk niet dat het gesprek langer dan een uur zal duren. Mocht dat wel zo zijn, kom dan naar boven om me te bevrijden.'

Ze gingen naar de receptie en Jean-Baptiste Laroche werd even later door de veiligheidssluis binnengelaten. Hij werd naar de ontvangkamer van de president op de eerste verdieping begeleid.

'Het duurt nog even,' zei de secretaresse. 'Gaat u zitten. Wilt u iets drinken?'

Hij keek om zich heen en ging in de leren fauteuil zitten. 'Ja graag,' antwoordde hij. 'Een glas champagne.'

De dame keek hem heel even met grote ogen aan, maar had meteen haar zelfbeheersing weer terug. Ze voerde een kort gesprekje over de telefoon en wijdde zich toen weer aan haar werk.

Hij kon niet zeggen wat hem nu eigenlijk bezielde, eigenlijk had hij helemaal geen zin in champagne, maar hij had plotseling zijn zalige gevoel op deze wijze tot uitdrukking willen laten komen. Hij kon ook eigenlijk niet precies zeggen waarom hij zich zo goed voelde. Hij had geen agenda voor deze ontmoeting gekregen, maar hij vermoedde wel waarom Michaut hem wilde spreken. Hij kon alleen niet bevatten waarom die man zich zo blootgaf.

Een jongedame kwam binnen met een glas champagne op een blad. Laroche nam het aan, nipte eraan en liet het toen staan. Het beviel hem niet dat Michaut hem liet wachten, maar hij kon zich goed voorstellen dat de president de laatste tijd zijn handen vol had. Zijn tegenstander lachte zuinigjes. Deze gedachte vrolijkte hem weer op.

Plotseling ging er een deur open en president Michaut liep met uitgestoken hand op Laroche af.

'Ik ben blij dat u kon komen, komt u binnen.' Hij ging zijn rivaal voor naar het kantoor, sloot de deur en ging aan zijn bureau zitten.

'Ik hoop dat de pers u niet te zeer heeft lastiggevallen,' zei de president met een gebaar naar het raam. 'Wij hebben ons best gedaan dit treffen niet aan de grote klok te hangen. Maar u weet hoe dat gaat...'

'Het is geen probleem, monsieur Michaut.' Opzettelijk vermeed hij de aanspreektitel. 'Hebt u nog iets bekend laten maken dat ik moest weten?'

'Zoals de reden van deze ontmoeting?'

'Bijvoorbeeld.'

'Nee. Hebt u de journalisten beneden iets verteld?'

'Nee.'

'Goed.'

Er viel een ogenblik stilte. Laroche bekeek het gezicht van de president. Hij zag er oud uit. Hij was een belangrijk man in het land, met veel bevoegdheden. Maar in zijn ogen stond nu het inzicht te lezen dat zijn hele positie uiteindelijk berustte op netwerken en contacten. En langzaam werd de grond onder zijn voeten te heet, weken de beschermende wanden, werden helpende handen weggetrokken. Michaut zat in vrije val en dat wist hij. Hij wist alleen niet waarom. Nu had hij zijn tegenspeler uitgenodigd om te praten. Waarschijnlijk zat hij zich al dagenlang af te vragen of zijn rivaal, die hij tot nog toe nooit serieus had hoeven nemen, zijn laatste hoop of zijn aartsvijand was geworden.

'De reden dat ik u heb uitgenodigd...' begon de president.

Hij valt met de deur in huis, petje af! Dat had Laroche niet verwacht.

'... is een persoonlijke. Het valt mij niet gemakkelijk eerlijk te zijn en ik moet op uw discretie kunnen rekenen.'

'U hebt al op die vertrouwelijkheid gewezen bij uw uitnodiging,' antwoordde Laroche. 'Maar we zitten wel in uw kantoor. Hoe vertrouwelijk kan een gesprek dan zijn?'

'Ik verzeker u dat deze ruimte niet wordt bewaakt of afgeluisterd.'

'Goed...' Laroche aarzelde. Wat wilde Michaut van hem?

'Kan ik openhartig zijn?'

'Stelt u eerst uw vraag maar.'

'U hebt gelijk. U kunt altijd nog zien of u wel wilt antwoorden.' President Michaut leunde achterover, trok een la open, haalde een sigaret uit een pakje en stak die op. Met een gebaar schoof hij het pakje in de richting van zijn gesprekspartner, maar die bedankte. De schijnbare zelfgenoegzaamheid waarmee de president rookte, stuitte de jonge politicus tegen de borst, maar misschien was het een teken van nervositeit.

'Weet u,' zei Michaut, 'het verbazende is dat wij elkaar weliswaar als politici kennen, maar hoewel we allebei in zo'n kleine vijver vissen dat we bijna zouden kunnen samenwerken, weten wij van elkaar in feite niet veel meer dan iedereen van televisie weet, vindt u ook niet? Goed, ik heb zeker wat meer gegevens over u dan onze journalisten en u hebt vast ook de nodige dossiers over mij. Maar serieus, ik ken u niet half zo goed als ik graag zou willen.'

'En uw vraag?'

'Ik vraag mij af – en dat meen ik heel serieus – welk doel u met uw partij nastreeft. Begrijpt u mij niet verkeerd, ik duid hier niet op uw campagnes en waar u openlijk voor staat. U neemt een standpunt in, u staat voor het patriottistische zelfbewustzijn van Frankrijk.' Hij maakte een handbeweging. 'Dat is allemaal heel spannend, al was maar omdat het een compleet tegenovergesteld programma is, en het is binnen bepaalde grenzen zelfs goed voor mijn politiek. Maar wat mij interesseert, is uw achtergrond. Wat denkt u echt, wat is uw belang achter die stellingname van u?'

Laroche aarzelde. Michaut was moeilijk in te schatten en niet dom. Dat was een van de redenen waarom hij zoveel succes had. Wilde hij echt het antwoord weten?

'Wat verwacht u van mij?' vroeg hij. 'Dat ik mij blootgeef?'

De president maakte een afwerend gebaar. 'Geenszins. Maar u moet dit begrijpen: ik weet wat uw nastreeft en ik zie dat u daar in toenemende mate succes mee hebt. Zoals ik daarnet al zei, ken ik u veel te weinig, maar ik durf te beweren dat u niet slechts een politieke richting vertegenwoordigt. Ik heb het gevoel dat u iets anders nastreeft, iets wat boven normale partijbelangen uitstijgt. En dat zou ik graag beter begrijpen.'

'Waarom denkt u dat u het zou begrijpen?'

'Dus ik heb gelijk?'

'Ik heb niets bevestigd, ik heb u alleen niet tegengesproken.'

'Vertel me dan eens wat u in u hebt.'

'Met alle respect, monsieur Michaut, nu u mij vraagt om zo open te zijn, mag ik toch zeker wel weten wat u met dit verhoor op het oog hebt? Wilt u mijn doen en laten bestuderen? Volgt u de raad van onze voorouders op en wilt u de vijand beter leren kennen dan uw vriend? Of wilt u zich zelfs met die tegenstander verbinden, omdat u hem niet kunt overwinnen?'

'Vanwaar deze vijandigheid? We zijn hier toch niet op het slagveld?'

'O, nee?'

'Nou vraag ik u, monsieur Laroche!' De president lachte. 'Wij kunnen ons voor de buitenwacht wel als kemphanen opstellen, op menselijk vlak kunnen wij elkaar toch gewoon respecteren?'

'En daarmee wilt u bereiken dat ik mijn politieke motivatie verklaar?'

'Niet uw politieke, uw menselijke. Kijk naar mij. Ik heb rijke ouders, ik ben in het buitenland opgegroeid en opgeleid en ik heb andere landen en culturen leren kennen. Het heeft mij steeds weer pijn gedaan als ik ze moest verlaten. De wereld was voor mij groter en spannender dan Frankrijk alleen. Sinds die tijd is een verenigd Europa voor mij een bijna heilig visioen. Weg met de grenzen tussen landen en culturen, samen werken, van elkaar leren. Mijn politieke werk berust deels op geheel persoonlijke dromen en wensen. Ook als een werkelijk verenigd Europa tijdens mijn ambtsperiode niet te realiseren is, wijzen alle details van mijn politiek in de richting van mijn belangen. En in dat licht wordt wellicht veel begrijpelijk. Zelfs als iemand het niet eens is met mijn politiek, kan hij mij desondanks respecteren als iemand die een doel voor ogen had en dat ook consequent en min of meer met succes heeft nagestreefd.'

Laroche luisterde zwijgend.

'Uw partij,' vervolgde Michaut, 'de PNF, ziet in de idee van een verenigd Europa een bedreiging. U bent absoluut niet achterlijk, maar u lijkt achterwaarts gericht. Hoe komt dat?'

'"Achterwaarts gericht" is een goede uitdrukking...' Laroche keek naar het plafond. 'Wat mij drijft interesseert u dus...' Hij stond op en steunde met zijn handen op het bureaublad. 'Goed. Dan zal ik u vertellen van mijn Frankrijk. En laat uw blik daarbij achterwaarts gericht zijn.' Hij liep om het bureau heen. 'U, mijn waarde monsieur Michaut, zou Europa graag één maken, zou willen profiteren van de macht van Europa, om u te kunnen opstellen tegenover de wereldmachten en goed uit te komen op de wereldmarkten. "Eenheid maakt macht", is uw motto, maar u gaat voorbij aan het feit dat u eigentijdse gevoeligheden met voeten treedt. Waarom anders zijn er steeds weer spanningen in de Balkan, in de voormalige Sovjet-Unie of in het Nabije Oosten? Niet omdat de mensen zich willen verenigen, integendeel, omdat ze bang zijn hun nationale identiteit te verliezen.'

Michaut leunde achterover en steunde met zijn kin op zijn gevouwen handen. Hij leek aandachtig te luisteren, terwijl Laroche gesticulerend door de kamer liep.

'Moet u ons Frankrijk zien: werkloosheid, problemen met buitenlanders, technologie die we niet kunnen bijbenen. Op de wereldmarkt betekenen wij eigenlijk al niets meer, en als we toevallig eens "tegen" iets zijn, negeren ze ons, in politiek opzicht krijgt zelfs Zwitserland meer respect.'

De president haalde diep adem en wilde antwoorden, maar Laroche hief zijn hand op. 'Ik weet het, dit is overdreven. Maar kijkt u nu eens wat verder terug: wat hebben de nazi's met ons gedaan? Ze zijn over ons heen gelopen. Goed dat de Amerikanen ons in Normandië konden helpen, nietwaar? Maar voor die tijd ging het toch ook niet anders? Denk eens aan de Eerste Wereldoorlog, aan de Honderdjarige Oorlog! Tienduizend doden alleen in die ene slag bij Azincourt, en dat in een tijd zonder massavernietigingswapens. De Engelsen hebben destijds de kans gekregen de bloem van Frankrijk weg te vagen. Een hele generatie edellieden en ridders werd op één dag afgeslacht. Wat is er van het trotse, machtige Frankrijk overgebleven? Wat is er gegroeid uit het rijk van Karel de Grote? Wat uit dat van de Merovingen voor hem? Wat voor macht had het Franse Rijk destijds niet, wat voor goddelijke macht. Wij waren na de val van Rome het politiek en geestelijk centrum van het westen, eeuwenlang. En nu komen we op het punt waar mijn belang ligt. U hebt gelijk, het gaat mij om meer dan politiek werk aan het nationaal zelfbewustzijn van Frankrijk. Ik zou dit land niet tot een smeltkroes van volkeren en gezindheden laten dienen, want dat loopt uit op een onbestemde brij. Ik zou Frankrijk terug willen voeren naar haar wortels, en haar haar door God gegeven plaats weer laten innemen.'

Laroche had zich aardig opgewonden bij deze toespraak. Hij maakte de indruk van een hagenpreker. Hij was dogmatisch, fundamentalistisch, had geen vragen, maar hij was ook charismatisch, hij overtuigde door een heel bijzonder enthousiasme, een eerlijk, diep gevoeld enthousiasme.

'Dat is het dus wat de mensen in dit land voelen. Wij waren ooit het uitverkoren volk. Het gaat hier niet alleen om werkloosheid, het gaat hier om een vergane glorie, om het verlies van Gods genade.'

'Verlies van Gods genade? Ik wist niet dat u zo gelovig was, monsieur Laroche.'

'U schat de situatie verkeerd in, monsieur Michaut. Alleen al het feit dat miljoenen Fransen dit zo voelen maakt de vraag overbodig of ik zelf gelovig ben of niet. Maar los daarvan: ja, ik ben gelovig, maar veel dieper en op een heel andere wijze dan u zich kunt voorstellen.'

'Wil dat zeggen dat uw partij het middel is voor een veldtocht in naam van het geloof?'

'U hebt gevraagd naar mijn belang, en ik betwijfelde al of u het zou begrijpen. Nu zijn we zover: ja, u hebt volstrekt gelijk. Het gaat erom Frankrijk een messias aan te bieden, als u het zo zou willen noemen, de ware erfgenaam van het koninklijke bloed, om het land terug te voeren in de genadevolle schoot van God en het zijn voorrecht op heerschappij terug te geven.'

De president ademde langzaam en diep in. Het gesprek had een onverwachte wending genomen. Laroche was te intelligent, je kon hem niet zomaar tot religieus fanaticus bestempelen, die ook nog eens door de industrie werd gesteund. Toegegeven, de 'industrie' was van de familie, maar juist daarom konden het niet alleen maar zijn schijnheilig vrome preken over de genade Gods zijn, die zijn succes bepaalden. Deze man werd gesteund door iets wat dieper lag, iets wat hem gelijk gaf, wat hem geloofwaardig maakte.

'En die messias,' begon de president aarzelend, 'dat bent u?'

'Ja.' Laroche verrees boven het bureau. Zijn champagnestemming was weer terug. 'Ja, ik ben de messias, degenen die mij steunen weten dat en er is niets wat ze ertegen zouden kunnen doen. En als u mij uit de weg laat ruimen, dan schept u een nieuwe martelaar en uw geheel persoonlijke Armageddon. Want ik ben de erfgenaam van het koninklijke bloed!'

9 mei, bos bij St.-Pierre-du-Bois

Fernand Levasseur parkeerde zijn auto aan het eind van de steenslagweg die vanaf de oude berghut in de Vallée des Cerfs omhoogvoerde. Vanaf hier was het naar schatting een halfuur lopen tot hij bij het achterste deel van de omheining zou komen die de onderzoekers om de bergtop hadden laten optrekken. De boswachter wist niet precies waar het hek stond en of het er eigenlijk wel was, maar hij kende het gebied heel goed. Er was daar alleen maar een steile wand, die het opstellen van een hek eigenlijk ook overbodig maakte. Veel mogelijkheden om er voorbij te komen waren er dan ook niet, maar wel om de rotswand op een andere manier te bedwingen. Hij hoopte dat hij op die wijze tot het afgezette gebied kon doordringen en het raadsel van de onderzoekers op het spoor zou kunnen komen.

Hij had donkergroene boswachterskleding aangetrokken, zodat hij onopvallend door het bos kon lopen. Hij had ook een geweer bij zich, om de indruk van een gewone jager te kunnen maken. Hij kon de onderzoekers en hun onderneming niet goed thuisbrengen, maar hij had het kamp van de opzichters en de daar werkzame mannen gezien. Hij vermoedde dat die inmiddels door de onderzoekers waren gewaarschuwd dat hij mogelijk zou willen binnendringen. Het zou heel goed kunnen dat de opzichters het hek nu strenger bewaakten, daarom wilde hij niet opvallen.

Aanvankelijk was het bos nog gemakkelijk doordringbaar, maar na een poosje werd het moeilijker om zich een weg te banen. De bomen stonden weliswaar niet meer zo dicht op elkaar, maar in toenemende mate werd de weg versperd door grote rotsen. Het kreupelhout zat in de weg en vormde samen met stukken steen en puin gevaarlijke wallen, bijna een soort natuurlijke barricades. Bovendien werd de ondergrond steeds steiler. De boswachter wist dat hij nu de boomgrens bereikte. Het duurde wat langer dan verwacht tot hij ten slotte bij de rotswand stond. Zoals hij al gehoopt had, was hier nergens een hek te zien, en dat was op deze plek dan ook schijnbaar onnodig. De wand maakte een solide en onbedwingbare indruk, althans zonder de juiste uitrusting.

Hij sloeg rechtsaf, vlak langs de rots. Hij had in het bos iets te veel links aangehouden en was daarom op de verkeerde plaats beland. Hij zocht naar een heel bijzondere rotsspleet.

Dit gebied aan de voet van de Vue d'Archiviste was hem heel vertrouwd. Enkele jaren geleden had hij er in de zomer een paar weken gekampeerd, om de berg te verkennen. In dit deel van de Languedoc waren eigenlijk geen bergen die niet op de een of andere manier te beklimmen waren. In de regel was er een vrij gemakkelijke klim mogelijk over een zacht hellende kant, die je ook als gewoon wandelaar met enig uithoudingsvermogen en conditie aankon. Het kwam ook wel voor dat de ene top kon worden bereikt via de andere, over een bergkam. De Vue d'Archiviste was een uitzondering. Die lag vrij geïsoleerd, zodat er geen andere mogelijkheid was boven te komen. Je moest hem van onderaf benaderen en de top rechtstreeks beklimmen. Fernand Levasseur was geen bergbeklimmer of sporter, daarom had hij er heel lang over gedaan een weg naar boven te vinden zonder met klimijzers en touw de steile wand te lijf te moeten. Hij wist dat hij aan de andere kant van de berg door het bos vrij ver naar boven kon komen. Ook daar kwam je op den duur bij een rotswand, maar die zag er niet zo gevaarlijk uit. Toen hij die weg eenmaal gevonden had, was hij altijd van plan geweest daar eens naar boven te klimmen, maar op de een of andere manier was het er nooit van gekomen. Vooral niet nadat Fauvel burgemeester was geworden en er de hele tijd conflicten waren tussen milieu en huisvesting.

Het duurde niet lang of hij vond de rotsspleet. Bij nader inzien was het meer dan een rotsspleet, maar dat zag je pas als je er een paar meter in was doorgedrongen. Dan verbreedde de spleet zich, zodat je er gemakkelijk in kon staan. Eeuwen geleden of nog langer moest de berg op deze plek zijn gebarsten en misschien was hij in de loop der tijd steeds verder uit elkaar gezakt. Tonnen gruis waren in de spleet gevallen en begroeid geraakt met struiken. Deze weg had hij nog niet helemaal gevolgd, maar de rand van de spleet was voorzien van een heleboel richels, en met enige voorzichtigheid kon je hier vrij ver naar boven komen. Bovendien waren er veel holen ontstaan doordat er grotten waren ingestort, of door puin dat door regenwater weggespoeld was. De spleet drong veel verder door in de rots dan een gewone scheur.

De boswachter volgde die geheime holle weg en werkte zich langzaam maar zonder al te veel moeite steeds verder omhoog. Een paar keer kwamen wat kleinere stenen onder zijn voeten los, maar over het algemeen was de ondergrond stabiel. Zou hij zijn uitgegleden, dan was hij wellicht tussen de rotsen blijven hangen en had alle mogelijke botten kunnen breken, maar hij had gezorgd voor goede schoenen en tastte met handen en voeten alles af. De spleet voerde hem na ongeveer een halfuur naar een rotsterras. Voorzichtig liep hij naar de rand en keek in de diepte om zich te oriënteren. Hij kon amper geloven dat hij enkele honderden meters had geklommen. Het bos was een eind verderop. Van een hek, een versperring of van opzichters was niets te zien. Hij stond echter nog steeds aan de achterkant van de berg, precies de kant die onbeklimbaar leek en daarom kennelijk ook niet veel aandacht had gekregen. Hij keek om zich heen op het terras en bekeek de rots aan alle kanten. Tot hier was het niet al te lastig geweest, maar als hij nu verder langs de rots klom moest hij heel goed opletten of hij diezelfde weg ook terug weer kon gaan.

Tegen de berg aangedrukt liep hij over een richel van een meter breed verder. Zijn blik ging van de stenen voor zich steeds weer naar beneden, om in te schatten of hij vanuit de diepte te zien was en om te verifiëren of hij niet bekeken werd. Maar er gebeurde niets. Iemand die hij van hieruit in het bos wellicht niet kon onderscheiden, zou hem met vrij grote zekerheid goed kunnen zien tegen de rotswand. Hij kon alleen maar hopen dat er gewoon niemand toevallig naar boven keek. En hij gaf zichzelf een goede kans onontdekt te blijven, want uiteindelijk verwachtten de opzichters indringers eerder bij het hek dan op de berg.

Alsof deze richel met opzet was aangelegd, volgde zij de wand tot de boswachter aan de andere kant van de berg was beland. Het uitzicht naar beneden toonde het hier wat zacht glooiende terrein en zelfs enkele weidegronden tussen de open begroeiing. Dit was de plek waar je terechtkwam via de gemakkelijke klim, die hij kende. Hij had zich niet vergist: daar zou hij nooit onopgemerkt doorheen gekomen zijn. Hij kon een brandgang en verse bandensporen van een zware terreinwagen of zo onderscheiden. Dit was dus inderdaad al het terrein waarop de onderzoekers en de opzichters zich verplaatsten. Ingespannen probeerde hij details waar te nemen, toen hij plotseling schrok.

Een vrij steile rotswand onder hem was voorzien van een kabel die op professionele wijze was verankerd. Hij diende er duidelijk toe erlangs omhoog te klimmen en liep tot pal onder hem!

Voorzichtig boog de boswachter naar voren en hij zag dat er enkele meters onder hem nog een rotswand was. De kabel leidde daarheen. Duidelijke sporen op de grond vertelden hem dat er gewerkt werd. Toen hij ten slotte ook nog een oliekan zag, was zijn nieuwsgierigheid definitief gewekt. Koortsachtig zocht hij naar een mogelijkheid naar beneden te komen en al snel vond hij een paar kleine uitstekende rotsen die hem stevig genoeg leken. Kort daarop stond hij op de vooruitstekende richel en opnieuw stokte zijn adem van verbazing. Wat er vanboven had uitgezien als een vooruitstekende richel was een breed terras, dat de rots in voerde. Dicht bij de wand stonden vaten en twee aggregaten. Van hieruit liepen kabels een grot in. De ingang zelf was afgesloten met een zware stalen deur.

De deur was solide en voorzien van een veiligheidsslot. Het zou onmogelijk zijn hier binnen te komen. Maar wat zat daarachter? Hadden ze goud ontdekt? Uranium? Of voerden zij geheime experimenten uit? Was dit de ingang naar een laboratorium of een opslagplaats?

Hij betastte de stalen deur en probeerde door de smalle spleten te turen die tussen de onregelmatige wand en de balken zaten, waarmee het kozijn van de poort in de ingang was bevestigd. Binnen was het echter te donker om iets te kunnen onderscheiden. Maar wat hij al had vermoed werd bevestigd, dit had net zo veel te maken met een hondsdolheidepidemie als Louis de Funès met Charles de Gaulle.

Het speet hem dat zijn onderzoek hier zo plotseling ten einde kwam. Hij was zo in het zicht van de haven! Maar het had geen zin hier binnen te dringen en te wachten tot een of andere opzichter hier verzeild raakte. Meer zou hij momenteel niet te weten komen. Nu kon hij zich alleen nog rechtstreeks bezighouden met de onderzoekers, en hij had al een plan hoe hij dat wilde aanpakken.

9 mei, gewelf bij Albi

Slechts een half dozijn manshoge kandelaars verlichtte de stenen zaal. Je had haar bijna kunnen aanzien voor een romantische wijnkelder, als de sombere meubels en de dreigende wandschilderingen niet een andere taal hadden gesproken. Ook de vloer was gedecoreerd. Verscheidene concentrische cirkels omsloten een bovenmaats pentagram. Diverse magische symbolen waren om de vijfpuntige ster gegroepeerd, naast inscripties in een onleesbaar, archaïsch schrift. Het pentagram leek op zijn kop te staan, het was zo gericht dat het met één punt naar de verste hoek van de zaal wees, naar de ingang, terwijl de beide voeten als twee horens in de richting van een verhoging wezen waarop een soort troon de zaal overheerste.

De troon was van donker hout en met ingewikkeld snijwerk versierd. De onbekende kunstenaar had de diverse delen van het hout op zeer naturalistische wijze tot organische vormen en dierlijke ledematen bewerkt. De poten waren heel dik, gespierd en behaard – ze zagen er krachtig en dreigend uit als de poten van een roofdier, een beer misschien. Ze hadden hoeven die leken op die van een uit de kluiten gewassen geit. Ook de leuningen waren prachtig bewerkt. Met indrukwekkend besneden spierbundels strekten ze zich naar voren uit en eindigden in klauwen met kromme nagels. Het indrukwekkendst was echter de hoge rugleuning. Die verhief zich bijna een meter boven de zitting uit. De kunstenaar had haar de vorm gegeven van een naakte, tot in de kleinste details natuurgetrouwe, gespierde mannenborst. Door het donkere hout en de in reliëf aangebrachte aders op de glanzende spieren straalde het snijwerk een griezelige, onmenselijke kracht uit, een dreigende spanning. Deze indruk werd nog versterkt door de schouders en de krachtige hals. De bovenkant van de rugleuning werd gevormd door een enorme schedel, een grauwende kop met blikkerende slagtanden die onheilspellend de zaal in staarde, gekroond met een paar naar boven gebogen hoorns.

In de schoot van dat monsterlijke hybride wezen dat door de troon werd voorgesteld, zat een jongeman in een donker pak. Hij had zijn benen over elkaar geslagen, zijn armen rustten op de armleuningen en hij leunde ontspannen achterover. Zijn gezicht bevond zich in de schaduw van de naar voren stekende kop van het beest.

Nauwlettend nam hij de beide heren op die in het midden van het grote pentagram stonden en naar hem opzagen. Hij zweeg en liet hun volstrekte onderwerping op zich inwerken. Ze zouden het niet wagen zich te bewegen of ook maar een kik te geven, voordat hij hen zou aanspreken. Zij waren volmaakte dienaars van Belial, hadden hun ziel al jaren geleden aan het beest verpand. Ze hadden zich eraan onderworpen en waren daardoor rijk en machtig geworden, althans zo zagen zij het met hun beperkte begrip. Maar hun ziel zouden ze nooit terugkrijgen.

Hij kende beiden. Hun beroep, hun familie, alles wat hun wereldlijk bestaan uitmaakte. Hij volgde voortdurend hun ontwikkeling, kende hun sterke en zwakke kanten, hun angsten. Hij kende ze, als zijn kinderen kende hij ze allemaal, maar hij noemde ze nooit bij naam. Niet bij hun echte naam en ook niet bij welke andere naam dan ook. Dat maakte deel uit van hun nietigheid voor Belial.

Nu wees hij op de linker van beide mannen.

'Wat kun jij vertellen?'

'Professor Peter Lavell heeft bij het Volkenkundig Museum in Hamburg geen adres achtergelaten. Hij is op 29 april naar Béziers gevlogen.'

'Is er sinds die tijd enig levensteken geweest, of een andere aanwijzing voor zijn verblijfplaats?'

'Nee, meester.'
De man in het pak wees op de andere man.
'En wat voor nieuws heb jij?'
'De wagen waarin de beide heren in Cannes rondreden heeft een Frans kenteken. Hij staat geregistreerd bij de Garde Nationale d'Environnement et de la Santé. Om preciezer te zijn, in de regio Languedoc-Roussillon.'
'Heb je navraag gedaan bij de GNES over hen?'
'Daar ontkent men op de hoogte te zijn van beide heren, meester.'
De man op de demonentroon streek met een hand over zijn kin. Dat er onderzoekers in de Languedoc rondstruinden verbaasde hem niet. Ze waren waarschijnlijk op de 'kring van Montségur' gestuit. Maar wat hadden ze met het milieu te maken? Het was heel waarschijnlijk dat ze daardoor op het verkeerde spoor zouden komen. Maar het moest hier wel gaan om werk van enige omvang en het duidde op overeenkomstig invloedrijke mensen achter de schermen.
'Heb je een aanwijzing voor zijn verblijfplaats gevonden?'
'Niet rechtstreeks, maar de GNES is momenteel actief in de Languedoc, hoewel dat eveneens ontkend wordt. Mogelijk is er een verband.'
'Wat voor activiteit?'
'Er schijnt een hondsdolheidepidemie uitgebroken te zijn. De GNES heeft een heel gebied afgezet voor onderzoek.'
'En waar ligt dat gebied?'
'Bij St.-Pierre-du-Bois, meester.'
Hij zweeg een ogenblik. Hij had genoeg gehoord. 'Jullie kunnen gaan.' Hij wuifde de mannen weg, die diep bogen en zich toen omdraaiden.
Heel even bleef hij stil in het halfduister zitten en glimlachte bij zichzelf. Het werd hem op een dienblaadje aangereikt! Professor Peter Lavell hier in de Languedoc, onder handbereik, met de onderzoeksresultaten over de 'kring van Montségur'!
Het werd tijd dat de Hand van Belial haar klauwen uit zou steken.

9 mei, kantoor van de burgemeester, St.-Pierre-du-Bois

Didier Fauvel kookte van woede. Veel mensen beweerden dat er niet veel nodig was om hem witheet te krijgen, maar dat klopte niet. In feite was hij een oergeduldig mens. Hij probeerde altijd het iedereen naar de zin te maken en met iedereen rekening te houden. En dan was het verdomme toch lógisch dat ze ook rekening met hém zouden houden! Hij stelde echt geen hoge eisen aan de intelligentie of opofferingsgezindheid van zijn medemens, maar ze moesten hem wel respecteren. Gezien alles wat hij voor hen deed, was dat toch niet te veel gevraagd. Maar soms kreeg hij het gevoel gewoon voor een idioot te worden gehouden!

En dit was zo'n dag.

Luc had zijn hotel verkocht. Het Hôtel de la Grange. Glashard verkocht!

Nog afgezien van het feit dat Luc er geen kloteriger moment voor had kunnen kiezen, had hij hem toch op zijn minst eerst van zijn plannen op de hoogte kunnen brengen. Hij was hier tenslotte de burgemeester!

En hij had Luc nog wel zo gesteund, hem vergunningen bezorgd en geholpen om op het vliegveld van Béziers reclame te kunnen maken, om te worden vermeld in de Michelin, om nog maar te zwijgen van alle subsidies. Gezamenlijk hadden ze het toerisme op gang gebracht en naar St.-Pierre-du-Bois gehaald. En nu kon Luc niets beters bedenken dan zich aan een of andere teef uit Genève te verkopen.

Didier Fauvel schonk nog een glas cognac in en sloeg het achterover.

Verdomme, wat had ze hem geboden? Honderd miljoen? Een casino in Monaco? Een zetel in het Europese parlement?

Hij schonk nog eens in en liep naar het venster. Hij stootte daarbij met zijn heup tegen een stoel en morste bijna zijn cognac, waarna hij het meubel met een woedende trap door de kamer schopte. Maar daar had hij meteen spijt van, want een stekende pijn meldde zich in zijn tenen en met kloppende voet bleef hij voor het venster staan.

Merde!

Hoofdschuddend keek hij in de avondschemering. Hij had geen idee hoe hij op wat voor manier dan ook van die onderzoekers moest afkomen. Nu installeerden zij zich pas echt gezellig in hun nieuwe privéhotel. Het zou hem niet verwonderen als geleidelijk aan alle overige gasten met een smoesje werden weggewerkt en in de komende weken hele hordes geleerden zogenaamd namens de GNES hier hun tenten zouden opslaan!

Hij vroeg zich af hoe vaak het zou gebeuren dat de Verenigde Naties in Genève een hotel kochten om een onderzoek naar hondsdolheid in Zuid-Frankrijk te steunen...

Hij vroeg zich ook af hoe vaak belangrijke industriëlen in Parijs er belang in stelden dat diezelfde onderzoeken zouden worden gestaakt...

Het ging hier duidelijk om meer dan om een paar dode vossen, ook als de boswachter met deze verklaring geen probleem leek te hebben. Maar met Levasseur had hij nooit goed kunnen opschieten. Wellicht had die man kwaliteiten in zijn vak, maar hij had geen idee van politiek of economie. Van toerisme wilde hij niet eens wat weten, integendeel, hij wilde een natuurgebied inrichten, vanwege een paar vieze beesten of een of ander zeldzaam moerasgras of wat het verder ook geweest was.

Nee, het ging hier om meer, dit rook duidelijk naar veel groter aas. Hadden ze een lijk gevonden en was Europol in het spel? Een oude geheime bunker met de stoffelijke resten van een of ander prominente oorlogsmisdadiger? Een spionagegeval dat opgelost moest worden? Gifstorting, een illegale radioactieve vuilnisbelt?

In elk geval moest het zoveel opzien hebben gebaard dat ze er in Parijs zenuwachtig van werden.

Didier Fauvel liet de situatie nog eens aan zijn geestesoog voorbijtrekken. Hij was niet dom, anders had hij deze positie niet bereikt, zou hij niet zijn waar hij nu was. Hij woog de situatie en zijn opties. In feite moest hij Luc dankbaar zijn. Pas door de verkoop van het hotel waren de fronten en het spel duidelijk geworden. Nu zou moeten blijken hoe hij daarmee om kon gaan.

Hij wist dat hij vanuit Parijs in de gaten werd gehouden. Hij had een schuld te vereffenen en dat zou hij ook doen. Voor Parijs en voor zijn eigen zielenheil.

Hij ging zitten, greep de telefoon en draaide het nummer van een relatie.

'Met Didier... Hallo?... Ja, ik ben het... Ja, we hebben elkaar lang niet gesproken, Paul... Luister eens, ik heb je hulp nodig... Nee, dat kan ik je over de telefoon niet zeggen, het is een grote zaak. Wij moeten elkaar zien, liefst vanavond nog... Goed dan, morgen. Om vijf uur. Bij jou... Afgesproken, tot dan.'

15

10 mei, Hôtel de la Grange, St.-Pierre-du-Bois

Peter was al om zes uur opgestaan om alleen in de Salon Vert te kunnen ontbijten. Hij had tijd nodig om na te denken, wat hem in aanwezigheid van Patrick niet altijd lukte. De jonge ingenieur was zelfbewust en hoogbegaafd, maar hij oordeelde bliksemsnel en keihard. Bovendien ervoer Peter zijn naïveteit ten opzichte van de geschiedenis en zijn gebrek aan respect voor elke soort van religiositeit af en toe als bijzonder vervelend.

Peter was gewend waar te nemen, informatie in te zamelen en die – hoe irrelevant ze op zich ook mocht lijken – als een pareltje in een grote doos met kostbaarheden te bewaren. Af en toe wierp hij er eens een blik in, nam er naar behoefte stukken uit, onderzocht die, bekeek ze en legde ze dan weer terug. Vaak schudde hij de doos slechts en met een beetje geluk rangschikten zich de stukken tot zinvolle patronen, toonden hem samenhangen. Hij besteedde daar veel tijd aan, dingen uitproberen en resultaten onderzoeken. Maar daarvoor had hij rust nodig en niet iemand die hem de hele tijd lastigviel met vragen over de zinnigheid van het een of ander.

De taalgeleerde Stefanie had zich goed ingewerkt. Ze had haar competentie meer dan bewezen, zich zelfs een onontbeerlijke hulp betoond. Ze was terughoudend en toch had ook zij een enerverende uitwerking op Peter, waar hij niet echt iets aan kon doen.

Wellicht lag het eraan dat zij jong en aantrekkelijk was. Het viel niet mee dat aspect in de professionele omgang met haar af te zonderen, wat Patrick daarentegen heel duidelijk niet eens probeerde. Voor andere mensen was dat mogelijk stof tot rivaliteit in het team, maar vanwege zijn leeftijd stond Peter daarboven. Hij respecteerde Stefanie beroepsmatig, van haar schoonheid genoot hij als een kunstliefhebber die een echte

Renoir voor zijn neus heeft. Hij zou nooit op de gedachte komen haar met zijn gevoelens lastig te vallen.

Maar er was nog iets aan haar, iets wat schoonheid in de klassieke zin oversteeg, en dat was het ook wat hem niet lekker zat. Hij kon het niet goed aan een bepaalde karaktertrek ophangen, het was veel meer een som van onderdelen. Soms kreeg hij het gevoel alsof ze veel meer wist dan ze liet blijken. Dan voelde hij zich bekeken, alsof hij haar leerling was. Ze kwam in haar werk en in haar omgang met hem en Patrick zo professioneel over alsof ze haar leven lang niets anders had gedaan. Ook leek zij zich goed bewust van haar uitwerking op hen, maar haar gedrag was… soeverein. Dat was het juiste woord. En dat was ook wat haar schoonheid verhief boven een duidelijk vrouwelijke aantrekkelijkheid. Haar ogen straalden een zeldzame rijpheid uit, alsof zij in haar leven al zoveel geluk en ellende, schrik en wonderen had gezien dat ze automatisch boven de werkelijkheid stond. Het waren altijd maar korte ogenblikken, maar dan voelde hij zich klein in haar tegenwoordigheid. En dan kreeg hij ook steeds het onbestemde gevoel dat zij dat toegelaten had.

Daarom was hij die ochtend zo vroeg opgestaan. Hij wilde alleen zijn met zichzelf en zijn gedachten, ermee spelen, ze draaien, keren en zo mogelijk ordenen. Hij was de eerste gast in de Salon Vert. Weliswaar werd het ontbijt vanaf halfzeven geserveerd, maar het was duidelijk dat niemand erop rekende dat de gasten voor halfacht naar beneden kwamen. De tafels waren net gedekt en toen Peter zijn bestelling doorgaf, werd hem een ogenblik geduld gevraagd, omdat de croissants nog in de oven zaten. Zo zat hij een poosje met een potje thee naar de tuin te kijken.

De dag ervoor was vol openbaringen geweest. Ze hadden alle drie individueel veel onderzoek verricht en hij had het gevoel dat ze goed gevorderd waren. Ze hadden afgesproken dat ze elkaar niet zouden onderbreken, omdat ze zich volslagen op hun eigen werk wilden concentreren. 's Avonds waren ze naar het dorp gegaan om bij Chez Lapin te belanden. Het was een gezellige borrel geworden, ze hadden geen woord over hun werk gesproken, maar dat naar de volgende dag verschoven. Ondertussen had Patrick van zijn expeditie in Rome verteld en hoe het hem gelukt was illegaal in de catacomben door te dringen om bewijs voor zijn theorie te verwerven dat zich pal onder de Via del Corso een vroegchristelijke kapel bevond.

Overal onder Rome werden de catacomben onderzocht. Alle bekende toegangen waren goed beveiligd. Door alle veiligheidsmaatregelen was het gewoonlijk alleen met een paar goede contacten en financiële hulpmiddelen mogelijk je toegang te verschaffen. De afgelopen jaren had de corruptie in Italië steeds meer de aandacht op zich gevestigd, zodat het allengs moeilijker werd de juiste mensen te bereiken. Patrick had geen risico willen nemen en 'het daarom maar zelf gedaan', zoals hij het zelf uitdrukte. Hij had de plattegrond van de catacomben uitgebreid bestudeerd en ten slotte op een nacht onopgemerkt een gang door de vloer van de crypte in de Santa Trinita dei Monti naar de onderaardse gewelven gegraven. Van daaruit was hij met twee assistenten en een omvangrijk arsenaal hulpmiddelen naar een pas kort ontdekt fresco gegaan. Elke vierkante centimeter daarvan was al gefotografeerd en in de computer gereconstrueerd, maar er was niet genoeg geld om de wandschildering ter plekke te restaureren. Nu het na bijna tweeduizend jaar ontdaan was van de beschermende laag vuil, zou het in de loop der tijd gewoon vervagen, dus voelde hij ook niet de minste gewetenswroeging toen hij de wand doorbrak. Daarachter lag zoals verwacht een gang die hem naar de kapel voerde die hij al maandenlang op het spoor was. Het was een zeer opzienbarende vondst en de Bijbelfragmenten uit de tweede eeuw na Christus die hij daar aantrof maakten de sensatie compleet. Natuurlijk was de controverse over de crypte en het fresco dagenlang het belangrijkste thema in de Romeinse kranten. Maar hij kreeg heel veel problemen naderhand. Slechts goede contacten met verscheidene belangstellenden in de industrie konden Patrick voor het ergste behoeden en hielpen hem zonder schade uit de affaire te komen.

Peter werd uit zijn overpeinzingen gehaald door de komst van zijn ontbijt. De croissants waren zo vers dat ze nog dampten en hij bestelde nog een pot thee.

Hoe verwonderlijk is het zoals het soms in elkaar past, dacht hij. Dat twee mensen die zo verschillend waren als hij en Patrick nu samenwerkten en elkaar moesten aanvullen. De Fransman geloofde in principe in oude legenden en aanwijzingen, volgde ze en nam ten slotte een schop ter hand om ter plekke te gaan kijken. Hijzelf, Peter, probeerde steeds de ware geschiedenis achter de legende te doorzien. Hij geloofde in eerste instantie helemaal niets, maar onderzocht en combineerde net zo lang tot hij alles van alle geheimen had ontdaan en er niets meer over was waarnaar nog moest worden gegraven.

Zo had hij een hele poos het bijgeloof en de verschillende occulte stromingen van de westerse wereld onderzocht. Wat begonnen was met enkele aanknopingspunten, was al snel uitgegroeid tot een wild woekerend wortelstelsel, waarin alles met elkaar verstrengeld raakte en onderling vergroeide. Talloze godsdiensten, sekten, geloofsgemeenschappen, tradities en overleveringen, alles stapelde zich op elkaar of ging in de loop van de jaren in elkaar over. Met wetenschappelijke afstand had hij de thema's eruit gezift, ze geanalyseerd en alles in een zeker verband geplaatst. Maar de gesprekken die hij had gevoerd en de inlichtingen die hij had ingewonnen, waren niet zelden zeer hartstochtelijk en soms uitermate dogmatisch en vijandig van aard geweest, en hoe verder hij doorgedrongen was, des te meer kreeg hij de indruk alsof hij een doos van Pandora had geopend. Met zijn boek had hij geprobeerd het tieren van deze demonen een halt toe te roepen en het onderwerp af te sluiten. Maar hij merkte de laatste tijd meer dan ooit dat hij er veel te diep op ingegaan was, dat ze hem niet vergeten waren en dat hij het niet achter zich kon laten. De woorden van die satanist Ash schoten hem te binnen, toen die Nietzsche citeerde: 'Als u lang genoeg in de afgrond kijkt, dan kijkt de afgrond terug naar u!'

Nu zat hij hier in de Languedoc, een voormalig machtscentrum. Had hij daar werkelijk niets bij gedacht, toen ze de inscripties in de grot hadden gezien? Had hij echt die roos niet herkend, had hij echt de oorsprong van die Latijnse spreuk vergeten die, zoals hij heel goed wist, ook het omslag van de *Chymischen Hochzeit des Christian Rosenkreuz* tooide?

Hij had het gewoon niet wíllen zien. Maar nu stonden ze allemaal om hem heen. De vrijmetselaars, de Rozenkruisers, de satanisten. En het werd duidelijk: de ketters van de middeleeuwen en de tempeliers hadden hem ook weer ingehaald. Hij had gedacht dat het gewoon een opdracht van de VN was, maar zoals iedereen overkwam die zich op het ontrafelen van de mystieke middeleeuwen stortte, was hij nu daadwerkelijk op zoek naar de heilige graal, en de mythen en legenden uit het verleden verhieven zich om hem heen en dreigden werkelijkheid te worden.

Hoezeer het hem ook opwond dat ze nu nieuwe verbanden ontdekten en mogelijkerwijs een van de grootste geheimen van de wereld op het spoor waren, het verontrustte hem ook dat ze er zo rechtstreeks bij betrokken waren. Want de graal was nooit eenvoudig te verkrijgen. Als metafoor voor inzicht was de graal alleen bereikbaar voor degenen die rein van hart zijn. Tegelijkertijd was hij het doel van allen die naar macht dorstten. Het was dus te verwachten dat de graal niet zonder strijd zou kunnen worden verkregen en Peter, die altijd vanuit zijn ivoren toren het strijdperk had kunnen overzien, zat nu opeens pal aan het front. En dat gaf hem helemaal geen gerust gevoel.

Ze hadden om negen uur op het kantoor afgesproken. Peter was er al toen Patrick en Stefanie binnenkwamen. De ingenieur had een arm vriendschappelijk om haar middel geslagen en Peter kreeg zo het vermoeden dat ze gisteravond een stuk nader tot elkaar waren gekomen.

'Goedemorgen, Peter,' groette de Fransman. 'Wij hebben je gemist. Had je geen zin in ontbijt?'

'Ik was heel vroeg wakker en heb al gegeten.'

'Jammer,' zei Stefanie, 'de croissants waren nog warm.'

Peter glimlachte vriendelijk, maar zei niets.

'Ik ben heel benieuwd naar wat er nu gaat gebeuren,' zei Patrick en hij ging weer op zijn plaats in de vensterbank zitten om te roken. 'Laten we maar eens uitpakken wat we gisteren gevonden hebben.'

'Ja,' zei Stefanie, 'dan begin ik gewoon.' Ze ging op een stoel aan de conferentietafel zitten, nadat ze wat papieren had gepakt en uitgespreid.

'Ik heb nog meer inscripties vertaald. Herinneren jullie je dat ik vermoedde dat hier twee verschillende soorten teksten in het spel waren? Nou, dat vermoeden lijkt te kloppen. De meeste teksten heb ik nu door en die passen allemaal binnen hetzelfde patroon. De oerteksten, dus die oorspronkelijk en heel zorgvuldig op de wand van de grot aangebracht zijn, zijn allemaal hetzij scheppingsmythen ofwel ze behandelen de schepping. Zo bevatten de Maya-hiërogliefen verhalen die wij uit het *Popul Vuh* kennen. En zoals ik ook al vermoedde, behelzen de spijkerschriftteksten inderdaad het Gilgamesj-epos.' Onder het praten duidde ze op de verschillende kopieën op de papieren voor haar. 'Heel interessant is een kleinigheid die mij is opgevallen. Ik weet alleen niet of ze betekenis heeft. Peter, jij kent de overeenkomsten in scheppingmythen van veel verscheidene culturen, toch?'

'Ja.'

'Hoe zou je ze willen samenvatten?'

'Nou, er is een Opperwezen dat wereld en hemel schept, met alles wat daarin leeft. Mensen die in opstand komen, zuivering, zondvloed of een soortgelijke ramp. Er zijn een heleboel steeds terugkerende symbolen.'

'Ja, maar niet bij alle culturen. Er zijn uitzonderingen.'

'Natuurlijk.'

'Het vreemde is dat er in de grot geen uitzonderingen zijn.'

'Hoezo?'

'Er zijn uitsluitend mythen opgenomen die het hebben over zondvloed en wederopbouw. Dat is een overeenkomst die tot nog toe niet duidelijk was.'

'Bedoel je dat dat van betekenis kan zijn?' vroeg Patrick.

'Zou kunnen,' zei Peter. 'We hebben ons al eens afgevraagd of de teksten door overeenkomst niet wellicht op iets bijzonders moesten wijzen. Bij het thema zondvloed moet ik spontaan aan twee dingen denken. Ten eerste aan Renée Colladon, die ons een heleboel over de mythologische oorsprong van de vrijmetselaars heeft verteld. Zij wees erop dat de wijsheden van de vrijmetselaars na de zondvloed op twee zuilen waren aangetroffen en via Noach en Semitische stammen waren verspreid.'

'Ze wilde toch niets weten van dat hele verhaal van de ark van Noach?' vroeg Patrick.

'Klopt. Maar daarom ben ik het nog niet vergeten. Wie weet komen we daar nog een keer op terug. Het tweede punt is misschien ook veel belangrijker. Ik moet namelijk aan die versleutelde tekst denken, waardoor we het symbool gevonden hebben:

"Dit is de kracht waardoor werelden worden geschapen.
Dit is het gevaar waardoor werelden ten onder gaan."

Zou dat ook een beschrijving van een zondvloed kunnen zijn? Misschien is dit het verband tussen het symbool, de passage en de teksten op de wanden?'

'Je bedoelt dat achter de passage de macht schuilgaat die de zondvloed heeft veroorzaakt?' Patrick kwam naar de tafel. 'Dat moet dan wel iets geweldigs zijn. Iets wat anderzijds, goed gebruikt, de macht heeft te scheppen? Klinkt als een technologie, die als vloek of als zegen kan worden gebruikt. Mogelijk een wapen...'

'Of kennis,' opperde Peter.

'Hoe bedoel je?'

'Peter heeft gelijk,' zei Stefanie. 'Wij hebben de grot al eerder als grot van kennis aangeduid. Denk ook aan de andere teksten, de graffititeksten. Die verwijzen in een of andere vorm altijd naar het geringe belang van de mens. Ze hebben het over de nietigheid van ons weten, van de werkelijk grote raadsels des levens.'

'De passage zou dan zoiets zijn als de boom van kennis,' zei Peter.

'Boom van kennis?' Patrick leunde achterover en sloeg zijn armen over elkaar. 'Het verhaal uit de Bijbel? Adam en Eva en zo?'

'Klopt.'

'Ik hoop dat je me niet kwalijk neemt dat ik niet zo bijbelvast ben, meneer de professor, maar zou je dat verhaal nog eens kunnen samenvatten?'

'God had Adam en Eva verboden de vrucht van een bepaalde boom te eten, de boom van kennis. Een slang verscheen aan Eva en vertelde haar dat het genot van die vruchten haar gelijk zou maken aan God.'

'Dus hebben ze allebei een stukje van de appel genomen en werden uit het paradijs gesmeten.'

'Geen appel,' corrigeerde Peter.

'Pardon?'

'Het was geen appel. In de Bijbel wordt met geen woord over een appel gerept. Wel over een vrucht.'

Patrick grijnsde breed. 'Nou ja, dan was het vast een banaan en hebben ze die ook helemaal niet gegeten, maar er...'

'Patrick!' riep Stefanie.

De Fransman begon te lachen. 'Sorry, sorry!'

'Hoe het ook zij,' ging Peter onverstoorbaar verder, ' "kennis" is in dit verhaal op twee manieren op te vatten. Aan de ene kant suggereert de slang als de belichaming van duivelse verleiding dat ze kennis in de vorm van de wijsheid Gods zullen bereiken. Anderzijds komen beiden daarna inderdaad tot inzicht, hoewel op een heel ander niveau. Ze stellen namelijk vast dat ze naakt zijn en gaan naarstig op zoek naar kleding. Dit inzien van naaktheid, dit schaamtegevoel, wordt als verlies van het gevoel van eigenwaarde, als bewustwording van eigen kwetsbaarheid en nietigheid geïnterpreteerd. Dat is een merkwaardige parallel met de graffititeksten in de grot, die dezelfde strekking hebben.'

Patrick, die nog altijd een beetje zat te ginnegappen, deed nu zijn uiterste best een serieuzere toon aan te slaan. 'Goed, Peter, dat is dan allemaal heel leuk, en ik wil mij natuurlijk niet schuldig maken aan blasfemie, maar ik begrijp niet hoe het kan dat jij je opeens interesseert voor scheppingsmythen en tegelijkertijd mij bekritiseert dat ik op zoek ben naar Eldorado. Ik durf te beweren dat mijn expeditie een duidelijker historisch fundament heeft.'

'Maar je moet het ook helemaal niet aan de geschiedenis ophangen!' zei Peter. 'Je moet aan de traditionele betekenis denken. De boom van kennis enerzijds, de grot van kennis anderzijds. Stel je kennis voor die de jouwe met meerdere factoren overtreft, die gewoon te veel is voor je geestelijke en intellectuele capaciteiten. Als jij zou worden blootgesteld aan een dergelijke kennis, wat zou er dan gebeuren, denk je? In psychologisch opzicht.'

Patrick keek hem aandachtig aan.

'Wat ik denk dat er zou gebeuren,' ging Peter met gedempte stem verder, 'als je het al kunt verwerken, is dat je plotseling het idee krijgt dat je ongelooflijk onbeduidend bent. Misschien word je wanhopig, loop je weg, of je wordt gewoon ter plekke krankzinnig.'

Patrick grinnikte allang niet meer. Hij zweeg.

'Ik stel mij zo voor dat in de loop van de eeuwen enkele mensen die grot hebben gevonden door de passage zijn gegaan. Daar zijn ze op een of andere manier geconfronteerd met een enorme hoeveelheid kennis. Velen verdroegen het gewoonweg niet, zoals onze arme schaapherder. Hoewel hij er in elk geval Latijn van heeft geleerd, maar dat is een schrale troost. Nu sukkelt hij in het halfduister een stompzinnige dood tegemoet. Anderen hadden misschien meer geluk, die hadden nog zoveel verstand over dat ze bij het verlaten van de grot de wonderlijke oerteksten hebben aangevuld met kritische of honende commentaren, overeenkomstig hun geestelijke toestand met meer of minder zorg, maar niet met minder intelligentie.'

Patrick keek naar het plafond en zei nog altijd niets. Iets hield hem bezig.

'De gangbare mening is dat de duivel bekendstaat als heer van de leugen,' zei Peter. 'Maar weet je wat ze in occulte kringen van de duivel vinden? Dat hij nooit liegt. En als de bijbelse slang de duivel was, dan heeft hij misschien inderdaad de waarheid gesproken: de verboden vrucht bezorgde Adam en Eva goddelijke kennis. Mogelijkerwijs bevatte zij de hele kennis van de schepper, maar de menselijke geest was er gewoon nog niet rijp voor en zo werden ze door dat inzicht getroffen als door een mokerhamer en raakten zij volledig van hun apropos.'

'Beelden,' zei Patrick opeens en hij keek met grote ogen om zich heen. 'Eindeloos veel beelden.'

'Waar heb je het over?' vroeg Stefanie.

'Ik herinner het me nu. Het was een stortvloed van beelden. Als vuurwerk, maar dan razendsnel, een regen van flitsen, waanzinnig fel en verschrikkelijk veelkleurig.'

'Toen je je hoofd in de passage stak?' vroeg Peter.

'Ja. Het ging zo ongelooflijk snel en ik kon me niet bewegen. Het was zoveel dat ik het gevoel kreeg dat ik ontbonden werd en me opeens in honderdduizend speelfilms tegelijk bevond. Landschappen en personen die ik nog nooit had gezien doken op, gebouwen, geschriften, documenten, zo ongelooflijk veel en met zo'n krankzinnige snelheid! Tegelijkertijd hoorde ik alle geluiden die bij die beelden hoorden: praten, kreten, tonen, muziek, alles net zo snel, verdraaid en keihard. Het was alsof alles op de en of andere manier gecomprimeerd was, begrijp je? Alle informatie was aanwezig, maar zo erg samengeperst dat ze zich in mijn hoofd pas later stuk voor stuk van elkaar hebben losgemaakt. Ik weet dat het idioot klinkt, maar ik weet niet hoe ik het anders moet omschrijven. Misschien heb ik daarom ook zo lang geslapen, geen idee. Hoe het ook zij, het was heftig! Ik zou het volledig zijn vergeten maar nu, nu jij het erover hebt, komt het allemaal stukje bij beetje weer terug!'

Patrick stond op, peuterde met trillende vingers een sigaret uit het pakje en liep naar het venster. 'Verdomme, man, dat was echt kantje boord. Als jij me niet teruggetrokken had... een paar seconden langer... en mijn hoofd zou uit elkaar zijn gespat of zoiets... verdomme...'

Peter en Stefanie hadden zwijgend naar zijn relaas geluisterd.

'De grot van kennis,' mompelde Peter binnensmonds. 'De heilige graal... nou ja goed,' zei hij vervolgens hardop. 'Dan zal het je wellicht interesseren te horen wat ik over Montségur en de tempeliers heb gevonden.'

Patrick knikte flauwtjes.

'Om te beginnen moet ik mijn mening over het internet herzien.' Peter wees op de computer. 'Stefanie heeft mij gisteren geleerd hoe je e-mails maakt en hoe je onderzoek doet. Wat daaruit gerold is, is dat ik in heel korte tijd een enorme hoeveelheid informatie heb kunnen verzamelen. Dat ik veel daarvan al uit een andere hoek kende en kon beoordelen, maakte dat ik mij als het ware in een groot naslagwerk bevond. Daar waren enerzijds de tempeliers, wier orde gebaseerd is op een heel bijzonder geheim. Talloze boeken speculeren over haar geheime occulte en politieke doelen, andere benaderen de orde historisch en proberen haar neutraal neer te zetten. Er zijn ook enkele historische gegevens die absoluut vaststaan. Het was de tijd van de eerste kruistocht aan het begin van de twaalfde eeuw. Soldaten, huurlingen en ridders uit alle landen van Europa kwamen samen en trokken naar het oosten. Hun doel was Jeruzalem, dat ze wilden bevrijden van de Saracenen en dat ze weer onder de heerschappij van het christendom wilden brengen. Omstreeks 1110 duikt dan een vereniging op die wij later de tempeliers of tempelridders gaan noemen. Die bestond al wat langer onder de naam Militia Christi. Het was een groep mannen die zich tot opgave had gesteld de openbare veiligheid in het heilige land te waarborgen. Zij werd door een vooraanstaande ridder uit Troyes, Hugues de Payens, geleid. In 1119 kregen de mannen door Boudewijn II, de christelijke koning van het pas veroverde Jeruzalem, een vleugel van zijn paleis toegewezen als verblijfplaats. Aangezien die vleugel grensde aan de ruïnes van de toenmalige tempel van Salomo, noemden zij zich voortaan de Arme ridderschap van Christus van de tempel van Salomon. Zij beloofden de behoeftigen en de armen bij te staan, en echt arm is de orde zelf natuurlijk nooit geweest. Ze hebben in de loop van de geschiedenis steeds meer schenkingen in geld en grondbezit gekregen, maar zij mochten daar natuurlijk niet persoonlijk over beschikken. De orde kreeg door discipline en slagvaardigheid heel snel beroemdheid. Al tien jaar na de officiële oprichting bezaten de tempeliers uitgebreide landgoederen in heel Europa, en dat werden er steeds meer. Hugues de Payens ging als het ware op promotietoer door Europa en werd overal met veel eerbetoon ontvangen. Het beste wat de orde kon overkomen gebeurde in 1139: een beschikking van paus Innocentius II, waarin stond dat de tempeliers kerkelijke noch wereldlijke macht gehoorzaamheid verschuldigd waren, alleen de paus persoonlijk. Daardoor werden zij bijna geheel onafhankelijk en hoefden zij geen politieke inmenging te vrezen. Ze werden bijna oppermachtig. In de daarop volgende jaren trok de orde steeds meer leden en door de strikte organisatie, het aantal onder de wapens staande mannen en het ongelooflijke vermogen werd zij in feite een politieke macht. De tempeliers bemiddelden tussen vijandige koninkrijken en zelfs tussen christenen en Saracenen. De tempeliers hebben dus werkelijk bestaan.'

Peter wachtte even en pakte een fles mineraalwater en een glas om zich wat in te schenken.

'Het meeste hierover kun je heel snel vinden,' vervolgde hij. 'Wat voor ons echter bijzonder interessant zou kunnen zijn, is het geheim van de tempeliers. Wij weten dat de orde steeds machtiger werd, en daardoor een sta-in-de-weg voor kerk en koning. Amper tweehonderd jaar na de stichting, op 13 oktober 1307, verordonneerde koning Filips IV van Frankrijk de gelijktijdige arrestatie van alle tempeliers in Frankrijk en de verbeurdverklaring van hun goederen.'

‘Dan was de Kristallnacht van de nazi’s dus ook geen nieuw idee,’ merkte Patrick op.

‘Die twee gebeurtenissen kun je natuurlijk amper vergelijken, maar destijds was het een primeur. Filips stond zwaar in het krijt bij de tempeliers en hij had van de paus zelf de toestemming gekregen voor zijn actie, want die was hem nog een gunst schuldig. Het destijds een indrukwekkende logistieke prestatie. De meeste tempeliers werden verrast en gaven zich zonder weerstand over. Ze werden aangeklaagd wegens ketterij, gefolterd en velen werden ten slotte verbrand. In Frankrijk werden ze al snel uitgeroeid en de orde werd officieel verboden en ontbonden. In andere landen werd het verbod echter schoorvoetend of zelfs helemaal niet toegepast. In Portugal en Spanje hernoemde de orde zich tot “Christusorde” en overleefde zo de slachting. Dat heeft Samuel te Weimar ons ook verteld, weet je nog? Hendrik de Zeevaarder en Columbus waren ridders van de Christusorde en namen het rode breedarmige kruis mee naar Amerika.

Tegenwoordig wordt vermoed dat die arrestatie niet zo verrassend was als aanvankelijk werd aangenomen. Geloofd wordt dat de laatste grootmeester van de tempeliers, Jacques de Molay, kort ervoor nog belangrijke documenten heeft vernietigd en mogelijk ook de fabelachtige schat van de tempeliers verborg, want die werd nooit teruggevonden. Aangenomen wordt dat hij zijn diverse ordevestigingen een waarschuwing en instructies voor de komende arrestatie liet toekomen. Wat de geleerden tot nog toe bezighoudt is enerzijds de vraag hoe het kon dat deze invloedrijke en machtige orde zich zo gemakkelijk gewonnen gaf, zonder enig noemenswaardig verzet. Anderzijds: hoe was het mogelijk dat uitgerekend de tempeliers werden beschuldigd van ketterij, en daarvoor werden veroordeeld, terwijl ze twee eeuwen lang als toonbeeld van de christelijke ridderschap de stralende ster van het Westen waren geweest? Plotseling werden zij ervan beschuldigd dat ze het kruis bezoedelden, dat ze de heilige sacramenten afwezen, dat ze er onheilige praktijken op na hielden, dat ze homo’s waren, dat ze geslachtsgemeenschap met dieren hadden, dat ze Baphomet, een demon, aanbaden, belichaamd door een afgerukt hoofd.’

Patrick keek hem aandachtig aan. Het onderwerp interesseerde hem erg, zeker toen Peter het over de schat van de tempeliers had.

‘De tempeliers hadden zowel door hun intensieve contact met de islam en andere culturen van het Oosten als door hun openbaarheid veel kennis opgezogen die de kerk nooit zou goedkeuren. Ze hielden zich bezig met geneeskunst, nieuwe wetenschappen en stonden open voor esoterische en religieuze stromingen. Het kan op die manier dus best gebeurd zijn dat de tempeliers heel open, bijbelvreemde inzichten verwierven, die later door de katharen werden aangehangen. De tempeliers en de katharen hebben immers samengewerkt, maar daar kom ik nog op terug. Niettemin is het toch interessant welk een enorme hoeveelheid beschuldigingen van occultisme de orde trof. Je kunt je afvragen of je echt alles kunt afdoen als vergissing of valse getuigenis, voortgekomen uit de folterkamers van de inquisitie. Mogelijkerwijs was er inderdaad iets bijzonders met deze orde aan de hand. De raadsels zijn de volgende: wat voor documenten heeft de grootmeester vernietigd? Waarom werd er geen verzet geboden? En waar is die schat gebleven? Volgens huidige inzichten geldt dat het succes en het bijzondere respect voor de tempeliers niet zomaar uit de lucht kwamen vallen. Vermoed wordt dat zij zich onderscheidden door iets ongenoemds. Een reden om ze te bewonderen, om ze te gehoorzamen, om hun zaken een goed hart toe te dragen en ze te vertrouwen. Een wijdverbreid vermoeden wil dat de tempeliers werden gezien als de erfgenamen en de behoeders van de heilige graal.' Hij ving de blik van Patrick op, die grijnsde. 'Kijk me niet zo aan. Het gaat nog verder. We laten die heilige graal even rusten en denken voor mijn part aan iets anders heiligs, een kostbare relikwie, iets wat als rechtvaardiging en steun van God in eigen persoon kan worden geduid. Wat dan ook. Zouden de tempeliers echt een dergelijk relikwie hebben bezeten, dan zou hun snelle succes en hun grote aanzien gemakkelijker te verklaren zijn. De mensen zouden ze zijn gevolgd als plaatsvervangers van God, als strijders voor het goede, als de gewapende arm van de Messias. Bezaten zij dus mogelijkerwijs werkelijk de heilige graal? Was dat de schat van de tempeliers? Misschien was de schat van de tempeliers helemaal geen materiële schat, maar een relikwie, een erfstuk, iets heiligs? In de middeleeuwen was het verzamelen van relikwieën wijdverbreid: aarde uit Jezus' graf, een vingerkootje van Sint-Bernard, een splinter van het kruis. Maar zoiets alledaags kan het niet geweest zijn. Het moet een echte schat geweest zijn. Jacques de Molay vernietigde waarschijnlijk de laatste verwijzingen naar de aard van die schat. De tempeliers waren misschien zo overtuigd van hun gelijk dat zij die arrestatie gelaten over zich lieten komen, in de mening dat ze onaantastbaar waren. Of gaven ze zich gewoonweg fatalistisch en geloofsverblind over aan het goede in hun lot, in de hoop op een martelaarsdood.'

'Zijn er concrete vermoedens wat voor een schat dat geweest kan zijn?' vroeg Patrick.

'Maar een paar en die zijn heel vaag. Enkele hebben het zoals gezegd over de heilige graal, zonder daar nader op in te gaan, wat dat dan zou kunnen zijn.'

'Ik dacht dat de heilige graal de beker of de schaal was van het laatste avondmaal,' zei Patrick.

'... waarin Jozef van Arimatea het bloed van Jezus opving toen die aan het kruis door de lans van een soldaat werd verwond,' vulde Peter aan. 'Ja, dat is de klassieke versie, maar die wordt inmiddels vrijwel unaniem als metafoor gezien. Tegenwoordig zien velen de graal als intellectueel erfgoed, nog weer anderen als de erfenis van een bepaalde afstammingslijn. Het lijkt echter in elk geval niet om een materiële schat van enige waarde te gaan. De rijkdom van de tempeliers was een symptoom, geen oorzaak van hun succes.'

'Een erfenis van een afstammingslijn? Hoe bedoel je dat?'

'Je kent het beroemde opschrift "INRI" dat de Romeinen aan het kruis spijkerden? Dat was een afkorting voor "Jezus van Nazareth, koning der joden", spot van de Romeinen, volgens de Bijbel. Maar volgens nieuwere theorieën was dat mogelijkerwijs serieus bedoeld: Jezus zou inderdaad uit een koningshuis kunnen stammen, zodat zijn afstammingslijn bijzonder belangrijk was, zelfs zonder religieuze interpretatie. En van het voortbestaan van die afstammingslijn van Jezus – heilig of aards – bestaan diverse versies. Volgens een was de dood van Jezus geënsceneerd, zodat hij niet hoefde op te staan, maar gewoon helemaal niet stierf. De spons met azijn, die de dorstige gekruisigde voorgehouden werd, was geen gemeenheid, maar gewoon een natuurlijk verdovend middel. De slechts verdoofde man werd ten slotte door zijn aanhangers uit het graf bevrijd, hij leefde voort, verwekte kinderen bij Maria Magdalena en stelde zo de bloedlijn veilig. Vermoed wordt zelfs dat het begrip "heilige graal", dat in de middeleeuwse literatuur in de Middelfranse versie onverklaard bleef, daar zijn oorsprong heeft: "San Graal", een mogelijk onopzettelijke verbastering van "Sang Réal", of zoals we het tegenwoordig zouden schrijven "Sang Royal", "koninklijk bloed".

Volgens een andere interpretatie zou de apostel Jakobus in werkelijkheid de tweelingbroer van Jezus geweest zijn. Op de muurschildering van het avondmaal van Michelangelo zou je zelfs de gelijkenis tussen beide broers kunnen zien. In elk geval zou de bloedlijn van Jezus voort zijn blijven bestaan en de tempeliers zouden die op het spoor zijn gekomen en hebben opgenomen. Dat zou hen tot de rechtmatige erfgenamen van Jezus hebben gemaakt.'

'Dan waren er op het moment van de arrestatie... wanneer was dat ook alweer, dertienhonderd zoveel? In elk geval waren er destijds kennelijk geen familieleden meer in leven voor wie het de moeite was stand te houden, waarom gaven ze zich anders zo gemakkelijk gewonnen?'

'Tja, dat is een scenario dat uiteindelijk nauwelijks antwoord geeft op welke vraag dan ook.'

'En wat bedoelde je met intellectueel erfgoed? Dat de tempeliers hun kennis hebben nagelaten?'

'Ja, dat zou het andere alternatief zijn. Welk geheim "occult" weten ze ook bezeten mogen hebben, misschien was dat hun schat en hebben ze die nagelaten in de vorm van documenten of boeken of anderszins. De grootmeester zou die kennis zelf nooit hebben kunnen vernietigen, maar de kennis van de toegang ertoe wel. De kaarten, de sleutels. Wellicht is dat geheime weten van de tempeliers nog steeds toegankelijk, goed verborgen of versleuteld.'

'En jij denkt dat de grot...'

'Ja, en dan komen we weer op de katharen en wat die met de tempeliers te maken hadden.'

'Je zei dat ze samenwerkten.'

'Ja. De kruistocht tegen de Albigenzen begon immers een eeuw voordat de tempelorde zelf werd aangepakt. Toen de tempeliers in toenemende mate verwerden tot een politieke, wereldlijke macht, namen de katharen, ook wel Albigenzen of Waldenzen genoemd, het religieuze en filosofische gedachtegoed over. Er was sprake van een drukke uitwisseling, intellectueel en wetenschappelijk, tussen de katharen en de tempeliers, die als een soort patroons optraden. Toen de vervolging van de katharen begon, vonden velen dan ook asiel bij tempeliers of werden ze gewoon in de orde opgenomen. Alleen, wat wonnen de tempeliers daarbij? Het is waarschijnlijk dat er nog een andere band tussen hen bestond. En dat zou dan de vesting Montségur zijn. Diezelfde burcht waarin Wolfram van Eschenbach in zijn *Parzival* de heilige graal situeert. Alleen noemt hij haar "Munsalvaesche". Je weet nog dat de burcht in 1244 na een beleg van zes maanden werd ingenomen? Nou, rond die capitulatie zijn enige legenden ontstaan. Er wordt gezegd dat zij werd uitgesteld tot een bepaalde dag, omdat er na een zekere termijn nog een of ander feest of ritueel op de burcht moest worden gehouden. Verder wordt verteld dat de avond voor de capitulatie drie mensen uit de burcht konden ontsnappen, die naar verluidt de schat van de katharen bij zich hadden...'

'Zij drongen door de belegering heen en sleepten daarbij heel onopvallend nog een paar schatkisten mee?' vroeg Patrick. 'Hoe is dat in zijn werk gegaan?'

'De burcht ligt op een steile rots, heel ontoegankelijk, en kon onmogelijk helemaal bewaakt worden. Een paar handige mannen kan het best zijn gelukt zich van een rotswand te laten zakken of zoiets. Maar op een ander punt heb je gelijk: hoe konden drie mannen de schat van de katharen meenemen? Die moet dan wel heel klein zijn geweest.'

'Of symbolisch,' zei Stefanie.

'Precies.' Peter knikte. 'Het ging niet om schatkisten, maar om iets heel anders. Misschien was de schat niets anders dan de goddelijke zegen die door de katharen niet door doop, maar door persoonlijke handoplegging werd doorgegeven. Misschien een heilige vlam of een boek. Of...' – hij dacht even na – 'of een schatkaart.'

'Je bedoelt...'

'De schat van de katharen en de schat van de tempeliers was mogelijkerwijs dezelfde. De heilige graal die de tempeliers bezaten was het zinnebeeld voor een intellectueel erfgoed dat destijds door de katharen werd behoed. Daarom werden zij beschermd door de tempeliers. Misschien wilden de tempeliers met de katharen een nieuw religieus fundament voor de samenleving scheppen, terwijl zijzelf de economische en politieke kant voor hun rekening namen. De katharen werden echter in 1244 bij Montségur uitgeschakeld. Drie mannen vluchtten en bewaarden het geheim ergens op een plek, die al... wanneer was die zonsverduistering, in 1239? ... die gelukkig al vijf jaar een geheime grot was. Het geheim kwam terug bij de tempeliers. De tempelorde heeft het in Frankrijk nog zestig jaar lang uitgehouden en toen was de beurt aan Jacques de Molay om het geheim te verbergen voor onwetenden.'

Peter pauzeerde even om nog wat water in te schenken. Patrick keek zwijgend toe en speelde het scenario kennelijk nog een keer in zijn hoofd af.

'Toch begrijp ik het niet,' zei hij ten slotte. 'Die uitschakeling van de tempeliers. Dat ze lastig werden voor de staat en dat ze daarom aan de kant moesten worden geschoven, kan ik me voorstellen. Maar als ze jarenlang in een dermate hoog aanzien hadden gestaan, hoe konden dan zo plotseling door de inquisitie dergelijke verwijten tegen hen worden geuit, zonder dat men daartegen protesteerde? Ik bedoel, je hebt toch verteld dat ze werden beschuldigd van ketterij, van blasfemie en van weet ik wat.'

'Wie hoog klimt kan diep vallen,' merkte Stefanie op.

'De arrestaties vonden plaats bij een verkapte actie,' zei Peter. 'De tempeliers hadden natuurlijk al enige tijd wantrouwen gewekt. Dat had onder de bevolking jarenlang tijd gehad om te gisten.'

Patrick overwoog dat. 'Hm... ja, misschien, maar ik vind het toch nog steeds vrij onwaarschijnlijk. Er was toch iets niet helemaal koosjer aan die jongens. Je werkt je toch niet twee eeuwen lang op tot een respectabele politieke macht om je vervolgens gewoon in te laten pakken?'

'Ik denk dat je de tempeliers overschat. Jij schrijft hun invloed en macht aan personen toe. Het kan zijn dat in de succesvolle, superstrenge, militaire hiërarchie van de orde nu juist ook haar kwetsbaarheid school. Aanwijzingen konden weliswaar zeer doeltreffend worden doorgegeven en werden ook zonder discussie opgevolgd. Bijvoorbeeld de aanwijzing aan alle ordes in Frankrijk deze of gene stukken te vernietigen of zich in het geval van gevangenneming zus of zo te gedragen. Maar individuele broeders waren nooit van alle details van de leidende machten op de hoogte, zodat ze onwetend als lammeren naar de slachtbank gingen. Terwijl de leiding, met name Jacques de Molay, haar eigen plannen had en maatregelen nam, waren de individuele ordebroeders misschien van mening dat zij als het erop aankwam onaantastbaar waren en dat alles wat er gebeurde, gebeurde met instemming van de grootmeester. Hun grootmeester die in werkelijkheid allang van plan was zichzelf en zijn orde op te offeren.'

'Alles goed en wel,' zei Patrick, 'maar waarom? Waarom offerde hij zichzelf en zijn orde op? Dat is de hamvraag. Waarom riep hij zijn mensen niet onder de wapenen of beval hij ze te vluchten?' Hij keek Peter aan, maar die haalde slechts zijn schouders op. 'Heb je geen enkel idee? We hebben het hier wel over heel grote raadsels als de heilige graal. Dan kunnen we er toch ook wel achter komen wat de goede Jacques de Molay gedacht heeft?'

'Tja...' begon Peter.

'Ik bedoel, hij was toch beslist niet dom of gewetenloos, maar hij droeg wel de verantwoordelijkheid voor de dood van duizenden van zijn ordebroeders. Of was hij gewoon een religieus fanaticus?'

'Nee, dat was hij niet,' verklaarde Peter, 'althans niet voor zover ik weet. Het kan zeker niet gemakkelijk voor hem zijn geweest om zichzelf en zijn orde op te offeren. Hij moet daar een belangrijke reden voor gehad hebben. Ik kan me zo voorstellen dat hij iets wilde beschermen. Hij moet ervan overtuigd zijn geweest dat alle stukken en alle kennis daarvan, te weten alle mensen in de orde, die daar iets van konden weten, zouden verdwijnen.'

'Jawel, maar om dan dat ongedierte in de vorm van de inquisitie in huis te halen was toch wel een erg radicale maatregel!'

'Ja, maar ook de meest afdoende in die tijd. Niemand werkte zo consciëntieus en zo grondig. Natuurlijk hebben sommigen het ondanks dat overleefd, zoals op het Iberisch schiereiland, maar door de processen zijn de tempeliers met succes in diskrediet gebracht. De kennis van een enkele overlevende tempelier was daarna niets meer waard en daardoor ongevaarlijk.'

'Hm... dan zijn we weer terug bij af. De tempeliers bewaarden de heilige graal, een intellectueel erfgoed,' vatte Patrick samen. 'Wij vermoeden dat het daarbij gaat om de grot van het weten, die wij gevonden hebben. Om dat geheim te beschermen heeft Jacques de Molay, toen hem de grond te heet onder de voeten werd, met opzet alle bewijsmateriaal vernietigd en zijn orde grondig door de inquisitie laten opruimen...' Hij ging naar het venster en keek naar buiten. 'Dat is bijna te simpel, vind je niet? Waarom zijn anderen niet op hetzelfde idee gekomen? Waarom wordt de verborgen schat van de tempeliers niet gezocht?'

'Maar dat wordt hij wel! Al eeuwenlang.'

'Net als Eldorado...' dacht Patrick hardop. Na een poosje zei hij: 'Weet je wat me nog meer dwars zit?'

'Nou?'

'Niet die oude inscripties of het feit dat wij hebben ontdekt dat de heilige graal wellicht een bibliotheek is. Het is de passage in de grot. Hoe hebben de tempeliers dat voor elkaar gekregen? Wat voor een gevorderde kennis kan dat geweest zijn die het mogelijk maakt zo'n passage te creëren? Die is immers bijna van militair belang, in ieder geval vandaag de dag. Ik heb jullie toch verteld van vliegtuigen die niet op de radar verschijnen, van de stealth-technologie. Dit is adembenemend! Stel dat de tempeliers destijds zulk wetenschappelijke knowhow bezaten, waarom hebben ze dan niet de wereldheerschappij nagestreefd?'

'Je bedoelt dat het hier gaat om wetenschappelijke knowhow?' vroeg Peter.

'Ja, wat anders? Waar lijkt dit dan op?'

'Nou,' begon Peter, 'in de middeleeuwen – en het stámt in elk geval uit de middeleeuwen...' Hij wachtte even. Het was duidelijk moeilijk voor hem om te formuleren. 'In de middeleeuwen werd dat met zekerheid voor magie aangezien...'

'Flauwekul!'

Peter hief bezwerend een hand op en zei langzaam: 'Je moet wel bedenken dat de tempeliers inderdaad magische occulte praktijken verweten werden. En misschien verklaart dat ook het bijzondere belang van de satanist Ash in de kring van Montségur...'

'Elke voldoende ver voortgeschreden techniek valt niet te onderscheiden van magie,' zei Stefanie.

Patrick hief zijn hoofd op en keek haar verbaasd aan. 'Lees jij sciencefiction?'

'Sciencefiction?' vroeg ze.

'Dat was toch een citaat van Arthur C. Clarke?'

Stefanie lachte. 'Wie weet heeft hij dat ook een keer gezegd, ja.'

'Om eerlijk te zijn,' zei Peter op overtuigde toon, 'is de mogelijkheid dat er inderdaad zoiets bestaat als magie minstens even onwaarschijnlijk als de mogelijkheid dat de tempeliers wisten wat stralingabsorberende, beschermende schilden waren!'

Patrick begon te lachen. 'Maar dan moet je toch ook toegeven dat de mogelijkheid dat wij de heilige graal gevonden hebben even onwaarschijnlijk is als de mogelijkheid Eldorado te vinden.'

'Hou nou toch eens op met dat goudland van je.'

'Goed. Als jij niet weer over magie begint!'

'Hou op, jullie allebei!' riep Stefanie. Toen wendde ze zich tot Peter. 'Dat neemt niet weg dat ik het woord "magie" vooral van jou niet verwacht had. Hoe kom je daarbij?'

'Ja, jullie mogen me best voor getikt aanzien,' zei Peter, 'maar als ik naar een oplossing zoek, dan weiger ik een mogelijkheid buiten beschouwing te laten omdat zij ongewoon aandoet of niet bewezen kan worden. Maar geloof me, ik heb lang genoeg de kronkelpaden van het bijgeloof en het occultisme bestudeerd om te weten hoeveel doctrines op botte willekeur, hoeveel wonderen op verbeelding en hoeveel heilige tradities op misverstand berusten. En toch zit er bij allemaal iets onverklaarbaars... Neem nou de tempeliers. Hen werd verweten dat ze een afgod vereerden met de naam Baphomet, die werd afgebeeld met een bebaarde kop. Kennelijk had dat hoofd de kracht rijkdommen te verschaffen en bomen vrucht te laten dragen. Hetzelfde werd beweerd van de heilige graal. Het moderne occultisme heeft van Baphomet een duivel met een bokkenkop en satanische attributen gemaakt die met de Baphomet uit de inquisitieprotocollen niks uitstaande heeft. En daar heb je dus al foute magie. Maar wat was er met de oorspronkelijke Baphomet aan de hand? Wie of wat was hij? Sommigen houden de naam Baphomet voor een verbastering van Mohammed, de profeet en grondvester van de islam. Anderen menen dat hij verband houdt met het Arabische "aboe fi hamed", dat met "vader der wijsheid" vertaald kan worden. Enkelen zagen in het hoofd de schedel van Johannes de Doper. Weer anderen beweerden dat het leek op de afbeelding in de Turijnse lijkwade, die overigens ook een tijdje in het bezit van de tempeliers geweest zou zijn. De verhalen rond de tempeliers zijn zo vol mysteriën! En de manier waarop Ash in Cannes reageerde op de kring van Montségur doet mij vermoeden dat deze sekte iets achter het geheim van de tempeliers zoekt. Iets wat machtiger is dan zijzelf. Oeroude magie, misschien?'

'En wat stel je je daarbij voor, Peter?' Patrick schudde zijn hoofd. 'Een boek met toverspreuken? Of geloof je dat dit de grot is waarin Merlijn gevangenzit?'

Patrick keek de Fransman een ogenblik strak aan. 'Merlijn! Ja, waarom ook niet... volgens de sage werd hij in een val gelokt en voor eeuwig in een grot opgesloten.'

'Het spijt me, Peter. Eerst de heilige graal en nou Merlijn, koning Arthur en Camelot. Nou vraag ik je. Bij sprookjes, feeën en toverij houdt het bij mij op!'

Peters ernstige uitdrukking ontspande langzaam. Hij trok een wenkbrauw op. 'Dacht je echt dat ik het meende?' Daarop grinnikte hij.

'Bij jou weet ik het niet meer zo zeker,' antwoordde Patrick aarzelend. Hij zag dat ook Stefanie grijnsde.

'Nou goed dan,' zei Peter glimlachend en met een afwerend gebaar. 'Je kunt gerust zijn, want ik verwacht natuurlijk helemaal geen magie te vinden. Wat ik wel wil is de oorsprong vinden van wat door de sluier van de geschiedenis nog slechts als magie tot ons komt. Ja, ik heb in een vele occulte kringen rondgedoold, en ja, ik weet veel meer van deze dingen dan mij lief is en dan ik aanvankelijk heb toegegeven. Maar door de "magie" te bestuderen volgen wij haar ontwikkeling, haar mutatie, haar instelling, terug tot haar oorspronkelijke vorm. Interessant genoeg was er uitgerekend bij de alchemisten zelfs een formule voor: "Ex quo aliquit fit in illud iterum resolvitur".'

'"Waaruit iets gemaakt is, daartoe zal het ook terugkeren",' vertaalde Stefanie bijna automatisch.

'Precies,' zei Peter. 'Je hebt natuurlijk volkomen gelijk, Patrick, bij die mysterieuze passage gaat het niet om magie. Maar het hoeft ook niet per se iets met hogere techniek te maken te hebben, zoals jij opperde. Misschien is het gewoon een verschijnsel dat we tot nog toe niet kennen. Maar nu heb ik al een hele tijd over Montségur en de schat van de tempeliers gepraat... Wat hebben jullie gevonden?'

'Was dat dan echt alles?'

'Helaas wel. Ik kan om te beginnen alleen maar informatie over Jezus, de katharen, de tempeliers en de heilige graal aanbieden. Om iets over de passage te weten te komen, moet ik verder onderzoek doen en dat gaat nou eenmaal niet zo snel. Je moet niet vergeten dat ze daar al eeuwen op zitten te vlassen.'

'En het symbool?'

'Nog niks.'

'Hm...' Patrick stak weer een sigaret op. 'Jammer. Goed, ik heb ook niets nieuws, althans niet iets wat de oorsprong van de faxen betreft. Ze werden verstuurd vanuit een postkantoor in Morges, in Zwitserland, maar daar worden per dag enkele duizenden faxen verstuurd, en de afzenders kunnen dat zelf doen met de apparaten die er staan, zonder herkend te worden.'

'Nou ja, het zou denk ik ook te gemakkelijk zijn geweest,' zei Peter.

'Maar ik kan wel de eerste brief ontraadselen,' vervolgde Patrick.

'Wat? Echt waar? Was die versleuteld?'

Patrick pakte het papier. 'Weet je nog wat onze stiekeme correspondentievriend in de laatste fax schreef? "Past u op de cirkel die in mijn eerste brief werd beschreven." En kijk nu nog maar eens naar de eerste fax:

> Zeer geëerde heren,
> U bent op een kring gestuit en wat u onderzoekt kan kringen veroorzaken, maar past u wel op. Het centrum voor man en vrouw betreedt de kring, niet de roos. Pas er wel op dat geen kringen worden veroorzaakt door uw onderzoek, opdat niet de kring op u stuit.
> Met de meeste eerbied, St. G.

Hij heeft het in die brief over twee kringen, de "kring van Montségur", die we nu kennen, en overdrachtelijke kringen, die kennelijk getrokken worden door ons onderzoek. Welke van die twee cirkels bedoelt hij dus in zijn tweede fax?' Hij keek om zich heen. Peter trok alleen zijn wenkbrauwen op, Stefanie keek hem vriendelijk lachend aan. 'Ik zal jullie niet langer in spanning houden. Ik heb twee dingen gezien en gecombineerd: ten eerste viel mij op dat er nogal merkwaardige herhalingen in de tekst staan. Dus heb ik hem letterlijk genomen: de tekst "beschrijft" misschien zelf een cirkel, is misschien op de een of andere manier cirkelvormig opgebouwd. Ik heb dus de rangschikking van de woorden en de letters onderzocht. Tegelijk is mij opgevallen dat de kring van Montségur eigenlijk ook geen cirkel is, maar een groep concentrische ringen, die van buiten naar binnen steeds kleiner worden en die in het midden bij elkaar komen. En voila, hetzelfde kan ik met de tekst doen.' Hij toonde een diagram.

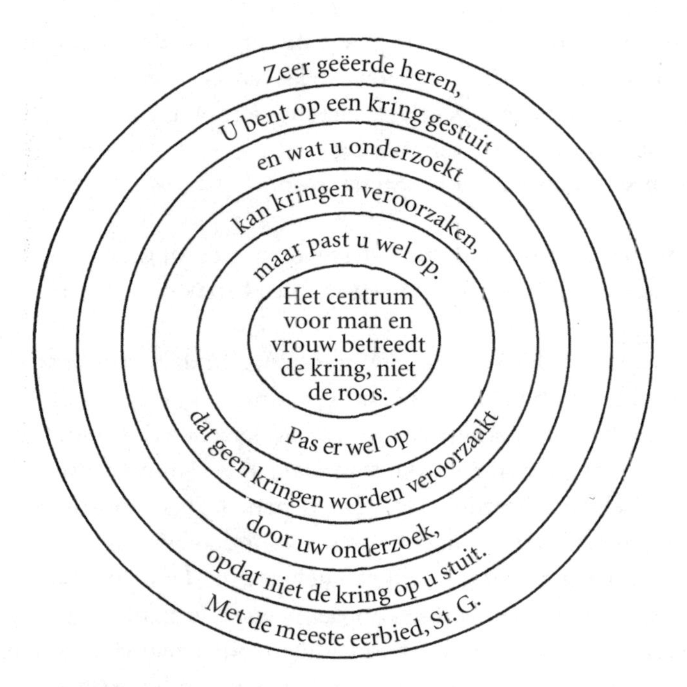

'Zie je wel? Van buiten naar binnen worden de regels herhaald. Niet letterlijk, maar in de context: "Eer, op een kring stuiten, kringen veroorzaken, onderzoeken, opletten". De tekst doelt op een midden, net zoals de kring van Montségur een midden heeft. De middelste regel vormt het centrum. Het begint zelfs met de woorden "het centrum". Het vreemde is dat dit niet logisch lijkt, wel? Dat komt doordat wij een te globale werkwijze hebben toegepast. Wij zijn per regel tot het centrum gekomen. Weet je wat er gebeurt als wij de methode bijstellen en als wij vanuit het centrum op dezelfde manier letterlijk van buiten naar binnen gaan? Ik zal het direct maar zeggen. Het centrum is "vrouw betreedt". En als je het letterlijk neemt is het alleen nog maar "vrouw".'

'Goed gecombineerd, Watson!' zei Stefanie en ze lachte Patrick stralend toe.

'Inderdaad,' zei Peter. 'Je doet me versteld staan. Maar wat kunnen we daaruit concluderen? Dat een vrouw de sleutel is? Dat een vrouw in staat zou zijn de passage door te komen?'

'Daar lijkt het toch op?' zei Patrick. 'De vraag is alleen of er een bepaalde vrouw bedoeld wordt, een die aan bepaalde nog niet bekende criteria moet voldoen. Of voldoet gewoon iedere willekeurige vrouw?'

'Wat de mogelijke criteria betreft had de versleutelde tekst op de vloer het toch over iets...' Peter keek het na en las ten slotte voor: '"voor diegenen toegankelijk die de mysteriën behoeden"... Nou ja, daar komen we ook geen stap verder mee, ben ik bang.'

'Nou, misschien wel,' merkte Stefanie op.

'O, ja?'

'Worden vrouwen niet als hoedsters van mysteriën gezien?'

'De vrouw ís een mysterie,' zei Patrick. 'Dat kan ik onderschrijven!' Hij lachte.

'Stefanie heeft gelijk,' peinsde Peter hardop. 'In de mystieke traditie is de vrouw altijd de beschermster van geheimen. Ik doel daarbij niet op moderne patriarchale samenlevingen, maar denk aan de oude sprookjes: die staan bol van heksen, niet van tovenaars. Het waren vrouwen die het orakel van Delphi beheerden. De drie Nornen, de drie Noordse schikgodinnen... allemaal vrouwen. Ook de sfinx uit de klassieke oudheid was vrouwelijk, zij was het zinnebeeld van het geheim. Bij de meeste natuurvolkeren zijn de mannen verantwoordelijk voor de jacht en de vrouwen voor de religie. De mannen voor daden, de vrouwen voor wijsheden. De vrouw als bewaakster van het vrouwelijk geheim en het wonder van het leven. De aarde wordt in alle religies als moeder, als vrouwelijk beschouwd. "Gaia" als meisjesnaam is door de opkomst van de esoterische newagebeweging weer opgeleefd. En dat is echt allemaal niets nieuws:

moedergodinnen vormden zo'n integraal bestanddeel van oude culturen dat het katholieke christendom er niet omheen kon Maria als Moeder Gods te gebruiken, om een gemakkelijker identificatie mogelijk te maken en de overgang te vereenvoudigen. Met het oerchristendom, zoals het door Paulus werd bedacht, heeft die Mariadienst helemaal niets te maken.'

'Je wilt dus beweren dat er in beide teksten hetzelfde staat?' vroeg Patrick.

'Volgens mij wel,' antwoordde Peter. 'Een vrouw kan de grot betreden. En volgens mij betekent dat iedere vrouw.'

Er viel een stilte. Patrick en Peter keken elkaar aan en verlegden hun blik na een poosje als vanzelf naar Stefanie.

Langzaam begon ze te lachen. 'Vraag het me maar,' zei ze en ze knikte bemoedigend.

'Je bedoelt...' begon Peter aarzelend. 'Zou jij...? Echt? Dat zou natuurlijk fantastisch zijn, maar we hebben geen idee hoe gevaarlijk het is. Je zou eigenlijk helemaal niet... dat kunnen we niet verantwoorden... Nee, je mag ook helemaal niet...! Je weet toch niet wat je te wachten staat? Het kan zelfmoord zijn. Nee. Nee, geen sprake van!'

Stefanie keek eens naar Patrick.

'Wanneer ga je naar de grot?' vroeg hij haar.

'Vandaag nog.'

16

10 mei, bureau van de Franse president, Parijs

Emmanuel Michaut zat aan zijn schrijftafel met het hoofd in zijn handen. Hij was lichamelijk en geestelijk op, zijn hoofd bonsde, zijn nekspieren waren gespannen. Hij had de afgelopen nacht geen oog dichtgedaan en hij dacht niet dat hij ooit nog zou kunnen slapen. Sinds het bezoek van Jean-Baptiste Laroche was niets meer hetzelfde. Dit was een nieuwe wereld. Het was alsof er plotseling een enorme asteroïde was ontdekt die met onvoorstelbare snelheid naderde, die door niets kon worden tegengehouden, en die de aarde over precies drieënzeventig uur zou vernietigen. Alle routine, alle toekomst, alle leven stond op een onzichtbare drempel, en één stap verder en het zou allemaal in een afgrond storten.

Michaut had altijd in persoonlijke kracht geloofd, was ervan overtuigd dat alles bereikbaar was. En dat was ook zo. Niets ter wereld gebeurde zonder reden en als je een doel wilde bereiken, kon je er niet van uitgaan dat dat vanzelf zou gaan. Je moest zelf dingen in gang zetten.

Hij geloofde in een kracht in de mensen die het iedereen mogelijk maakte zijn eigen en andermans beperkingen te overstijgen, als je die kracht maar herkende en leerde gebruiken. Het was een bijna religieus uitgangspunt, maar hij was er zeker van dat het niets te maken had met goddelijkheid of religie. Natuurlijk, religie had haar recht van bestaan. Zij gaf mensen houvast die hun angsten en twijfels niet alleen de baas konden. Religie beloofde zin in het leven. Zij verklaarde het onverklaarbare, hielp de schijnbare willekeur van het lot te verdragen, de leegheid van het eigen leven te vullen, de schijnbare nietigheid van het individu tegenover de kosmos draaglijk te maken. Het placebo-effect van godsdienstigheid kende hij maar al te goed en dat accepteerde hij ook. De meeste mensen konden niet tegen het idee dat na de dood alles voorbij zou zijn, dat er verder geen enkele zin aan het leven kon worden gegeven, behalve dan die je er zelf aan gaf. Die mensen hadden een houvast nodig. Dat was acceptabel. De kritischer gelovigen begrepen echter dat ze niet werden bijgestaan door een goddelijke macht, maar door een soort zelfvertrouwen. De macht alles te bereiken was puur menselijk.

Volgens deze principes had hij geleefd en elke kans gezien en benut.

Natuurlijk waren er tegenslagen geweest, maar die had hij leren appreciëren, want het waren zijn beste leermeesters geweest. Op die manier had hij elke situatie in zijn voordeel kunnen ombuigen en nooit het vertrouwen in zijn doel verloren.

Alles wat een mens kon bereiken, kiemde in de sociale omgeving en in de bijzondere capaciteiten van het individu. Dat waren de voorwaarden, terwijl de droom en de wensen het doel vormden. Deze twee polen, en ook succes op weg van de oorsprong naar de toekomst, vormen samen een netwerk van waarschijnlijkheden en mogelijkheden. Michaut had alle mogelijkheden altijd maximaal gebruikt en was op die manier van de ene onwaarschijnlijkheid in de andere beland, had zelfs geheel nieuwe, onafzienbare mogelijkheden aangeboord. Zo beschouwd had hij als president van Frankrijk al het volstrekte toppunt van zijn persoonlijke onwaarschijnlijkheid bereikt en was hij zo dicht bij zijn doel als hij maar kon.

En dan duikt opeens Jean-Baptiste Laroche op, en die roept iets op wat groter is dan Michaut, groter dan heel Frankrijk.

De erfenis van koninklijk bloed.

Dat klonk Michaut vertrouwd dreigend in de oren en dus had hij zijn geheime dienst erop losgelaten. Wat die uit de diepste archieven van de Franse overheid bij elkaar had kunnen sprokkelen, was verschrikkelijk. Laroche kon zich inderdaad in zeker opzicht opwerpen als de nieuwe messias en daar kon hij, Michaut, niets tegen doen. Zijn gedachten gingen niet zozeer uit naar de religieuze gevolgen – die kant wilde hij nog niet overdenken, dat kon hij gewoon nog niet – maar wat hem bezighield was de uitzichtloosheid van de dreiging. Hoe kon hij tegen Laroche optreden zonder een martelaar van hem te maken?

Michaut overwoog of hij niet nogmaals met de graaf moest overleggen. De grenzen van vriendschap – of eigenlijk van vertrouwen, want het was op de een of andere manier zowel minder als meer dan vriendschap – moesten op een dag toch bereikt zijn. Hij wist niet in hoeverre hij de graaf er daadwerkelijk bij mocht of moest betrekken... Het ging hier toch om dingen waarvan niet iedereen zo een-twee-drie de reikwijdte kon overzien. Hoe zou de graaf op zo'n openbaring reageren? Was hij gelovig? Iets wat Michaut zich nog nooit had afgevraagd, maar nu werd het opeens onverwacht relevant. Zou de graaf lachen? Erdoor ontsteld raken? Er verrukt van zijn? Zou hij überhaupt willen luisteren? Objectief kunnen blijven? Maar toch, als er iemand in staat was in deze kwestie neutraal te blijven, dan was hij het wel...

Hij nam de hoorn van de haak en vroeg om een veilige lijn. Toen draaide hij het nummer.

10 mei, herenhuis bij Morges, Zwitserland

In de vroege middag zette de helikopter de landing in naar het gazon achter het herenhuis aan het Meer van Genève. Het terrein helde hier licht en leidde naar de oever van het meer, waar het gazon overging in een talud dat versterkt was met zware zwarte rots. Op het terras stonden twee mannen te wachten, van wie de jongste op de helikopter af ging toen die was geland en de motoren tot stilstand waren gekomen. Hij begroette de man die uitstapte.

'Welkom, monsieur le président! Mijn naam is Jozef. Steffen verwacht u al.'

President Michaut liep met de jongeman mee. Hij had hem al eens gezien, maar wist niet precies meer waar. Dat hij de graaf 'Steffen' noemde, irriteerde hem een beetje. Volgens hem getuigde het van gebrek aan respect. Het kon er echter ook op duiden dat deze Jozef een bijzondere vertrouweling van de graaf was, een net zo invloedrijk persoon, op de een of andere manier. Steffen... ongebruikelijke naam. Duits? Of Nederlands? Hij realiseerde zich opeens hoe weinig hij van de graaf wist. Hij was op de een of andere manier plotseling aanwezig geweest: enkele dagen na zijn ambtsbekleding had een staatssecretaris hem voorgesteld aan de man en van meet af aan waren ze merkwaardig vertrouwd met elkaar geweest. Zijn werkelijke naam had niemand ooit genoemd, of misschien was het Michaut ontschoten. Om de een of andere reden herinnerde hij zich dat de man een adellijke titel had en daarom noemde hij hem graaf. De ander had dat nooit tegengesproken.

De man was voortdurend van alles op de hoogte, en tegelijkertijd zweeg hij over alles. Hij zweeg over hun gesprekken, maar ook over zijn eigen afkomst. Hij werd nooit intiem en was toch altijd persoonlijk. Dat was een subtiel, maar belangrijk verschil. Het was moeilijk uit te maken of de graaf rechtstreeks belang had bij Michaut zelf of slechts bij diens positie als president. Misschien had de graaf ook helemaal geen belangstelling, observeerde hij slechts. Daar leek het bijna op, want hij was weliswaar altijd te spreken voor de president, bereid hem aan te horen of raad te geven, maar hij mengde zich nooit op eigen initiatief in zijn aangelegenheden. En als dat toch gebeurde, ging het zo handig dat het niet opviel. Michaut nam zich voor de achtergrond van deze man te laten natrekken.

Michaut betrad de villa door de openslaande deuren en stond meteen in een prachtige salon die was ingericht met weinig, maar zorgvuldig uitgezocht antiek meubilair. Een grote donkere houten tafel, die afkomstig leek uit een ridderzaal, stond bij het raam, dat uitzicht gaf op het terras en het meer. Naast de tafel stond de graaf, in een chic donker pak, zoals Michaut hem kende, een indrukwekkende uitstraling, een beetje ouderwets, zonder dat je dat kon zien aan details in de kleding.

'Monsieur le président, het is mij een eer u te kunnen begroeten als mijn gast.'

President Michaut knikte, hij wist niet wat hij moest antwoorden. Hij was op deze onwaarschijnlijke plaats en zocht hulp in een onwaarschijnlijke situatie. Kon de graaf eigenlijk wel helpen? Zou hij wel naar hem willen luisteren?

'U lijkt gebukt te gaan onder een zware last,' zei de graaf. 'Jozef zal ons wijn brengen. We gaan hier aan tafel zitten. Wist u dat deze tafel van Leonardo da Vinci is geweest?' Hij ging met zijn hand over het tafelblad. 'Ik heb deze tafel in Turijn gekocht. Gaat u zitten. Van hieruit hebt u een prachtig uitzicht over het Meer van Genève.' Hij wachtte tot Michaut ging zitten. Hij merkte de onrust van de president, diens onbehagen. 'Wat het ook mag zijn dat u bedrukt, schuif het even terzijde en kijk naar de golfjes en de lichte nevelsluier daarboven. Die zal tegen de avond dichter worden. Is het niet prachtig en vreedzaam? Zo is het al duizenden jaren en niets wat wij doen zal dit meer wezenlijk veranderen. En daarachter, wat u nu nog net als heldere toppen kunt zien, dat is de Mont Blanc. U zult merken dat u zowel in het verleden als in de toekomst kijkt. Alles hier berust op zichzelf, het lot van de mensheid trekt voorbij. Net zoals de bergen en het meer geen stelling nemen, niet goed en niet slecht zijn, zo is de wereld om ons heen niet goed en niet slecht. Het is onze opvatting van wat er gebeurt die ze ons als goed of slecht laten lijken. De ergste gebeurtenissen kunnen ons iets leren. Groei ontstaat overal waar dingen veranderen en waar reactie nodig is. Als wij het gebeuren in onze gedachten scheiden in goed en slecht en ons richten op hetgeen wij goed achten, als wij voor het slechte de ogen sluiten, ervoor wegvluchten, het niet accepteren, dan ontglipt ons de helft van de dingen waaruit wij grote wijsheid zouden kunnen putten.'

Michaut keek uit over het meer en overdacht de woorden van de graaf. Sommige van die gedachten hadden een rustgevende klank, leken op een ander niveau als dat van het verstand een diepere zin te hebben. Anderzijds waren er gebeurtenissen van zo'n draagwijdte, zo'n duidelijke slechtheid, dat hij het niet helemaal eens kon zijn met de graaf.

'Maar ik wil u niet vervelen met de inzichten van een oude man,' ging de graaf verder. 'U hebt een dringend voorstel en uw tijd is kostbaarder dan de mijne. Ah, de wijn!'

Jozef serveerde vlot en zonder omhaal. Michaut, die bang was geweest dat de man als vertrouweling van de graaf bij het gesprek aanwezig zou zijn of – voor het geval hij tot het personeel behoorde of iets dergelijks – op de achtergrond zou blijven, was blij dat Jozef de kamer weer verliet.

'Zegt u mij wat u dwars zit. Heeft het iets te maken met uw tegenkandidaat, Jean-Baptiste Laroche?'

'Inderdaad, dat klopt. Herinnert u zich nog wat ik al vermoedde bij ons laatste gesprek, dat er iets in het spel kon zijn dat een verkiezingszege van Laroche bijzonder waarschijnlijk zou kunnen maken?'

De graaf knikte en snoof het boeket van de wijn op.

'Nou, dat is er inderdaad,' vervolgde Michaut. 'Zegt de uitdrukking "sang réal" u iets?'

De graaf antwoordde niet meteen, maar keek de president over de rand van zijn glas aan, iets langer dan gewoonlijk. 'Wat betekent dat?' vroeg hij vervolgens.

Michaut boog naar voren. 'Het is Middelfrans. Tegenwoordig zouden we "sang royal" zeggen, "koninklijk bloed". Zoals we al eerder besproken hebben, heb ik een ontmoeting met Laroche gehad, en zoals te verwachten stelde hij zich zeer zelfbewust op, het leek wel alsof hij zeker was van zijn overwinning. Hij zei ook dat ik zijn overwinning nooit tegen zou kunnen houden zonder hem tot martelaar te maken, dat hij de erfgenaam van het koninklijke bloed zou zijn.'

De blik van de graaf bleef ondoorgrondelijk.

'Dat waren letterlijk zijn woorden. Merkwaardig, niet? En weet u wat "sang réal" nog meer betekent? Het houdt ook verband met "san graal", de heilige graal.' Michaut greep zijn glas en leunde een beetje achterover. 'Ach, wat zit ik voor onzin uit te kramen. Ik weet niet waar ik moet beginnen, alles loopt door elkaar, u moet mij wel voor zwak aanzien.' Hij nam een flinke slok.

'Niet in het minst, monsieur le président. Maar misschien kunt u duidelijk maken wat monsieur Laroche bedoeld zou kunnen hebben toen hij erop duidde de erfgenaam van het koninklijke bloed te zijn.'

'Toen wij zijn familiegeschiedenis naliepen, stelden wij vast dat die van meet af aan genealogisch nauwgezet was vastgelegd. Diverse generaties hebben grote sommen geld in het onderzoek naar de familiegeschiedenis en de beschrijving daarvan gestoken. Sommige familieleden werden zelfs geziene specialisten op dat gebied. Het bleek dat alle overeenkomende trajecten in het verleden goed onderzocht en gedocumenteerd waren, meer dan eens op instigatie en op kosten van de familie zelf. Jean-Baptiste Laroche is een nazaat van de Merovingen, van het geslacht dat in de zesde en zevende eeuw na Christus het Frankische koninkrijk stichtte.'

'Dat moet een aanzienlijke familiegeschiedenis zijn. Dat zou betekenen dat zij haar teruggaat tot in de achtste eeuw.' De graaf nam een slokje. 'Dat betekent ook,' vervolgde hij, 'dat monsieur Laroche zich beschouwt als afstammeling van een koninklijk geslacht, als erfgenaam van de troon van Frankrijk, en dat hij nu, na bijna vijftienhonderd jaar, daardoor aanspraak kan maken op de presidentstitel?'

'Ja, daar ziet het naar uit.'

'De Merovingen werden een paar eeuwen later door de Karolingen uit de macht ontzet. Van een monarchie is er in Frankrijk al lang geen sprake meer. Denkt u dat hij gehoor zou kunnen krijgen voor zo'n eis, laat staan haar te gelde maken?'

'Dat is nu juist wat mij zorgen baart,' verklaarde Michaut. 'Een dergelijke afstamming mag buitengewoon, zelfs opvallend zijn, maar is natuurlijk tegenwoordig geen basis voor een juridisch geldige aanspraak. Wij leven in een functionerende democratie en mijn volk kiest geen koningen, Laroche streeft duidelijk een hoger doel na. Hij heeft zijn stamboom terug kunnen voeren tot de Merovingen, en heeft dat geslacht inmiddels ook goed gedocumenteerd. Er is een revolutionaire nieuwe theorie, volgens welke de Merovingen afstammen van Jezus Christus!'

Michaut wachtte even, want hij verwachtte dat deze onthulling een lach op het gezicht van de anders zo gereserveerde graaf zou toveren, maar die keek hem slechts zwijgend aan.

'Ik weet,' vervolgde de president dus, 'dat het provocerend klinkt, ik mag wel zeggen schrikbarend...'

'Zo nieuw is die theorie niet,' onderbrak de graaf hem rustig.

'Hoe bedoelt u?'

'Die theorie stamt al uit de jaren tachtig. Een Amerikaan heeft er nog niet zo lang geleden een succesvolle thriller over geschreven. Het verbaast mij alleen er opnieuw van te horen in verband met Jean-Baptiste Laroche.'

'Wat weet u ervan?'

De graaf leunde achterover en keek naar het meer. 'Er schijnen inderdaad aanwijzingen te zijn dat de Merovingen in verband kunnen worden gebracht met Christus. Enkele van die verbanden zijn beslist dubieus, andere ontegenzeglijk. Afgezien daarvan zijn er bewijsstukken die tot nog toe niet zijn geopenbaard en die deze theorie duidelijk moeten onderbouwen.'

'Het is dus waar?' Michaut keek de graaf met grote ogen aan. Hij had gedacht dat de graaf er niets van zou begrijpen, zich hooguit op de vlakte zou houden, hij had absoluut niet verwacht dat de graaf zo goed geïnformeerd zou zijn. 'Is Laroche verwant aan Jezus?'

De graaf glimlachte fijnzinnig. Hij leek geamuseerd, maar niet op een arrogante manier, eerder begripvol. 'En wat dan nog?' vroeg hij.

'Als hij echt afstamt van Jezus? Als het bloed van Christus echt door zijn aderen vloeit?'

'U lijkt verontrust en tevens ontroerd,' merkte de graaf op.

'Natuurlijk ben ik ongerust! Moet u zich voorstellen wat voor opzien dat zou baren: de laatste afstammeling van Christus is gevonden, het bloed van de Verlosser is onder ons. Iedereen ter wereld zou hem vereren, Kerken zouden aan zijn voeten liggen. Deze man kan de wereld regeren.'

'Waarom zou hij? Hij is toch ook maar een mens?'

'Hoe bedoelt u?'

'Was Jezus niet zowel mens als God? Vond Zijn goddelijkheid niet juist uitdrukking in het feit dat Hij de zonde van de mensheid op zich nam, voor haar stierf en na drie dagen weer opstond?'

'Ik ben niet bijzonder religieus...' protesteerde de president.

De graaf knikte tegemoetkomend. 'Nou, dáárin ligt de religieuze betekenis van de figuur van Christus. Niet in Zijn leven, in Zijn discipelen, in Zijn Bergrede. Wonderen en wijsheden van dat gehalte werden voor Hem en na Hem op de hele wereld bekendgemaakt door profeten. En hoewel Kerstmis als feest van Zijn geboorte wereldwijd de meeste aandacht krijgt, is het oorspronkelijk een heidens feest, opnieuw geïnterpreteerd en aangepast, als zovele. In feite is Pasen het belangrijkste feest van het christendom, want dan wordt de opstanding van Christus gevierd en daarin ligt de hele betekenis en de goddelijke macht van de Messias. Dat Jezus tegelijkertijd ook mens was, maakt het mogelijk zich met Hem te identificeren, en het maakt duidelijk hoezeer Jezus de belangen, de zorgen, de twijfels en de nood van de mensen kende. Maar op het menselijke vlak was Jezus een hagenpreker, als je het zo zou willen noemen. Hij zou tot de sekte van de Essenen hebben kunnen behoren. Maar die menselijke kant heeft geen macht, het goddelijke in Hem wél. En als Hij nu eens daadwerkelijk een broer had gehad, of een zoon, zoals andere thesen willen? Zouden die ook godgelijk zijn geweest? Nee. Zouden zij de mensen verlossen en zouden zij uit de doden kunnen opstaan? Nee. Een afstamming van Jezus zou eventueel fascinerend kunnen zijn, maar ontbeert elke religieuze aanspraak op macht.'

'Wat u zegt klinkt aannemelijk,' zei Michaut, 'maar zouden gelovigen dat ook zo zien? Zal niet iedereen door de knieën gaan voor hem, een prachtige, de enige nog levende relikwie, zo u wilt? Als de roomse kerk zelfs Maria vereert, die met de o zo belangrijke wederopstanding en de verlossing van de mensen zoals u die voorstelt helemaal niets te maken heeft, zal zij dan niet eveneens een nog levende verwant van Jezus heilig verklaren?'

'Ik denk dat de Bijbel nog eerder herschreven zal worden. Stelt u zich de kloof voor die zich tussen de progressieve en de fundamentalistische krachten in de kerk zou openen. De roomse kerk zou op haar grondvesten schudden en in tweeën splijten en een nieuw schisma zou het onherroepelijke gevolg zijn. Denkt u dat zij zich dat kan veroorloven? Het katholicisme, de kerk, de paus en de geschiedenis daarvan staan tegenwoordig meer dan ooit bloot aan kritiek. Een dergelijk schandaal zou onacceptabel zijn.'

'Nogmaals, het klinkt plausibel,' zei de president, 'maar toch stellen uw woorden mij niet gerust.'

'Tja, misschien is het ook wel moeilijk de reacties van de mensen en de kerk zo ondubbelzinnig te voorspellen.' De graaf nam nog een slok. 'Maar misschien kan ik u op een andere manier geruststellen.'

'Met alle respect, monsieur le comte,' zei Michaut en hij schudde zijn hoofd, 'ik betwijfel of u dat nog zal lukken.'

‘Tja, enerzijds is nooit definitief duidelijk geworden of de aanname van familiebanden tussen de Merovingen en Jezus eigenlijk wel stand zou kunnen houden. Is er eigenlijk wel iemand die zich daar serieus voor interesseert? Het feit dat die verhalen al honderden jaren in omloop zijn, steeds weer gedrukt en zelfs verfilmd zijn, en toch geen weerklank hebben gevonden, pleit daar volgens mij niet voor. En volgens mijn lekeninzicht is de vraag of de verwantschap van monsieur Laroche met de Merovingen daadwerkelijk bewezen is net zo dubieus. Ik ken wel iemand die u in dat opzicht verder kan helpen.’

Michaut bekeek de graaf met een mengeling van scepsis en nieuwsgierigheid. Hij was eigenlijk niet van plan verder nog mensen van deze explosieve stof op de hoogte te stellen. Wie kon in dezen in godsnaam zakelijk blijven en hem helpen?

‘U vraagt zich natuurlijk af wie onder zulke belangrijke omstandigheden nog om raad gevraagd zou kunnen worden. Het zal u beslist interesseren dat de opvolging van het geslacht van de Merovingen door de eeuwen heen inderdaad zorgvuldig is bewaard en in het geheim is voortgezet. Dat deel van de geschiedenis klopt aanwijsbaar. Verantwoordelijk hiervoor is een orde die zich de Priorij van Sion noemt. Het toeval wil dat die tegenwoordig onder andere vanuit Zwitserland werkzaam is. Ik zou u met iemand in contact kunnen brengen die als geen ander van de hele geschiedenis van de orde op de hoogte is, een zekere monsieur Plantard. Ik vermoed dat deze heer in staat is te bewijzen wie tegenwoordig van de Merovingen afstamt en of – en dat is het enige wat u werkelijk zou moeten interesseren – dat monsieur Laroche betreft.’

‘Hoe kunt u daar zo zeker van zijn?’

‘Noem het intuïtie, monsieur le président,’ zei de graaf.

10 mei, bos bij St.-Pierre-du-Bois

In het bos stond een zwarte bestelauto met getinte ruiten geparkeerd. Het geluid van de motor was sinds uren weggestorven, portieren waren dichtgeklapt, voetstappen hadden zich verwijderd. Een poosje lang had de warme motor nog staan tikken in de koude boslucht, toen hadden de geluiden van het bos de auto weer omgeven. Er floten vogels, de wind was wat frisser en ruiste door het struweel. De hemel betrok, de contrasten tussen zonnevlekken en schaduw op de bosgrond weken voor het vale, indirecte licht dat nu door het wolkendek viel.

Tussen de bomen doken drie gestalten op. Ze waren gehuld in zwarte mantels en bewogen zich met een dusdanige roofdierachtige lenigheid dat ze bijna niet te onderscheiden waren. Het leek wel alsof ze bij elke stap versmolten met de stammen en de struiken, en hun voetstappen maakten geen enkel geluid. Snel naderden ze de wagen. De voorste opende het achterportier, ze stapten in en het portier werd weer gesloten.

In de wagen was de lucht warm en bedompt. Het rook naar natte kleren, naar was, een beetje zoetig. Een kaars verlichtte een altaartje van donker hout dat was voorzien van organisch ogend snijwerk. Boven het altaar hing een doek dat een demonische figuur voorstelde: een kop met hoorns, de bek voorzien van spitse slagtanden. Het bovenlijf was naakt, mannelijk en gespierd, net als de sterk behaarde armen en benen. In plaats van voeten bezat de gestalte hoeven, die vonken uit de grond sloegen. Op het altaar lag een stuk geborduurde, witte stof, met daarop een zilveren kelk die was gevuld met een donkerrode, stroperige vloeistof. Naast de kelk lag de vochtig glimmende, gevilde kop van een kat.

Het kaarslicht flakkerde boven het gezicht van de vier mannen. Een van hen had in de auto gewacht. Hij leek begin dertig en droeg een donker pak, zodat hij deel leek uit te maken van de schaduwen. Zijn gezicht was echter goed zichtbaar, zijn blik was streng, zijn ogen schoten vuur. Op zijn voorhoofd prijkte een teken dat met een rode vloeistof was aangebracht – duidelijk dezelfde die ook in de zilveren kelk zat. In de beslotenheid van deze donkere ruimte had hij een al lang vergeten ritueel gehouden en vervolgens zijn ondergeschikten eropuit gestuurd om de omgeving te verkennen. Nu had hij ze teruggeroepen om verslag uit te brengen.

'Spreek!' commandeerde hij terwijl hij op een van de mannen wees.

'Het hek voert enkele kilometers het bos in, heer, tot aan een berg. Overal langs het hek patrouilleren zwaarbewapende opzichters. Het ziet ernaar uit dat dat professionele veiligheidsmensen zijn, misschien zelfs militairen.'

'Zie jij een mogelijkheid om ze ongemerkt voorbij te komen?'

'Een handjevol van ons zou dat kunnen lukken. Het gevaar ontdekt te worden is weliswaar groot, er bevinden zich minstens dertig gewapende mannen in dit deel van het gebied.'

'En wat heb jij gezien?' vroeg de man in het pak aan een van de anderen.

'Een halfuur gaans van hier in zuidelijke richting is een kamp,' zei die. 'Het ziet eruit als een legerkamp. Er staan kantoren, barakken en zoiets als opslagplaatsen.'

‘En professor Lavell?’

‘Geen spoor, heer. Het kamp ligt een heel stuk verder binnen het gebied. Er leidt een weg heen, versperd met traliewerk. Het schijnt de hoofdingang van het terrein te zijn. Als we dat in de gaten houden zien we hem vroeg of laat wel opduiken.’

‘Jij hoeft niet na te denken over wat we al dan niet gaan doen!’ zei de man in het pak.

‘Zeker heer, vergeving.’ Hij liet zijn hoofd zakken en ontblootte zijn nek. ‘Belial zij met u, Ash Modai.’

Ash negeerde dit en wendde zich tot de derde spion. ‘En jij?’

‘Ik ben het hek de andere kant uit gevolgd. Ook daar zijn overal gewapende mannen en geen enkel teken van de professor.’

Ash Modai zweeg een ogenblik. Hij voerde het bevel over vijf legioenen van de vorstendommen van de Hand van Belial. Daarmee was het mogelijk het gebied in te nemen en te bezetten. Maar dat zou te veel opzien baren. De hogepriester had hem uitdrukkelijk gezegd wat Belial van hem verwachtte. De professor was de kring van Montségur op het spoor. Mogelijk lag het geheim achter dat hek, maar alleen de professor kon dat bevestigen, dus moesten zij hem vinden. En dat zouden ze ook. En ze zouden alles van hem te horen krijgen.

‘Kijk me aan!’ zei hij tegen de man die nog altijd met gebogen hoofd zat. ‘Jij blijft hier. Ga naar het hek en bewaak de toegang dag en nacht. Je zult van minuut tot minuut moeten kunnen vertellen wie door dat hek gegaan zijn, en wanneer en waarom.’

‘Ja, heer.’

‘Stap uit.’

De man gehoorzaamde en Ash volgde hem.

‘Eropaf en verspil niet nog meer tijd!’ Toen wendde hij zich tot degenen die nog in de wagen zaten. ‘Wij gaan naar de stad om de professor te zoeken. Kleed je intussen om.’ Hij sloot het portier, liep om de wagen heen en ging achter het stuur zitten. Hij keek in de spiegel en wreef zijn voorhoofd schoon met een doek. Toen reed hij naar St.-Pierre-du-Bois.

10 mei, Hôtel de la Grange, St.-Pierre-du-Bois

‘Laten we de details nog eens natrekken,’ zei Peter. ‘Aangezien de passage geen straling doorlaat, is het zinloos je een walkietalkie of zender mee te geven. In plaats daarvan zullen Patrick en ik je met een touw zekeren. Je steekt eerst je hoofd naar binnen en wij trekken je dan meteen weer terug. Als dat goed gaat, ga je een seconde lang helemaal in de passage staan, en dan trekken we je weer terug. Zo zullen we steeds de verblijfsduur stapsgewijs verlengen, tot we er zeker van zijn dat je niets overkomt.'

'Goed idee, Peter,' zei Patrick. 'Misschien wil je millimeterpapier hebben?'

'Dit is geen spelletje! Het gaat om haar geestelijke gezondheid. Om haar leven.'

'Ach kom nou, er zal haar niks overkomen.'

'Hoe weet je dat zo zeker? Je weet toch zelf hoe het voelt als het misgaat.'

'Dat is waar, maar ik ben er gewoon zeker van dat we dit moeten doen. En ik vertrouw haar.'

'Sinds wanneer stel jij vertrouwen in iemand anders dan jezelf?'

'Je moet toch ergens beginnen,' zei Patrick.

'Ik hoop dat je hier niet te licht over denkt,' zei Peter terwijl hij zich tot Stefanie wendde. 'Let heel goed op elke verandering, hoe klein ook, in je waarneming of hoe je je voelt.'

'Ik denk echt dat er geen problemen zullen zijn,' antwoordde zij. 'Ik zal een zaklamp en een aantekenboek meenemen om schetsen te maken van wat ik zie.'

'Het kan best zijn dat het voorbij de passage helemaal donker is,' overwoog Patrick. 'Het kan kilometers verder gaan en het zou best kunnen dat over de hele afstand alle licht wordt geabsorbeerd, net als bij de ingang. Houd er dus rekening mee dat je ondanks je zaklamp volkomen blind zult zijn.'

'Ja, en misschien zijn er spleten en afgronden,' voegde Peter daaraan toe. 'Je kunt echt slechts centimeter voor centimeter vooruitgaan!'

'En onderzoek vooral ook de wanden,' zei Patrick. 'Misschien vind je meteen na de passage aan de wand iets als een schakelaar, een mechanisme of iets dergelijks, waarmee je de hele boel kunt uitschakelen.'

'We moeten ook nog een code afspreken zodat we via het touw kunnen communiceren. Misschien dringen er ook geen geluidsgolven door de passage.'

'Goed idee,' zei Patrick. 'Ik stel voor dat drie harde rukken van onze kant betekent "meteen terugkomen", en als jij het doet betekent het "trek mij eruit".'

'Dat lijkt me niet zo'n goed idee,' wierp Peter tegen. 'Stel dat Stefanie iets tegenkomt waardoor ze niet meer in staat is drie keer krachtig te trekken? Of dat het touw zo verstrikt raakt dat trekken eraan wordt afgevangen door de plek waar het is blijven haken?'

'Niet zo negatief, professor,' zei Patrick.

'Hij heeft wel gelijk,' zei Stefanie. 'Ik zou ook van tijd tot tijd één kort rukje aan het touw kunnen geven. Dan weten jullie dat alles in orde is. Als dat seintje uitblijft, om wat voor reden dan ook, dan trekken jullie mij terug.'

'Ja, dat lijkt me beter,' vond Peter.

'Dan zijn we eigenlijk klaar, toch?' Patrick stond op.

'Volgens mij wel,' antwoordde Stefanie terwijl zij ook opstond.

'Hebben we echt aan alles gedacht?' vroeg Peter zich nog af.

'Ja-aa!' antwoordden Patrick en Stefanie tegelijk en schoten daarna allebei in de lach.

'Goed dan...' Peter keek van de een naar de ander en stond vervolgens een beetje besluiteloos op en trok zijn jas aan. 'Dan gaan we er maar opaf... Patrick, rij jij?'

Het was in de loop van de middag bewolkt geraakt en de atmosfeer koel. Patrick stuurde de landrover de weg naar het bos op. Peter zat achterin en had zo zijn twijfels. Het grootste raadsel van de grot lag nu voor hen: een passage, ondoorgrondelijk en zo gevaarlijk dat zij in staat was iemand van zijn verstand te beroven. Ze waren er de laatste tijd eerbiedig bij uit de buurt gebleven en hadden in plaats daarvan geprobeerd het mysterie van de inscripties op te lossen. Daarbij waren ze steeds verder in een mystieke doolhof verdwaald, hadden van de kabbala via Maarten Luther tot de Rozenkruisers en de tempeliers het stof van de eeuwen doen opwaaien en waren ondanks dat amper een stap dichter bij de oplossing gekomen. En nu hadden ze besloten die drempel te overschrijden. Dat was waaghalzerij, heel gevaarlijk en hoewel hij eigenlijk heel gespannen zou moeten zijn, voelde hij zich vreemd afstandelijk. Hij leek eerder waarnemer dan deelnemer. Misschien kwam dat doordat een groot deel van de kennis die ze zover had gebracht zonder zijn hulp was verzameld: het tijdstip van de zonsverduistering, de ontraadseling van de inscriptie op de grond, de betekenis van de eerste brief – op de een of andere manier was Stefanie daar steeds bij betrokken geweest. Zij had er als een soort katalysator heel voorzichtig voor gezorgd dat er doorslaggevende verwijzingen ontstonden en werden samengevoegd. Peter kon het niet precies omschrijven, maar hij had nog steeds een vreemd gevoel over haar. En nu ging zij ook nog die passage doorkruisen... Was dat echt wel slim? Had zij beide mannen zonder dat ze het merkten gemanipuleerd? Patrick vertrouwde haar... Maar hoe wist ze zo zeker dat ze geen gevaar liep?

Peters gedachten werden afgebroken toen ze voor het hek in het bos waren aangekomen. De opzichter die het opende trad op de wagen toe en beduidde Patrick dat hij het raampje moest opendoen.

'Goedendag, messieurs, 'dame. De commandant van het kamp laat u meedelen dat u verwacht wordt in container C.'

Patrick keek naar zijn bijrijdster, haalde zijn schouders op en vroeg: 'Waar gaat het over?'

'Dat weet ik niet, monsieur.'

'Nou... ja... goed, bedankt,' zei Patrick en hij reed verder naar het kamp. Ze parkeerden de wagen en keken eens om zich heen. Zoals altijd als ze hier waren leek het bijna uitgestorven, maar aan de hand van het aantal containers konden ze wel raden hoeveel opzichters er in het bos verborgen zaten. Ze betraden de met een zwarte C gemarkeerde container. Peters blik zwierf rond. Aan een wand hing een topografische kaart van de omgeving, waarop de hoogte en het afgezette gebied te zien waren. Verder waren op de kaart verscheidene punten aangegeven met symbolen en cijfers. Achter in het provisorische kantoor stond iets wat op een schrijftafel leek, waarop duidelijk tegelijkertijd aan verscheidene laptops gewerkt werd.

Ze werden ontvangen door een stevige man in een groen uniform. 'Ik heb hier iets wat u zou moeten zien,' luidde zijn begroeting.

Nieuwsgierig liepen zij naar zijn schrijftafel toe. Hij draaide zijn scherm naar hen toe, waarop ze in matige beeldkwaliteit een groep bomen konden zien. Onder in het beeld liep een digitale tijdmeter, die naast enkele onbegrijpelijke getallen de datum toonde en het uur: 16:04.

'Deze opnamen,' verklaarde de opzichter, 'zijn gemaakt door een van onze bewakingscamera's, een halfuur geleden. U ziet hier de helling net buiten het hek.'

'Ik zie niets vreemds,' zei Peter.

'Dat klopt,' zei de opzichter. 'Maar tegelijkertijd heeft onze infraroodcamera de volgende opnamen gemaakt.' Hij drukte op enkele toetsen en het beeld veranderde in een patroon van blauwe en groene vlakken, waarin de bomen nog slechts vaag herkenbaar waren. Aan de rechterkant van het beeld verscheen opeens de groengeel oplichtende omtrek van een mensengedaante, die zich gebukt voortbewoog. De gestalte hurkte naast een van de bomen en binnen enkele seconden verbleekte het gele schijnsel. De gestalte was nog even in groen te herkennen, daarop werd ze blauw en ging ten slotte volledig op in de omgeving.

'Wat was dat?' vroeg Peter.

'De camera heeft een mens geregistreerd,' verklaarde Patrick. 'Doordat hij warmer was dan de omgeving, verscheen hij in een andere kleur. En toen was hij opeens weg.'

'Om preciezer te zijn,' vulde de opzichter aan, 'hij is binnen vier seconden omstreeks vijftien graden afgekoeld.'

'Dat kán niet...' zei Patrick halfluid.

'Is dat ongebruikelijk?' vroeg Peter.

'Ja, zeker,' zei Patrick. 'Maar als daarbuiten iemand in een neopreen pak rondloopt waardoorheen hij met een druk op de knop ijswater kan laten vloeien, dan zou het toch wel kunnen.'

'O...' zei Peter. 'En wat doet die persoon dan nu? Bespioneert hij het kamp? Is hij er nog?'

'Onze infraroodcamera is hem kwijtgeraakt, zoals uit deze opname blijkt. En als u nog eens naar de eerste opname van dezelfde plek kijkt... Let u alstublieft op de tijd van de opname...' Hij tikte wat in en het videobeeld werd weer zichtbaar. 'In de seconden waarin het warmtebeeld werd opgenomen, is in gewoon lichtspectrum helemaal niets te zien.'

Peter keek ongelovig naar de monitor. 'Wilt u daarmee zeggen...'

'... dat hij onzichtbaar is, jazeker, monsieur.'

'... vooropgesteld dat die gegevens allemaal kloppen,' was het bezwaar van Patrick.

'Een technische manipulatie is uitgesloten, monsieur. Onze gegevens worden automatisch versleuteld met een dynamisch watermerk.'

'Wat u ons dus probeert te vertellen,' zei Stefanie, 'is dat u een onzichtbare mens hebt ontdekt die zich hier een halfuur geleden bij het hek heeft verstopt en nu zelfs voor de infraroodcamera onvindbaar is.'

'Dat is correct, madame.'

'Dat klinkt helemaal niet leuk,' zei Peter. 'Wat bent u van plan te doen?'

'Wij onderzoeken de verdachte sector momenteel met verschillende frequenties om een ander beeld te krijgen. Zodra we een mogelijkheid hebben die persoon in het ultrasone spectrum op te sporen, gaan we ogenblikkelijk achter hem aan en pakken hem.'

'Hm.' Patrick knikte. 'Goed, houd ons op de hoogte. Wij gaan intussen naar boven, naar de grot.'

Toen ze weer in de wagen zaten en verder de berg op reden zei hij: 'Ik vraag me af wie ons daar aan het bespioneren is. Worden jullie daar niet achterdochtig van?'

'Nou en of,' stemde Stefanie in. 'Houd je het voor mogelijk dat Renée Colladon erachter gekomen is waar we zitten?'

'Onmogelijk is het niet,' zei Peter. 'Het zou natuurlijk ook die onbekende "St.G." kunnen zijn, die ons die merkwaardige faxen heeft gestuurd.'

'Of de boswachter,' zei Patrick. 'Hoe heette hij ook alweer, Levasseur?'

'Die verdenk ik er het meest van,' zei Peter. 'Blijft de vraag hoe het hem lukt zich onzichtbaar te maken. Ik heb niet veel verstand van techniek, maar dit lijkt me toch niet iets wat je zomaar kan doen. Zou het te maken hebben met de passage in de grot?'

'Hoe bedoel je?'

'Nou ja, de passage heeft toch ook zulke merkwaardige eigenschappen, of je ze ook maar wil noemen. Wellicht bestaat er een bepaalde technologie of een bepaalde kleur of een bepaald chemisch product waarmee dat alles kan. Misschien is de grot daarmee beschilderd en als je daar stof van kunt maken, maakt dat je onzichtbaar.'

'Nou zeg, jouw fantasie zou ik wel willen hebben,' zei Patrick.

'Vind je? Jij bent toch ook op zoek naar Eldorado...'

'Begin je nou weer?'

'Ik meen het, zonder cynisme. Misschien is er een eenvoudige, rationele verklaring.'

'Ach,' sprak Patrick, 'het geheim van de grot zal zo een flink stuk dichterbij komen.'

Korte tijd later kwamen ze bij de rotswand, waar ze de wagen moesten achterlaten. Het was weliswaar even voor vijven in de middag, maar de lucht was intussen zo betrokken dat het merkwaardig schemerig was.

'Er komt regen,' zei Peter. 'Hopelijk blijft het binnen de perken, zodat we straks ook weer weg kunnen.'

Na elkaar beklommen ze het pad. Boven aangekomen deed Peter de stalen deur open, terwijl Patrick het aggregaat opstartte en de schijnwerpers aandeed.

Heel even bleven ze aarzelend voor de ingang staan. Het was in bepaald opzicht niet anders dan de vele keren dat ze hier waren geweest. Alles zag er vertrouwd uit, hoe vreemd ook, en het was alsof ze gewend waren geraakt aan het raadsel en de onoplosbaarheid ervan. En toch was het dit keer anders. Het enige wat ze eigenlijk gingen doen was een enkele stap wagen, maar die stap was een revolutie. Ze hadden geen flauw idee welke reikwijdte dit stapje zou hebben.

Ze liepen de grot in, passeerden de inscripties en de schilderingen waaraan ze de laatste dagen en weken zo hard hadden gewerkt. Wat ze vertaald hadden was slechts een deel, misschien hooguit de helft. Nog steeds waren er vele teksten die ze niet thuis konden brengen of waarvan ze het schrift niet eens kenden. Peter was ervan overtuigd dat deze grot een nieuwe Steen van Rosetta was, een bron, een goudader voor iedere taalkundige. Talloze inscripties uit de oudheid waren tot nog toe niet ontcijferd, van sommige waren veel te weinig exemplaren, maar door deze grot zou het begrip van de oudheid met reuzensprongen vorderen, deze grot zou een geheel nieuw licht op heel veel zaken werpen. Het was een grandioze vondst, mogelijk de opmerkelijkste sinds Carter.

Maar ondanks al dat gewicht bekeken ze de wanden nu amper. Ze hadden er wel een bruikbare verklaring voor gevonden hoe deze schilderingen hier gekomen waren en welke geschiedenis de teksten vertelden. En ze wisten bovenal wat de teksten niet wilden verklappen: het geheim van de passage.

Na de bocht in de gang bleven ze staan. Er was een schijnwerper aan het plafond bevestigd, gericht op de passage. De volslagen duisternis die daardoor als een muur de tunnel afsloot, deed weer een onaangenaam gevoel bij hen opkomen. Het verschijnsel stond haaks op alles wat ogen gewend waren, ze registreerden niets, konden zich op niets instellen. Het leek wel een scheur in de werkelijkheid, zodat Peter bijna misselijk werd. Hij voelde zich wankel, duizelig.

'Kunnen we die lamp niet uitdoen?' vroeg hij. 'Dan lijkt het niet zo donker.' Zodra hij het zei viel het hem op hoe paradoxaal dat klonk, maar Patrick begreep wat hij bedoelde. Hij knikte en deed het licht uit. Er schemerde nu alleen nog maar wat licht achter hen, om de hoek van de gang, van de plek waar de andere schijnwerpers de inscripties op de grotwanden belichtten. Pal voor hen was de duisternis verdwenen om plaats te maken voor dat onverklaarbare blauwachtige schijnsel. Toen hun ogen eraan gewend waren, was het helder genoeg om de in de vloer uitgehouwen symbolen duidelijk te kunnen zien. De gang voor hen was weer als gang zichtbaar en alleen het blauwe schijnsel deed vermoeden dat hier iets buitengewoons aan de hand was.

Patrick deed zijn rugzak af en gaf Stefanie een brede gordel, die ze omdeed. Aan een ring bevestigde hij een haak met het touw waarmee ze de linguïste wilden zekeren. Peter gaf haar een zaklamp en een klembord met een potlood.

'Denk erom, millimeter voor millimeter,' drukte hij haar op het hart.

'We gaan eerst het hoofd testen,' zei Patrick. 'Ga eens voor de passage staan.' Hij hield zijn hand in de lucht. 'Hier begint de barrière. Ben je zo ver?'

Stefanie ging wijdbeens staan om goed grip te hebben. Ze boog zich enigszins voorover, tot haar neus bijna Patricks hand raakte. Peter en Patrick pakten haar aan weerskanten aan schouder en bovenarm vast.

'In orde,' zei ze. 'Ik ben zover. Bij "drie" steek ik mijn hoofd naar voren. Oké?'

'Oké.'

'Een... twee... drie.' Met een ruk stak ze haar hoofd in de passage.

Vol ontzetting zag Peter hoe Stefanies hoofd verdween. Alsof het plotseling was afgehakt stak er nog slechts een stuk nek tussen haar schouders naar voren. Maar voordat Peter dit gruwelijke beeld op zich kon laten inwerken, riep Patrick: 'Vier!' en trokken ze Stefanie weer terug. Opgewonden keken ze naar haar gezicht. 'Stefanie? Is alles goed met je?'

'Je hoeft niet meteen mijn arm uit de kom te trekken,' antwoordde ze.

Patrick lachte opgelucht. 'Wat heb je gezien?'

'Niks, daarvoor waren jullie te snel. Maar ik voel me niet anders dan daarnet. Ik weet zeker dat ik gewoon naar binnen zal kunnen.'

'Oké, maar eerst ga je maar één stap naar binnen, en wij trekken je weer terug aan het touw,' herinnerde Peter haar.

'Ja, goed hoor, in orde.' Ze ging weer voor de passage staan. 'Zijn jullie allebei klaar?'

Patrick en Peter grepen het touw.

'Ja, vooruit maar,' zei Patrick. 'En houd je ogen open.'

Stefanie deed een flinke stap naar voren en verdween. Als het touw van een fakir hing de zekeringslijn horizontaal in de lucht en eindigde abrupt. 'Hier zal ik echt nooit aan kunnen wennen,' zei Peter.

'Het is volkomen bizar,' stemde Patrick in. 'Maar ze moet terug. Vooruit!' Ze hadden gedacht Stefanie met vereende krachten terug te moeten trekken, maar op dat moment kwam ze uit zichzelf al achterwaarts weer naar buiten.

'Er gebeurt helemaal niks,' zei ze. 'Jullie kunnen me rustig naar binnen laten.'

'Wat is er achter de passage?' vroeg Patrick.

'De gang gaat een paar meter verder rechtdoor en maakt dan een bocht. Daar lijkt een vage lichtbron te zijn. Meer kon ik nog niet zien.'

'Voel je een of andere verandering?' vroeg Peter.

'Nee, helemaal niks. Voor mij is het alsof er helemaal geen drempel of barrière was. Ik kon gewoon doorlopen.'

'Verbazingwekkend...dan lijkt het dus toch te kloppen, een vrouw kan inderdaad door de passage. Wat vind jij, Patrick, laten we haar nu verder naar binnen gaan?'

'Ja, beslist. Toe maar, Stefanie.'

'Oké,' zei ze. 'Daar gaan we dan.' Met deze woorden deed ze een stap naar voren en verdween.

10 mei, op de landweg naar Lapalme

Het was aan het eind van de middag toen dichte wolken de lucht verduisterden alsof het herfst was en de aanzwellende regen het uitzicht steeds meer belemmerde. Didier Fauvel deed zijn koplampen aan en schakelde de ruitenwissers in, al smeerden ze aanvankelijk alleen maar strepen over de voorruit. Fauvel vloekte. Hij was toch al niet zo happig op dit ritje en nu dit weer. Hij moest het ermee zien te redden tot de regen hard genoeg werd om de ruiten schoon te spoelen. Tegenliggers wierpen verblindende lichtbundels, waardoor stukjes blad en vliegenlijkjes zichtbaar werden, alleen geen berm. Hij had een pesthekel aan regen, hij haatte deze auto en hij had er de smoor in dat hij hier was. Met een verbijsterend slecht humeur vervolgde hij zijn weg. Nog maar een paar kilometer.

Het regende harder toen Fauvels oude Mercedes knerpend op de oprit van een villa tot stilstand kwam. Hij was nog vrijwel nooit bij zijn broer geweest en als het al eens gebeurde, ging het erom dat hij zijn hulp nodig had. De laatste keer was ongeveer een jaar geleden geweest, toen Paul in het huis van bewaring zat. Het ging om wapensmokkel. De kustwacht had een van zijn boten op een ongunstig moment en met vreselijk compromitterend materiaal aangehouden. Didier had hem met overtuigende woorden en een nog veel overtuigender hoeveelheid geld vrijgekocht, zodat er zelfs geen grondig onderzoek werd ingesteld. Het dossier werd gesloten nog voordat de inkt opgedroogd was. Destijds had Paul een waar flottielje van onopvallende schepen en een tiental 'bekenden'. Didier hoopte maar dat onder die 'bekenden' een paar mensen zouden zijn met voldoende criminele energie om de onderzoekers weg te werken, op wat voor manier dan ook; de details moest Paul maar verzorgen.

De gedachte was eigenlijk goed en Paul was hem dit dubbel en dwars schuldig. Toch vond de burgemeester het geen leuk idee zijn broer ergens om te moeten vragen. Het stuitte hem tegen de borst in zijn Mercedes voor deze feodale villa te moeten staan, maar dit bezoek had redenen die absoluut belangrijker waren, en in dat verband had hij zijn trots al lang laten varen.

Hij keek op zijn horloge. Even voor vijven. Hij was nog te vroeg ook! Maar om nou in de auto te gaan zitten wachten, om opzettelijk een kwartier later te komen, dat was net zo verwerpelijk. Hij stapte dus uit, liep door de regen naar de deur en belde aan.

'Didier!' riep zijn broer toen hij opendeed. 'Zo vroeg had ik je nog helemaal niet verwacht! Kom binnen!'

'Ik was toch al in Perpignan,' antwoordde de burgemeester toen hij binnenkwam. Hij liet zijn blik onopvallend door de hal zwerven. Zoals altijd zag die eruit als om door een ringetje te halen, een paar design meubels en dure schilderijen waren heel handig geplaatst, Pauls versie van understatement, opdringender kon het niet. Een schaars geklede jongedame met slanke ledematen en een verrassend bovenlijf verscheen.

'Marie, schat, wil jij Didiers jas even aannemen? En zeg tegen Anabel dat we iets warms willen eten. Daarna kun je televisie gaan kijken of in bad gaan of wat je maar wilt. Ik kom straks wel even kijken.' De vrouw nam de jas van de burgemeester aan, hing die op een kapstok naast de deur en verdween.

'Een vriendin,' verklaarde Paul. 'Maar kom, we gaan in de woonkamer zitten. Ik ben benieuwd wat je hierheen voert.'

Wat Paul aanduidde als woonkamer was eigenlijk een zaal die, afgezien van een enorme eettafel, ook verscheidene leren stoelen en een open haard bevatte. En ondanks dat had je er toch nog met gemak een bal kunnen houden. Van zijn vorige bezoeken wist Didier dat je door het grote raam naar de Middellandse Zee kon kijken, maar doordat het buiten nu bijna donker was zag je voornamelijk de weerspiegeling van de kamer, die daardoor nog veel groter scheen.

'Moet je een slok?' vroeg Paul. 'Port, of wat drink je ook altijd, cognac?' Paul opende een kast die een grote, zeer welvoorziene bar bleek te zijn.

'Cognac.'

Paul vulde een cognacglas en reikte het zijn broer aan. 'Je hebt ongetwijfeld weinig tijd, dus laten we ter zake komen,' zei hij, toen ze hadden plaatsgenomen. Hij sloeg zijn benen over elkaar en stak een sigaret op. 'Wat kan ik voor je doen? Is het inderdaad zo geheim dat je het niet aan de telefoon wilde vertellen...?'

'Ik weet eigenlijk niet eens of jij me wel kunt helpen. Het is een grote zaak, en heel gevaarlijk...'

'Echt waar?'

'... en er blijft voor jou niets aan de strijkstok hangen.'

'Het moet dus een klein bewijs van broederliefde zijn, hè?' Paul grimaste. 'Maar laat eerst eens horen, broer.'

Didier nam een flinke slok en begon: 'In St.-Pierre zitten een paar mensen, geleerden, die een stuk bos hebben afgezet. Voor de buitenwereld heerst er hondsdolheid. Ik moet hoe dan ook van ze af zien te komen.'

'Van ze af, hè? Echt van ze af? Geen sporen?'

'Alleen van ze af. Hóé kan me niet schelen, maar ik kan ze niet gewoon vragen om naar huis te gaan.'

'Hoeveel zijn er dan, en wat is het probleem?'

'Ze zijn met zijn drieën, twee mannen en een vrouw. Het probleem is dat ze in opdracht van de GNES werken. Dat betekent dat ze officiële toestemming hebben.' Hij nam nog een slok. 'Ik heb al geprobeerd ze uit het hotel te krijgen dat ze als kantoor gebruiken, maar toen hebben ze het gewoon gekocht!'

'Ze hebben een hotel gekocht, alleen om er niet uit te hoeven?'

'Daar ziet het wel naar uit, ja.'

'Sinds wanneer heeft de GNES zoveel geld?'

'Onderhand geloof ik dat ze iets heel anders najagen. Ik ben zelf eens gaan kijken. Ze hebben in het bos een enorm gebied afgezet, zogenaamd voor onderzoeksdoeleinden. Wat het allemaal nog ingewikkelder maakt is dat daar nog een tiental opzichters rondloopt. En dan de aankoop van het hotel... dat vind ik meer dan verdacht, jij niet?'

'Hm... ja. Maar waarom moet je zo nodig van ze af?'

'Dat kan ik je niet zeggen. Dat gaat heel ver. Parijs heeft ermee te maken. Ik moet ze nog deze week laten verdwijnen.'

'Wacht eens even, dit is toch geen politieke geschiedenis, hè?'

'Ik dacht al wel dat het je te gevaarlijk zou zijn.'

'Rustig aan, Didier. Ik weet liever niet wie er in Parijs achter zit en met politiek wil ik niks te maken hebben.'

'Tja, wapensmokkel naar Sicilië heeft natuurlijk ook niks met politiek te maken.'

'Dat was een hele poos geleden, Didier…'

'En ondertussen ben jij heilig geworden, nietwaar?' De burgemeester rolde ironisch met zijn ogen. 'Het was natuurlijk allang duidelijk dat jij een toontje lager zingt, dus de moeite om hierheen te komen had ik me dus ook kunnen besparen. Je laat je graag door mij uit de penarie helpen als een van je miljoenendeals op de een of andere manier in het water valt, maar je oudere broer een dienst bewijzen ho maar!'

'Mon Dieu, ik heb toch nog helemaal niks gezegd! Word nou eerst even wat rustiger.' Paul stond op, pakte de cognacfles en schonk zijn broer nog eens in. Ondertussen kwam er een mediterraan ogende vrouw binnen met een dienblad met twee schalen met stokvisbeignets en kreeft. Paul nam het gesprek weer op toen zij de kamer verlaten had: 'Als ik je goed begrijp gaat het er in feite om die drie geleerden ertoe te bewegen hun koffers te pakken en te vertrekken, klopt dat?'

'Ja, dat zei ik toch.' Didier schoof naar voren op zijn stoel en bediende zich.

'Moeten ze alleen maar uit het hotel verdwijnen of moeten hun opzichters ook weg?'

'Het onderzoek, of wat ze daar ook doen, moet totaal stopgezet worden.' Hij maakte een afwerend handgebaar met een kreeftenstaart. 'De versperring in het bos moet ook weg.'

Paul overlegde even. 'Zo te horen zijn er overtuigender argumenten nodig dan een bebloede paardenschedel in bed. Aangezien we niet weten hoe de opzichters zullen reageren, zou je met een legertje moeten komen opdagen…'

'Waarom niet?' zei Didier schokschouderend. 'Regel dat.'

'Tja, ik héb een goeie bekende… Hij zou wel een paspoort en een visum nodig hebben…'

'Wil je er nou toch weer een slaatje uit slaan?'

'Het zou toch zonde zijn als het stukliep op zulke kleinigheden? Hij is Algerijn, hij heeft veel contacten, mensen die alles voor hem doen. Geen politieke bezwaren. Werkt vandaag voor de een en morgen voor de ander, al naar gelang wie het meeste geld biedt.'

'Een huurling?'

'Ja, in brede zin.'

'En wapens?'

'Ja, ik denk dat ik nog wel genoeg wapens voor een klein huurlegertje kan ophoesten. Als er maar geen pantsers aan te pas hoeven komen!'

De burgemeester hief afwerend zijn hand op. 'Grote goedheid, nee. Het gaat hier niet om een burgeroorlog! En waar zit die Algerijn nu?'

'Voor zover ik weet zit hij in Marseille en dat is een groot voordeel voor ons, want dan gaat het des te sneller.'

'In Marseille? Ik dacht dat hij een paspoort en een visum nodig had?'

'Voor een rustiger leven, beste jongen. Hoe moet ik hem anders overreden mee te doen, als er verder niks voor hem inzit?'

'Dan betaal je hem toch gewoon.'

'Nee, dat is uitgesloten. Zo werkt het niet. Je moet begrijpen dat iedereen kan betalen, maar op deze manier wast de ene hand de andere. Doe jij wat voor mij, dan doe ik wat voor jou, snap je? Het is een heel ander geval om zo samen te werken.'

Didier pakte zijn glas en dronk hem leeg. 'Goed dan, wat je wilt. Zorg voor alle gegevens die ik nodig heb voor een paspoort en een visum. Mijn faxnummer thuis ken je. Hoe snel kun je contact maken met die Algerijn en hoeveel mensen kan hij optrommelen?'

'Dat zou vrij snel moeten kunnen. Over het aantal hoef je je geen zorgen te maken. Je hebt duidelijk gemaakt waar het om gaat en hoeveel haast het heeft. Ik meld me morgenochtend, oké?'

Didier stond op. 'Goed. Ik wist dat ik op je kon rekenen.'

'Altijd met alles meebuigen, Didier. Wie weet hoe de kaarten de volgende keer geschud zijn.' Hij stond op en begeleidde zijn broer naar de deur. 'Vergeet je jas niet. En rij een beetje voorzichtig, hè?'

'Ik kon al op mezelf passen toen jij nog niet geboren was, Paul!'

'Ja, ja, het is al goed. Vooruit dan maar!'

Didier stapte in zijn auto en begon aan de terugweg. In feite had hij bereikt wat hij wilde, maar om de een of andere reden was hij niet helemaal tevreden. Hij had nog steeds de indruk dat hij degene was die vroeg en dat zijn broer zo vriendelijk was hem een genoegen te doen. Het zat hem dwars. Hij had te duidelijk laten merken dat hij hem nodig had. Paul had een beetje koket gedaan, maar in werkelijkheid meteen geweten wat hij kon doen. Didier durfde er wat om te verwedden dat Paul uit het paspoort en het visum voor die Algerijn een veel groter slaatje sloeg dan hij wilde toegeven. Waarschijnlijk zou die Algerijn voor hem niet slechts daarvoor die onderzoekers wegjagen, maar hem ook nog een of twee andere diensten verschuldigd blijven. Zo goedkoop verkocht Paul zich nooit. Maar het doet er niet toe, dacht hij, laat hem ook zijn eigen voordeel maar dienen. Dit keer stonden er grotere dingen op het spel, en die verdomde geleerden werden weggewerkt. Naar de duivel met ze!

17

10 mei, grot bij St.-Pierre-du-Bois

Van tijd tot tijd voelden Peter en Patrick korte rukjes aan de zekeringslijn waarmee hun collega vastzat, een teken dat Stefanie nog altijd geen problemen ondervond.

Heel langzaam maar gestaag vierden zij het touw. Bijna tien meter was in de passage verdwenen en Stefanie liep nog steeds verder, zonder een ander teken te geven dan dat voortdurende rukken. Geluid uit de passage bereikte de beide onderzoekers niet. Tot het uiterste gespannen stonden ze wijdbeens op het in de vloer uitgehouwen teken, de zogenaamde kring van Montségur, en hielden het touw vast dat op een bizarre manier in de lucht leek te hangen. Hoe vreemd het voor een buitenstaander ook kon lijken, al hun aandacht scheen gespitst op dat blauwe schemerlicht in deze verder onopvallende gang en zij luisterden ingespannen naar de doodse stilte voor hen.

Ze hadden zich aangepast aan het ritme van het touw. Het was een navelstreng geworden. Als een levend wezen trok het zacht maar krachtig, ze voelden het leven waarmee ze verbonden waren. En net als de langzame hartenklop van een heel groot dier klopte het regelmatig.

Het klopte.

Klopte.

En alle zenuwen waren erop gespannen of dat kloppen niet plotseling zou ophouden.

'Peter!'

Peter kromp geschrokken ineen. 'Wat is er?'

'Ik vroeg hoelang ze al weg is.'

'Ik... ik weet het niet,' antwoordde Peter, zonder zijn blik van het touw af te wenden. 'Heb jij niet op je horloge gekeken? Ik dacht een halfuur... Maar misschien is het ook nog niet zo lang geleden...'

'Hoe dan ook, we zitten nu op negenenhalve meter. Laten we zeggen dat ze een centimeter per seconde heeft afgelegd... dan is dat ... 950 door 60... nou ja, hooguit een kwartier, waarschijnlijk niet langer dan tien minuten... Denk je dat dat voldoende is, zouden we haar niet terug moeten roepen?'

Peter knikte nadenkend. 'Ja, ik denk van wel. Ik kan niet veel langer zo geconcentreerd blijven. En eerlijk gezegd brand ik van verlangen te weten wat ze ontdekt heeft.'

'Vooruit dan! We moeten haar eerst maar eens tegenhouden.' Ze spanden het touw, zodat Stefanie niet verder kon. Toen trok Patrick drie keer hard aan het touw, om haar duidelijk te maken dat ze terug moest komen. Het touw werd slap en viel op de grond.

'Heb je het losgetrokken?' vroeg Peter.

'Dat kan bijna niet. Ik denk dat ze weer naar ons toe komt.' Hij haalde de lijn verder in en enkele ogenblikken later kwam Stefanie te voorschijn uit de passage.

'Niet te geloven wat ik gezien heb,' waren haar eerste woorden, nog voordat iemand een vraag kon stellen.

'Vertel op!' riep Peter.

Ze maakte het touw los uit haar gordel terwijl ze begon: 'Achter de passage bevindt zich een enorme ruimte, ik schat een meter of zeventig in doorsnee, alles in glimmende blauwe kleuren. Midden in die ruimte straalt een soort lichtzuil loodrecht naar het plafond. Daar wordt het licht op een of andere manier in een spectrum van talloze blauwtonen gebroken en op de grond weerspiegeld. De hele grot is gevuld met dat fonkelende licht, soms ijsblauw, dan weer turkoois of violet. Bij het plafond is het bijna wit en zo helder dat moeilijk te zien is hoe hoog dat is, misschien een meter of twintig. Het is een adembenemend schouwspel!'

'Ongelooflijk,' zei Peter zacht.

'Hoe ver ben je erin doorgedrongen?' vroeg Patrick.

'Ik had net de zaal betreden, toen jullie me terugriepen. Jullie hebben gemerkt hoe langzaam ik vooruitgekomen ben. Eerlijk gezegd denk ik niet dat we zo voorzichtig hoeven zijn. Ik heb geen bewustzijnsverandering gemerkt en door het licht is de weg goed te zien. Er is echt geen enkel gevaar.'

'En die lichtzuil?' vroeg Patrick. 'Beschrijf die eens wat preciezer.'

'Ik was er niet dicht genoeg bij om details te zien. Het schijnt een soort sokkel te zijn waar het licht uitkomt.'

'Een schijnwerper?'

'Ja, daar lijkt het wel wat op, maar toch ook weer niet. Het licht schijnt duidelijk zichtbaar naar boven, het is net alsof het tastbaar is. Het is verblindend en in de straal zijn opwaartse stromingen te zien. Eigenlijk lijkt het meer op een waterstraal die naar boven wordt gespoten, alleen veel taaier en lichtgevend.'

'Misschien is het inderdaad geen licht...' meende Peter.

'Wat kon je verder nog van de grot zien?' wilde Patrick weten.

'Minder dan je zou denken. Van het plafond komt weliswaar dat blauwe licht naar beneden, maar dat gaat in strepen... of, nee... hoe moet ik dat beschrijven... zoiets als zonnestralen door mist op een bosgrond. Of zoals een onderwateropname: het water is wel helder, maar donker, waardoor het zicht beperkt blijft. De stralen vallen in schuine, voortdurend bewegende strepen. Op geen enkel moment wordt dus alles tegelijkertijd uitgestraald.'

'Dat klinkt naar zo'n discobal aan het plafond,' sprak Patrick.

'Het gaat veel langzamer en het is veel zachter. De lichtstralen glanzen op en bewegen als langzaam waaiende gordijnen van zijde. Alles is vervuld van het licht en toch kun je niet verder kijken dan tien meter. Daarachter wordt het vaag.'

'Dus je kon de overkant van de grot ook niet zien? Hoe kun je dan schatten dat hij ongeveer zeventig meter diep is?'

'Deductie. Als je uit de gang de grot betreedt, passeer je een soort kroonlijst, een meter of vijf breed, die links en rechts doorloopt en schijnbaar een bocht maakt, alsof het een grote cirkel beschrijft. Na een paar passen stuit je dan op de rand van die kroonlijst. Daar is een diepe geul, waarin water loopt. Ik heb de breedte van die geul ook op ongeveer vijf meter geschat. Over die geul is een brug, maar zo ver ben ik niet gegaan. Je kon zien dat achter de brug weer vaste grond was. Daarachter was weer een donkere streep te zien, daarna weer een heldere, dan weer een donkere en ten slotte de lichtzuil. Het lijkt erop alsof de weg over in totaal drie geulen tot het midden leidt. En toen viel dit hier mij in.'

Stefanie wees naar de grond.

Aan haar voeten lag het in steen uitgehouwen teken van de king van Montségur.

'Dat was hoe het was,' zei Stefanie. 'Dit is een plattegrond van die zaal.'

De Vue d'Archiviste ging schuil in de regen. Het was een fijne, gelijkmatige regen, zoals die in het voorjaar dagen achtereen kan vallen. De wolken hadden de lucht verduisterd, noch de zonsondergang noch de maan zou te zien zijn. Er lag al een blauwgrijze deken over het bos en de heuvels, die vormen en omtrekken in een troebele schemering deden vervagen. De kleurloos geworden gelijkvormigheid leek eenzaam en levenloos, maar vanuit de schaduw tuurden een paar waakzame ogen ingespannen naar de rotswand. Op een bepaalde plek halverwege was een zwak schijnsel te zien. De bron was van beneden af niet vast te stellen, maar iets daarboven gaf licht. Daar waar de onderzoekers verdwenen waren.

De gestalte stond op en haastte zich naar de terreinwagen die aan de voet van de berg stond geparkeerd en versmolt met de schaduwen. Hij bewoog zich heel voorzichtig en soepel, hoewel hij wist dat hij onzichtbaar was, ook als het klaarlichte dag zou zijn geweest. Toch kon hij zich het risico niet veroorloven. Zijn zinnen stonden op scherp, zijn spieren en pezen waren gespannen. Als een roofdier bleef hij een hele poos op de loer liggen en bestudeerde de omgeving vanuit het nieuwe gezichtspunt. De meest rechtstreekse en eenvoudigste weg de helling op voerde langs de zekeringslijn die ook de onderzoekers hadden gebruikt. Die route kwam niet in aanmerking, maar de vooruitstekende rotsen meer naar rechts wel. Die lagen wat terzijde en werden niet in de gaten gehouden, maar stelden iemand wel in staat de zekeringslijn en de richel waar deze naartoe voerde in de gaten te houden.

Met vloeiende bewegingen gleed de gestalte langs de helling en begon haar te beklimmen. Handen tastten voor zich uit, zochten de minste uitstekende rotsen en hielden zich daaraan vast, voeten zochten over de stenen en vonden als vanzelf houvast. Als een groot insect bedwong de gestalte de grote hoogte en bereikte ten slotte een punt pal onder de verlichte rots. Het was te zien dat daar een steile helling was, waar de lijn naartoe voerde. Onderzoekend hief de gestalte het hoofd op, zonder hem over de rand van de rots uit te steken. Hier was duidelijk het zoemen van een apparaat te horen. De lichte geur van diesel duidde op een aggregaat. Stemmen of andere geluiden waren niet te horen. Behoedzaam klom de gestalte nog hoger. De helling werd breder naar waar de lijn zat en werd daar een terras, waarachter de rotswand weer oprees. Precies op die plek was de ingang van een grot te zien. Licht viel op een geopende stalen deur.

Heel voorzichtig bewoog de onzichtbare gestalte naar de grotingang en glipte naar binnen.

Stefanie vervolgde haar verklaring: 'Een recht pad leidt naar het centrum, dat door drie geulen omgeven is. De geulen en paden zijn elk steeds vijf meter breed. Als de grot overeenkomt met deze plattegrond, dan moet die inderdaad ongeveer zeventig meter in doorsnee zijn.'

Patrick bestudeerde de kring van Montségur. Dat het een plattegrond bleek te zijn! Daar was hij nog niet op gekomen. 'Wat voor zin zou het kunnen hebben zo'n zaal aan te leggen?' vroeg hij. 'Als er een duidelijke weg direct naar het midden leidt, waarom dan die sloten eromheen?'

'Misschien voor ceremoniële doeleinden,' opperde Peter. 'Het kan ook een soort processieweg zijn. Of de hele constructie is zuiver symbolisch en stelt iets voor wat wij nog niet hebben ontdekt... Ik heb dit teken tot nog toe nooit zo goed bekeken, maar op een bepaalde manier bestaat hier een overeenkomst met de lijnen van Nazca. Ken je die? Enorme lijnpatronen, door een onbekend volk in de woestijn aangelegd. Zo groot dat je ze alleen vanuit een vliegtuig kunt zien. Het doel van deze vormen is tot op heden volstrekt onduidelijk.'

'Niet alles hoeft een doel te hebben,' zei Patrick. 'Het kunnen ook gewoon ornamenten zijn.'

'Kon je behalve die lichtzuil, die stralen, die paden en die geulen nog wat herkennen?' vroeg Peter.

'Tot nu toe niet,' antwoordde Stefanie.

'Kon je gewoon ademen of heb je iets aan de lucht gemerkt?' vroeg Peter door. 'Een bijzondere geur, hoge vochtigheid, warmte, kou, iets buitengewoons?'

'Nee, hoe kom je daarbij?'

'Misschien moeten we toch een luchtmonster nemen en analyseren,' stelde Peter voor. 'Voor alle zekerheid. Daar hadden we eerder aan moeten denken. Ik ben weliswaar geen veldonderzoeker zoals Patrick, maar het is toch een gewone procedure, die ook gebruikt is bij de ontdekking van graven in Egypte. De lucht kan op de een of andere manier besmet zijn. In het graf van Toetanchamon was een concentratie van zeer giftige schimmelsporen ontstaan en de onervaren Carter-expeditie is daardoor in grote problemen gekomen... De "vloek van de farao", daar heb je vast wel eens van gehoord.'

'Bedoel je dat die grot vergiftigd zou kunnen zijn?'

'We kunnen het niet uitsluiten. Ik ben ook geen natuurkundige, maar zoals dat licht zich gedraagt, ligt het toch voor de hand dat er deeltjes in suspensie in de lucht hangen, anders waren die stralen helemaal niet zichtbaar, toch? Wellicht is de lucht verzadigd van een soort damp, als dikke mist. Maar als dat nou eens geen waterdamp is, maar iets anders dat schadelijk is voor de gezondheid? Ik vind echt dat we een luchtmonster moeten nemen en daar eerst eens een analyse van laten maken.'

Stefanie keek naar Patrick. 'Wat vind jij?'

'In principe heeft Peter gelijk. Graven of andere gesloten holten ontwikkelen een eigen microklimaat. In de loop van de eeuwen kunnen zich daar giftige stoffen ophopen. En er zijn natuurlijk nog andere effecten. Als er bijvoorbeeld verse lucht bij komt of alleen al de lichaamswarmte van een mens kan dat microklimaat verstoord worden. Tot dan toe onaangeraakte boekrollen schimmelen binnen een paar dagen weg, textiel valt uit elkaar, wandschilderingen laten los. Dat is allemaal al eens gebeurd. Als je de lucht eerst analyseert kun je dat voorkomen. Afgezien daarvan zou je aan de hand van de concentratie van bepaalde toxische stoffen of zware metalen kunnen vaststellen wanneer er voor het laatst contact is geweest met de buitenwereld, wat ook heel interessant is. Anderzijds...' Hij dacht even na. 'Anderzijds gaat het hier strikt genomen om een gat in de rots, met bovendien een uitgang naar de buitenlucht, het is dus geen hermetisch verzegeld graf waarin vier- of vijfduizend jaar lang een uitgedroogd lijk heeft gelegen.'

'Wat zouden we volgens jou dan moeten doen?' vroeg Stefanie.

'Nou, om heel eerlijk te zijn,' antwoordde de Fransman, 'ben ik er nog altijd van overtuigd dat het geen kwaad kan. Ik bedoel, er is hier duidelijk sprake van een beschermend mechanisme dat uitstekend functioneert en een heftig effect heeft, maar wij hebben een aanwijzing gevonden en ons daaraan gehouden. Alles is logisch, klopt intrinsiek, we hebben de sleutel gevonden, we kunnen door de poort. Ik kan me niet voorstellen dat er nog een geheime val zou zijn.'

'Zo denk ik er ook over,' zei Stefanie. 'Peter, ben je het ermee eens dat we doorgaan?'

'Tja, wat zal ik zeggen?' Hij schokschouderde. 'Jullie zijn het met elkaar eens en dan is het twee tegen één. Ik begrijp alleen niet hoe je daar zo zeker van kunt zijn, Patrick.'

'Noem het voor mijn part intuïtie.'

'Intuïtie? Daar kun je misschien zaken mee doen in de bazaar, maar ik zou het leven van Stefanie of dat van ons niet op het spel willen zetten om jouw intuïtie.'

'Luister nou eens, Peter. Ik weet dat ik niet altijd de voorzichtigheid in eigen persoon ben, maar op mijn gevoel voor gevaar heb ik altijd blindelings kunnen vertrouwen en dat gevoel zegt mij dat dit volkomen veilig is. Het is...' – hij zocht naar woorden – 'een soort innerlijke stem. Een soort vertrouwdheid. Alsof ik het altijd al geweten heb.'

'Wat zeg je?'

'Ja, beter kan ik het ook niet verklaren. Het voelt op de een of andere manier goed aan. Vanzelfsprekend.'

Peter schudde zijn hoofd. 'Het spijt me, maar ik kan je met de beste wil van de wereld niet volgen. Weet je zeker dat je je wel helemaal lekker voelt?'

Patrick keek langs hem heen. 'En als ik het nog eens goed overdenk,' zei hij half hardop, als groef hij in zijn eigen gedachten, 'dan heeft Stefanie de poort geopend, zij was de sleutel, en nu kunnen we er allemaal in...natuurlijk! De archieven van het weten staan open.' Plotseling keek hij Peter diep in de ogen. 'Begrijp je dat? De archieven van het weten staan open!'

Peter hief bezwerend zijn hand op. 'Rustig, rustig...'

'Nee, niet rustig, kom maar mee! We kunnen er echt in!' Hij pakte Peter bij de arm en trok hem plotseling naar de passage.

'Wat doe je?' riep Peter ontsteld en hij trok zich los.

'Kom nou,' zei Patrick en hij liep naar de passage toe. 'Het is doodsimpel...'

Stefanie ging naar Patrick toe om hem tegen te houden. 'Niet doen, Patrick!' Maar de Fransman deed nog een stap naar voren. Zijn been verdween al voor de helft.

'Niet doen!' riep Peter ook en hij wilde de Fransman vastpakken. Maar die draaide zich plotseling om.

'Vertrouw me toch!' riep hij, greep nogmaals Peters arm en trok.

Peter had de grootste moeite niet naar voren te struikelen. Hij moest zich losmaken! In paniek greep hij naar Patricks hand en probeerde zich te bevrijden uit diens greep.

'Laat hem los!' schreeuwde Stefanie, en ze probeerde tussenbeide te komen. 'Ga daar weg!'

Nu pakte Patrick met de andere hand Stefanies arm. 'Vooruit! Maak het me nou niet nog moeilijker!'

'Laat hem los!'

'Zoals je wilt!' Patrick lachte haar toe. 'Maar ga jij dan mee!' Hij duwde Peter van zich af en struikelde door die beweging zelf achterwaarts door de passage.

Voor Peter leek alles zich nu in vertraging af te spelen. Patricks naar achter gebogen hoofd verdween het eerst, de rest van zijn lichaam volgde. Zijn borstkas werd letterlijk opgezogen, toen zijn buik. De gesp van zijn riem glom heel even en verdween toen samen met zijn bekken. Steeds minder van het lichaam was nog te zien tot slechts Patricks benen en een arm er nog uit staken. En deze arm had Stefanie vast, trok haar zo onbarmhartig met zich mee dat ook zij de passage in tuimelde. Peter wilde ingrijpen, maar zijn ledematen waren als van lood. Nog voordat hij zijn hand ook maar een millimeter had kunnen bewegen om haar te pakken of zelfs maar aan te raken, was zij al geleidelijk aan opgelost.

Met stomheid geslagen bleef Peter alleen achter.

Het leek een eeuwigheid te duren, tot het besef tot hem doordrong wat er net was gebeurd.

'Patrick?' schreeuwde hij. 'Stefanie!'

Zijn woorden weerkaatsten vreemd leeg tegen de stenen.

Hij had niet in de gaten dat op hetzelfde moment een onzichtbare, klauwachtige hand naar hem reikte...

10 mei, 18.30 uur, Rue des Anges, Parijs

Emmanuel Michaut had al op de terugweg vanuit de helikopter de belangrijkste punten uit het gesprek met de graaf aan zijn geheime dienst doorgegeven. Zo snel mogelijk moest hij alles te weten zien te komen over de orde die zich de Priorij van Sion noemde en ene monsieur Plantard, die daar iets mee te maken had. Beide leken goede bekenden van de graaf en hadden duidelijk de sleutel tot het begrip van het geslacht van de Merovingen in handen. Meer had de graaf hem er niet over kunnen – of willen – vertellen. Desalniettemin had hij waar de president nog bij was contact opgenomen met het kantoor van deze raadselachtige heer. Ze hadden een afspraak gemaakt voor dezelfde avond.

Nu zat president Michaut in zijn werkkamer van het bureau in de Rue des Anges. De dag ervoor had hij hier Jean-Baptiste Laroche ontvangen, het was nog geen dertig uur geleden dat hij voor het eerst iets over die geheime bloedlijn had gehoord. Er was in die korte tijd zoveel gebeurd, zijn hele wereldbeeld was veranderd.

Michaut keek naar de papieren voor zich. Bij zijn ontmoeting waren er al wat stukken voor hem voorbereid. Het resultaat was echter teleurstellend. De orde was weliswaar bekend en werd sporadisch hier en daar vermeld – in krantenknipsels, in ambtelijke documenten, oorkonden – en er was zelfs een populair wetenschappelijk boek over geschreven, maar in korte tijd lieten die snippers informatie zich niet samenvoegen of beoordelen. Er waren geen expliciete bewijzen waar de oorsprong van de orde lag of welke doelen zij nastreefde. En over ene monsieur Plantard was helemaal niets duidelijks te vinden, er waren heel veel Plantards in Frankrijk, en geen een leek openlijk in verband gebracht te kunnen worden met die Priorij van Sion.

Michaut vertrouwde de graaf. Dat was de enige reden waarom hij nu een afspraak had met een hem volslagen onbekende heer, wiens gegevens hij niet eens kon controleren. Wat kon die man hem vertellen? Was het een goed teken dat er niets over hem bekend was? Duidde dat erop dat hij met succes achter de schermen ageerde? En als dat zo was, was dat dan goed of slecht voor hem, of voor Frankrijk?

Er werd geklopt, de deur van zijn kantoor ging open en de beveiligingsbeambte trad binnen.

'Monsieur le président, uw bezoek is er.'

'Dank u wel, laat hem binnen en laat ons alleen.'

De veiligheidsbeambte knikte en liet kort daarop een magere oude man met een camel jas binnen. De president stond op en ging naar de man toe. De deur werd weer gesloten.

'Ik neem aan dat u monsieur Plantard bent. Ik ben blij dat u kon komen.'

De oude man gaf Michaut vriendelijk glimlachend een hand. Zijn handen waren klein en knokig, eigenlijk leken ze veel te groot. Talloze plooien tekenden de leerachtige huid van zijn gezicht, dat ondanks zijn hoge leeftijd de uitdrukking droeg van een wakkere en intelligente geest. Een fijn glimlachje, fonkelende ogen en een nikkelen brilletje versterkten deze indruk.

'Het doet mij genoegen u te leren kennen, monsieur Michaut.'

De president schrok, hoewel hij dat niet liet blijken, dat hij door deze vreemde man zo zonder enig respect werd aangesproken, maar hij beduidde hem te gaan zitten in een fauteuil in een zithoek en ging daar zelf ook zitten. Op het tafeltje voor hen stonden al glazen, een fles water en een schaal met gebak.

'U zult het wellicht brutaal vinden dat ik u niet met uw officiële titel aanspreek,' begon Plantard, terwijl hij ging zitten en daarbij zijn jas om zich heen trok alsof hij het koud had, 'maar ik wil daarmee zeggen dat ik u als mens respecteer, niet om een of andere presidentstitel. Monsieur le président is de naam van een rol die velen voor u al hebben gespeeld. Ik zou u graag als mens spreken en bovendien hebt u op die manier de mogelijkheid los van elk protocol met mij te praten. De zorgen of vragen die u hebt moet u vooral als mens naar voren brengen – ik zou het niet wagen mijn hulp of mijn informatie aan de president aan te bieden.'

Michaut leunde achterover en overdacht het gehoorde. Met enkele woorden had Plantard de eerste ergernis weggenomen en daarbij zelfs een revérence gemaakt. Een interessante man, intelligent en scherpzinnig. Op grond van zijn uiterlijk schatte hij hem op minstens zeventig, des te respectabeler was zijn geestelijke frisheid.

'Ik heb er niets tegen, monsieur,' antwoordde de president. 'Ik ken uw positie en achtergrond niet en daarom kan ik u alleen maar aanspreken met monsieur Plantard.'

'Veel valt er over mij ook niet te weten, daar zult u ongetwijfeld al wel achter gekomen zijn.'

'Ik moet toegeven dat mijn pogingen meer over u te weten te komen geen resultaat hebben gehad. Misschien wilt u eerst iets over uzelf vertellen?'

'Vindt u het goed als ik rook?'

'Natuurlijk.'

Plantard haalde een zilveren etui te voorschijn, klapte het open en bood hem Michaut aan. Die sloeg echter af.

Plantard pakte een dun sigaartje. 'Als u zich afvraagt of dat wel goed is voor mijn gezondheid, dan kan ik slechts toegeven dat het dat niet is. Maar op mijn leeftijd komt dat er niet meer op aan. De meeste tijd en de beste jaren zijn voorbij. Ouderdom is troosteloos genoeg. Ik ben niet van plan haar opzettelijk te verlengen.' Hij glimlachte terwijl hij het sigaartje aanstak. Toen leunde hij achterover en liet de rook bedaard uit een mondhoek opstijgen.

'Wat er over mij te zeggen valt...?' hernam hij. 'Mijn naam kent u al. Ik ben opgeleid voor de handel en liep stage bij een uitgeverij toen de oorlog uitbrak. Ik heb een jaar in Duitse krijgsgevangenschap gezeten, het lukte me te vluchten en ik ben bij het verzet gegaan. Na de oorlog heb ik werk gezocht en tot in de jaren tachtig ben ik in de handel werkzaam geweest. Import, export, bankwezen.'

Als hij in de jaren veertig al krijgsgevangen was, overdacht Michaut, dan loopt hij nu tegen de tachtig. Verrassend. 'Wat weet u over de Priorij van Sion?' vroeg hij.

'U verliest niet veel tijd met beleefdheden, nietwaar?'

'En wat kunt u mij zeggen over Jean-Baptiste Laroche en zijn band met de Merovingen?'

Plantard knikte. 'U bent nog niet zo lang op uw post, monsieur Michaut. Nog niet zo lang als uw voorganger. Het is des te verrassender dat u al op deze samenhang bent gestuit, maar des te minder bent u er nu op voorbereid. Welnu, de Priorij van Sion bestaat heel erg lang.' Hij rekte dat 'heel erg' en schudde daarbij licht met zijn hoofd, als om zichzelf te bevestigen. 'Zoals u vast wel weet, is Sion de oude naam van de vesting Jeruzalem, later van de Tempelberg of ook wel van de hele stad. Een centrum van macht, dat tegenwoordig nog zo'n uitstraling heeft, dat het joden, christenen en moslims in gelijke mate aantrekt. Hoeveel veldslagen zijn er reeds om geleverd! Sion is het symbool van de universele heerschappij van een door God verkoren volk, Sion is het ideale beeld van het middelpunt van de aarde, een cultureel epicentrum. De Priorij van Sion is een orde die zich ondergeschikt acht aan dit ideaalbeeld.'

'En de Merovingen?'

'De dynastie van de Merovingen...' Plantard nam een lange trek aan zijn sigaartje en blies de rook weer zo langzaam uit alsof hij tijd nodig had om na te denken. 'Tja... dat is een heel bijzonder hoofdstuk in de geschiedenis van Frankrijk. Op school leren wij allemaal dat de Merovingen in de zesde eeuw de rijken van de Salen en de Franken voor het eerst samensmeedden en daarmee een gemeenschappelijk rijk, Frankrijk, hebben gesticht. Merovech heeft de weg geëffend, Chlothar, Dagobert, enzovoort. Medio achtste eeuw eindigde de heerschappij van de Merovingen, nadat Dagobert II in opdracht van Pepijn II werd vermoord en de laatste heersende Merovingische koning van Frankrijk, Childerich, door Peppijn III met steun van de paus werd afgezet. De zoon van Pepijn III was die Karel, de latere Karel de Grote, Charlemagne, die de heerschappij van de dynastie der Karolingen vestigde.'

'Die geschiedenis is mij bekend, monsieur Plantard.'

'Daar ga ik van uit. Hebben wij niet juist aan de Karolingen veel te danken? Karel de Grote verbond als niemand voor hem de kerk en de wereldheerschappij, vergrootte en bestendigde het rijk, zette zich in voor kunst, cultuur en scholing, een vernieuwingsbeweging die zelfs een eigen naam kreeg: *Renovatio*. Moderne structuur en denkwijzen.'

De oude man keek argwanend naar zijn sigaartje, alsof het juist op dit moment dreigde uit te gaan. Hij blies even tegen het puntje en liet de gloed daardoor opvlammen. 'Maar kent u ook de geschiedenis achter de geschiedenis? Moet u eens zien: wat begon er over het algemeen in het jaar 800, de kroning van Karel de Grote?' Na een korte stilte, waarin hij duidelijk geen antwoord verwachtte, vervolgde hij: 'De middeleeuwen, monsieur Michaut. De duistere tijden, zoals ze ook wel worden genoemd. Hoeveel kennis ging er verloren, hoeveel onzekerheid en bijgeloof ontstonden? Hoeveel oorlogen werden gevoerd, hoeveel bloed vergoten? Denk aan de vreselijke kruistochten, de Honderdjarige Oorlog... dat duurde tot in de vijftiende eeuw. En toen, eindelijk, was daar licht aan het eind van de tunnel: de renaissance. Dat was een echte wedergeboorte, toen de mensen en hun regeringen zich losmaakten uit de middeleeuwse structuur, toen kerkelijke en wereldlijke macht weer uiteengingen, en ten slotte zelfs de kerk een hervorming moest dulden. U bent niet gelovig, monsieur Michaut, daarom kan ik er in alle neutraliteit uw aandacht op vestigen: het was de kerk die een eind wenste aan de dynastie van de Merovingen, het was de kerk die de Karolingen hun macht gaf, die zich met hen verbond, het was de kerk die de aanzet gaf tot de kruistochten, het was de kerk die onderzoek en wetenschap onderdrukte en wier almacht ten slotte in de renaissance gebroken werd.'

De president knikte. Hij was weliswaar geen tegenstander van kerkelijke instellingen, maar hij stond er beslist kritisch tegenover. Maar hoeveel wist Plantard van zijn eigen instelling? Manipuleerde hij hem? Het klopte wel wat de oude man zei, en hij kon beslist gelijk hebben. Maar Michaut vroeg zich af waar hij heen wilde. Dat de Merovingen de betere heersers waren geweest?

De oude man vervolgde: 'De vraag is of het toeval was dat de kerk haar hoge vlucht ophing aan de Karolingen, en waarom dat met de Merovingen niet mogelijk zou zijn geweest. Nou, er was inderdaad een heel goede reden waarom de kerk daartoe besloot, want door de aderen van Dagobert en Childerich stroomde bloed waarvan de kerk het voortbestaan geenszins kon toelaten.'

'Jezus Christus,' merkte de president op.

'Inderdaad, het bloed van de Verlosser. Ik ben blij dat u zich al vertrouwd hebt gemaakt met deze voorstelling van zaken.'

'De theorie is voor mij zo nieuw dat ik nog geen gelegenheid heb gehad haar te laten bezinken, maar ik heb er inderdaad van gehoord.'

'In werkelijkheid is het helemaal geen theorie. Op de een of andere manier – hetzij door huwelijk of andere verwantschap – is de lijn van onze Heer voortgezet en heeft zijn toevlucht gevonden in Gallië, waar hij in de stambomen van de Merovingen en de Franken opging. Welnu, waarom zou de kerk er belang bij hebben dit unieke, goddelijke vorstenhuis te verdringen? Dat is toch paradoxaal? Maar ik zal het u vertellen: omdat de macht van de kerk niet berustte op Jezus, maar op de verlossing door wederopstanding en op het door Petrus geschapen kerkelijk instituut. En waarom zeg ik "van onze Heer" als ik het over Jezus heb? Omdat de betekenis van Jezus niets uitstaande heeft met de huidige kerk, waarop ik overigens niets wil afdingen, maar omdat Jezus de hoogste vertegenwoordiger en aanvoerder van een uitverkoren volk was. Hij was hoog opgeleid, hij was revolutionair, humanist, een vroege Gandhi, een Siddharta, een Martin Luther King – maar bovenal was hij de ware en rechtmatige koning der joden. De Romeinen wisten dat. Jezus had zich tot heerser van de bekende wereld opgewerkt, hij zou het Romeinse Rijk hebben vernietigd. Daarom lieten ze hem ombrengen. Wat daar goddelijk aan was mag u zelf uitmaken.'

Michaut zei een hele poos niets. Wat viel er te zeggen? Een zeer fascinerende, hoewel door niets geschraagde interpretatie. Zou zijn geheime dienst hem hiermee diezelfde ochtend voor de eerste maal hebben geconfronteerd, dan zat hij nu – nog geen twaalf uur later – tegenover iemand die dat met zo'n rustige overtuiging verdedigde alsof het de vanzelfsprekendste zaak ter wereld was.

'En wat heeft de orde van Sion daarmee te maken?' vroeg hij.

'Zoals ik al zei voelt de Priorij van Sion zich gebonden aan het ideaalbeeld van die tijd. Voor de Priorij was het allerbelangrijkste doel het bloed van de Merovingen niet te laten uitsterven. In de afgelopen eeuwen was de Priorij niet altijd zichtbaar actief, noch in de economie, noch in de politiek, maar het erfgoed van de Merovingen werd desalniettemin voortgezet. In werkelijkheid waren daardoor voortdurend erfgenamen van koninklijken bloede onder ons, verbonden zich door huwelijk met vorstenhuizen, verzekerden hun linie en leidden ten dele zelfs de Priorij.'

'En wat zijn de doelen van de Priorij? Waarom is er niet allang iemand naar voren gekomen om de heerschappij op te eisen?'

De oude man schudde zijn hoofd en drukte zijn sigaartje uit. 'De idealen van de Priorij staan geen wereldrevolutie in de vorm van een staatsgreep voor. Daarvoor is de tijd niet rijp. Wil een centrale aanspraak op heerschappij überhaupt zin hebben, dan zou de macht niet zo versnipperd moeten zijn als tegenwoordig het geval is. Landen en regeringen zouden eerst nog sterker moeten vergroeien, de Kerk zou nog meer aan macht en geloofwaardigheid moeten inboeten. U moet echter niet denken dat de Priorij daardoor passief was. Denkt u nu echt dat na honderden, duizenden jaren oorlog in Europa, de zich aankondigende Europese eenheid vanzelfsprekend is? Een Europese president was gisteren nog ondenkbaar, maar tegenwoordig? Welk gigantisch centraal belang speelt hier, dat Engelsen, Fransen, Duitsers, Polen, Russen en Turken elkaar tegenwoordig niet meer naar het leven staan?'

'U wilt mij dus vertellen dat het niet de politici zijn die de geschiedenis van Europa sturen, maar de Priorij?'

Plantard wuifde dat weg. 'Begrijp me niet verkeerd, het zijn wel degelijk de politici die de wederwaardigheden bestieren. Politici zoals u, monsieur Michaut. U handelt naar uw eigen doel, maar hebt u zich ooit afgevraagd hoe u tot uw overtuiging bent gekomen? Welke gedachten van andere mensen hebben indruk op u gemaakt? Wie voor u streefde al dergelijke doelen na als uzelf? Wiens gedachten zet u voort? Wiens boeken leest u, wiens commentaren hebben indruk op u gemaakt, naar wiens raad luistert u? Wij allebei, monsieur Michaut, zijn slechts voor een klein deel origineel, want het meeste is al een keer bedacht, gezegd, geschreven en uitgevonden. Onze ideeën, inzichten en overtuigingen bedienen zich uit de overvloeiende vondsten van de wereldgeschiedenis. Duizenden jaren, miljarden mensen, zo sluw, en alles bij elkaar oneindig veel gewiekster dan wij, werkelijk nieuwe ideeën zijn uiterst zeldzaam. Wij onderscheiden ons slechts daarin dat wij een keus maken uit die ideeën, wiens overtuiging wij overnemen, welke talenten wij hebben en hoe wij die inzetten om die ideeën na te streven.'

Michaut zweeg. De oude man had hem diep geraakt. Doelen. Succes. Zelfbeschikking. Nieuws scheppen. Mijlpalen stellen. Onsterfelijkheid. Relevantie. Zijn hoofd voelde merkwaardig leeg.

'En nu vraagt u mij wie het lot stuurt. Dat doet u, monsieur Michaut. Weliswaar in hogere zin. Ons leven is slechts een ogenblik in de geschiedenis van de mensheid, het stukje dat wij ervan zien is dienovereenkomstig klein en alleen daarop hebben wij werkelijk invloed. Slechts wie honderden of duizenden jaren zou leven, die kon hele stromingen eruit halen en ontwikkelen, die zou in aparte gevallen het lot kunnen sturen, ideeën kunnen zaaien, ervoor zorgen dat gedachtegoed in vruchtbare bodem valt en zich verspreidt. Daarom zijn er krachten in het verborgene die hun doelen slechts kunnen nastreven doordat zij al heel lange tijd bestaan. Wij zien hun invloed niet, wij hebben ook niets met hun doelen. Maar dat ligt slechts aan ons perspectief. Het is net als met de aarde: wij voelen niet dat zij onder ons beweegt, maar toch doet ze dat. Vele zaken zijn te groot voor ons om te kunnen zien. Tegen de achtergrond van de geschiedenis bewegen wij ons veel te snel, en enige dingen zijn te langzaam voor onze waarneming. De Priorij van Sion is zo'n langzame, stille kracht.'

Michaut masseerde zijn slapen. Veel in hem verzette zich tegen de uiteenzetting van de oude man.Die tekende een beeld dat voorbij de veilige, hem bekende realiteit ging. En tegelijk was het opwindend. Het was een schildering van zulk een omvang dat in vergelijking daarmee menselijke of politieke inspanning slechts onbeduidende penseelstreken werden. En toch paste alles binnen een hoger, zij het onzichtbaar concept. Het was tegelijkertijd verheffend en deprimerend, een soort religieuze ontroering doorvoer hem. Maar juist dat maakte hem achterdochtig. Zou het kunnen zijn dat de oude man hem op die manier probeerde te beïnvloeden? Hoeveel van wat hij zei was gewoon flauwekul? Complotfantasieën van een grijsaard, die zich door zijn ouderdom liet respecteren en die met zijn woorden eerbied afdwong? Anderzijds kende de graaf hem en had deze ontmoeting geregeld. De graaf! In hoeverre liet hij, Michaut, zich door de graaf manipuleren? Was het de graaf die een spelletje met hem speelde? Michaut greep naar een fles en schonk water in.

'U lijkt niet overtuigd,' stelde de oude man vast. 'Laten we een voorbeeld nemen: eind jaren vijftig verkeerde Frankrijk in een diepe crisis. Steeds weer perioden zonder regering, de partijen stonden vijandig tegenover elkaar, de Franse koloniën in Indochina waren met veel bloedverlies verspeeld en korte tijd later deden de Algerijnse nationalisten van zich horen, die onafhankelijkheid en een eigen regering wilden afdwingen: de Algerijnse Oorlog. Zoals u weet, werden er in die tijd talrijke comités gesticht voor de openbare orde, de zogenaamde "Comités de Salut Public". Die werkten op de achtergrond, zoals dat ook gebeurde in de tijd van de Franse Revolutie. Zij wilden een sterk en groot Frankrijk, en de koloniale status van Algerije moest behouden blijven. Zij wisten ook dat daar ook maar één man voor in aanmerking kwam, een die al eens provisorisch staatshoofd was geweest: Charles de Gaulle. Dus hielpen zij hem in 1958 aan de macht. Een leidende rol in deze comités speelde de Priorij van Sion. Want een groot en krachtig rijk lag geheel in de lijn van de Priorij. De Gaulle kwam aan de macht, maar tegen alle verwachting in verleende hij Algerije onafhankelijkheid. Zouden de comités in Frankrijk vanwege dit zogenaamde verraad de handen ineen hebben geslagen, dan hadden zij de regering ernstig kunnen bedreigen. Maar De Gaulle was een goed en vooruitziend politicus, de beste die Frankrijk in lange tijd heeft gehad. Daarom besloot de Priorij hem toch weer te steunen. En zo kwam het dat het uitgerekend de grootmeester van de Priorij van Sion was die de comités als voorzitter van het algemeen secretariaat leidde en ze ten slotte op verzoek van de Gaulle aanzette tot gemeenschappelijke opheffing.' Plantard stak een nieuw sigaartje op. 'Dat kunt u allemaal natrekken, monsieur. U zult kunnen vaststellen dat het klopt.'

'Ik denk...' Michaut aarzelde. 'Dat kan allemaal wel zijn, maar...'

'Ik moet mij verontschuldigen bij u, monsieur,' merkte Plantard op. 'U hoeft dat natuurlijk niet allemaal gewoon te geloven of te onderschrijven.' Hij greep in de binnenzak van zijn jas en trok er een envelop uit. 'Ik heb een paar stukken die u kunt laten onderzoeken. Daarin staan enkele van de belangrijkste gegevens die ik u heb verteld.'

'Ik begrijp nog altijd niet wat Jean-Baptiste Laroche met die hele zaak te maken heeft. Is hij lid van de Priorij van Sion?'

'Ja. Dat was de feitelijke vraag, niet? Wat heeft Jean-Baptiste daarmee van doen? Die breedlopige uiteenzettingen over de Merovingen waren niet bedoeld om mijzelf interessant te maken en ook niet om u te vervelen. Het klopt dat de dynastie van de Merovingen werd voortgezet en het klopt ook dat het bloed van Jezus Christus in hen voortleeft. Het was evenmin mijn bedoeling u te verontrusten, want het tweede deel van mijn vele woorden zou u eigenlijk moeten bemoedigen. De Priorij van Sion behoedt weliswaar het heilige bloed, maar even zozeer behoedt zij Frankrijk, Europa en de idealen van Sion. En de tijd is nog niet rijp. Zo is dan ook de vraag of Jean-Baptiste Laroche afstamt van het Huis van Dagobert eigenlijk van geen enkele relevantie. Want ik kan u verzekeren dat hij niet gesteund wordt door de Priorij. Geen enkele handeling van hem kan op lange termijn succesvol zijn.'

'U zult begrijpen dat uw verzekering alleen voor mij niet voldoende geruststelling is. Bovendien betreffen zijn kansen op succes op korte termijn mij duidelijker dan die op lange termijn.'

'Natuurlijk, u hebt gelijk. En daarom ben ik ook hier. Het lot van de wereld, de grote geschiedenis zo u wilt, wil dat de Priorij beslist niet ingrijpt. Maar om het effect op korte termijn en vanwege uw persoonlijke steun ben ik hier.' Hij duidde op de envelop die hij op de tafel had gelegd. 'Hier zult u met zekerheid het een en ander vinden, dat in de zaak Laroche nuttig zal blijken te zijn. Onze gemeenschappelijke vriend aan het Meer van Genève heeft mij verzekerd dat u deze stukken in alle vertrouwelijkheid zult aannemen en zult weten op prijs te stellen. En dat u ons gesprek op dezelfde manier zult behandelen. En nu... als u mij zou willen verontschuldigen.' Hij stond voorzichtig op. 'Mijn nachten zijn kort, op mijn leeftijd slaap je niet zo gemakkelijk meer uit. Daarom is het van groot belang dat ik bijtijds naar bed ga.'

Michaut stond op en reikte Plantard de hand. 'Ik dank u dat u de moeite hebt genomen om naar mij toe te komen.' Hij wist echt niet wat hij van deze ontmoeting moest vinden en ergens was hij blij dat de merkwaardige oude man nu vertrok.

'Maar ik vraag u, monsieur!' zei Plantard met een fijnzinnig glimlachje. 'U bent nog altijd de Franse president. Wie zou ik verplicht kunnen zijn behalve u?' Met deze woorden was hij bij de deur en kort daarop was hij verdwenen.

Emmanuel Michaut bleef beduusd achter. Alleen de doordringende lucht van het sigaartje hing nog in de atmosfeer. Hij strekte zijn hand uit naar de envelop en woog haar besluiteloos. Toen ging hij aan zijn schrijftafel zitten en opende haar.

10 mei, in de omgeving van Albi

Toen Peter bijkwam, klopte zijn hoofd. Hij opende zijn ogen, maar het bleef volslagen donker. Een hevige pijn schoot door hem heen toen hij zijn ogen wilde bewegen, dus sloot hij ze weer en hield zich stil. Maar het was niet slechts pijn, het was ook lawaai. Om hem heen schudde en stampte het en elk geluid weerklonk in zijn hoofd. Alles dreunde, tussen de duizelingen door voelde hij golven van misselijkheid. Soms verzamelde zich speeksel in zijn mond, hij had een prop in zijn keel. Hij ademde diep in. Een merkwaardig zoetige lucht hing in de ruimte, alsof er iets werd verbrand, de lucht leek zwaar, muf en verbruikt. Maar toen het hem lukte zich te concentreren werd ook zijn maag geleidelijk aan weer rustiger.

Afgaande op de geluiden bevond hij zich in een voertuig, waarschijnlijk een bestelauto. Dat zou verklaren waarom hij beweging voelde en wel tegen de rijrichting in. Als de auto remde werd hij steeds weer met zijn rug tegen de wand gedrukt, bij versnelling rolde hij de andere kant op. Daarbij hield iets hem echter tegen, een soort gordel die dwars over zijn buik liep. Zijn handen waren achter zijn rug vastgebonden. Hij kon geen kant op. Zijn toestand in de duisternis pleitte in elk geval tegen een of ander experiment. De geluiden dreunden in zijn dof kloppende hoofd. Hij kon maar met moeite details onderscheiden. Er was iets wat klonk als het zoemen van banden op een wegdek, geruis of kleine voorwerpen die tegen metaal sloegen, kreunen en piepen van veren.

Een hete gloed nam bezit van Peter toen hij zich bewust werd van het feit dat hij ontvoerd werd. Het zweet brak hem uit, zijn hoofdhuid begon te jeuken. Hoe was hij hier terechtgekomen? Hij probeerde zich te herinneren wat er gebeurd was. Iets had hem overweldigd in de grot, hij had gemerkt dat hij gepakt werd en naar achteren werd getrokken. Toen was er iets nats tegen zijn gezicht gedrukt. Bij de gedachte daaraan kreeg hij een prikkelende nasmaak in zijn mond, een soort verdovend middel, misschien ether. Dat was alles wat hij nog kon reconstrueren. Wat waren ze met hem van plan?

De auto ging harder rijden. Misschien zat hij op een snelweg. De banden zoemden hard, daardoor vermoedde Peter dat de straat onder hem nat was. Tegelijkertijd hoorde hij onregelmatig sissen, dat steeds weer van rechtsonder opklonk, snel harder werd, voorbijkwam en zich dan zwakker wordend verwijderde. Hoogstwaarschijnlijk waren dat tegenliggers. Peter vermoedde dat hij niet op een snelweg zat, want daar reden meer auto's op. Dat gaf aan dat zijn ontvoerders niet van plan waren hem erg ver weg te brengen. Aan de andere kant wist hij niet hoe lang hij bewusteloos was geweest en welk traject er inmiddels was afgelegd.

Wie zouden zijn ontvoerders zijn en wat waren hun motieven? Dat hij kennelijk niet gewond was, pleitte voor de veronderstelling dat zij niet al te gewelddadig waren. Evenzogoed beschikten zij over een gevaarlijk crimineel potentieel. En verder over buitengewone krachten of stom geluk, want hij kon zich met de beste wil van de wereld niet voorstellen hoe ze voorbij de opzichters in het bos waren gekomen zonder opgemerkt te worden. Bovendien hadden ze hem op de terugweg van het hol de helling naar beneden en naar de uitgang van het afgezette gebied moeten brengen… Maar hoe wist hij of ze inderdaad onopgemerkt gebleven waren? Was er gevochten?

De wagen remde en nam een bocht. Hij hield de vertraagde snelheid aan. Een poosje later stopte hij, bleef een poosje staan en reed toen weer verder. Een stoplicht, dacht Peter. Dat gaf hem een vertrouwd gevoel, te weten dat er nog zoiets alledaags als een verkeerslicht bestond. Een stukje beschaving. Misschien waren ze in een stad? Maar er was geen tegemoetkomend verkeer meer te horen. Het kon ook een betrekkelijk onbewoonde omgeving zijn, of het was al zo laat dat er nog maar weinig mensen op straat waren. In elk geval zou dat betekenen dat vrijwel niemand de wagen zag en dat de politie problemen zou hebben getuigen te vinden en het traject na te trekken. Dat alles in de veronderstelling dat ze überhaupt al op zoek naar hem waren en wisten dat deze wagen gevolgd moest worden. Ze zouden de opzichters moeten ondervragen, maar mogelijk konden die niet van dienst zijn bij de te nemen maatregelen, als ze dood waren of de indringers niet gezien hadden... Niet gezien... de onzichtbare op de monitor! Kon dat echt? Was er een technologie die onzichtbaar maakte? Stealth-technologie, zo had Patrick het genoemd. Radargolven absorberen of verstrooien, zoiets. Maar een mens onzichtbaar maken? Hoogst onwaarschijnlijk, maar toch een gedachte waarmee je rekening moest houden. Daarmee was dat binnendringen te verklaren. Maar wellicht beschikten deze mensen dan wel over mogelijkheden hem of zelfs een hele wagen te laten verdwijnen... In dat geval zou zijn lokalisering natuurlijk bijzonder problematisch worden. Patrick had vermoedelijk wel een technische verklaring bij de hand.

Patrick!

Die had zich in de passage gestort! Heel opeens was hij zo zeker geweest dat het ongevaarlijk was, ja, dat hij er bijna bezeten van was geworden. Wat had hem bezield en wat was er nu met hem gebeurd? Was hij inmiddels eveneens zijn verstand kwijt, net als die ongelukkige herder? Misschien deed Stefanie al haar best een om zich heen slaande waanzinnige vast te binden, hem uit de grot te trekken. Misschien had ze Peter te hulp geroepen, om vervolgens vast te stellen dat hij verdwenen was. Patrick kon in die tussentijd ook gewond zijn geraakt, of in coma zijn gevallen en Stefanie probeerde dan wanhopig hem in het donker en wie weet in de regen de steile helling af naar beneden te krijgen.

Peter kromp ineen toen er een deur dichtgeklapt werd en het geluid zijn schedel deed schudden. Aan de eentonige geluiden van het rijden was hij inmiddels gewend, maar opeens had hij weer hoofdpijn. De auto was gestopt. Met een ruk werden een paar portieren opengegooid. Het was een achterdeur, hij zelf zat op de grond in de laadruimte van een kleine vrachtwagen, dat had hij ook al vermoed. Zwak licht scheen van buiten naar binnen, net genoeg om glimmende omtrekken en schaduwen te kunnen herkennen, maar te weinig om kleuren of details te kunnen onderscheiden. Het binnenste van de wagen was beslist niet alleen voor transport bedoeld, zoveel werd wel duidelijk, want er zaten kastjes, kisten, wandbekleding en twee bankjes in.

'Bent u wakker, monsieur Lavell?'

De stem klonk streng.

'Ja, ik ben wakker...'

'Stapt u dan uit! Wij zijn er.'

Peter wilde net antwoorden dat hij vastzat, toen hij merkte dat de gordel rond zijn buik meegaf. Op de tast bewoog hij zich. Met geboeide handen was het niet zo gemakkelijk overeind te komen. Zijn hoofd was zwaar en scheen gevuld met kokend lood, dat al zijn bewegingen volgde. Heel voorzichtig zocht Peter zich een weg naar voren en kwam ten slotte de auto uit.

Koele, vochtige lucht sloeg hem in het gezicht. Hij haalde diep adem en merkte nu met zekerheid hoe zijn hersens weer gingen werken. Het rook naar regen en naar natte grond. Weliswaar niet naar aarde, eerder naar nat stof. En er was nog iets, een moeilijk thuis te brengen lucht, zuurzoet, iets van vruchten, misschien appels, maar tegelijkertijd onaangenaam opdringerig, warm, iets als urine. In elk geval een industriële uitwaseming. Peter gokte op een brouwerij en keek om zich heen. Ze stonden op het lege terrein van een fabriek. In de nabijheid een enkele straatlantaarn. Peter kon een prikkeldraadomheining zien, een paar vervallen keten, een straat, struikgewas, een paar gebouwen met plat dak en schoorstenen. Ze stonden midden in een donker, vervallen industriegebied. Afgaande op het uiterlijk was het niet alleen afgelegen, maar ook grotendeels verlaten.

Nu trad een tweede man nader. 'Lopen!' wees hij Peter en duidde in de richting van het oude hoofdgebouw. Peter zag wel in dat hij bij aanwezigheid van zijn beide ontvoerders geen schijn van kans had om te vluchten. Zelfs als het niet donker was geweest en het terrein niet omheind, dan had hij zoals hij er nu lichamelijk aan toe was, geen twintig meter kunnen sprinten zonder van inspanning en misselijkheid in te storten. Dus zette hij zich in beweging en volgde de eerste man, die al een paar passen vooruit was gegaan.

Voor hen verhief zich al snel de kale betonnen muur van een fabriek. Tot op de vierde verdieping zaten vensters, de ruiten erin vuil of kapot, uit de kozijnen liepen roestbruine sporen naar beneden. Ze kwamen bij een stalen deur, waarboven een peertje brandde. Geen bord op de deur, geen huisnummer, geen enkele aanduiding, ook geen kleur. Alleen kaal beton met een zwart gevlekt patina van vele decennia en een met klinknagels beslagen deur, die ooit grijs geverfd was, maar waarvan de verf door bloedige roeststrepen was opgevreten. Bepaald geen plek waar je op vriendelijke toon zou kunnen onderhandelen, dacht Peter. Dit was zeker ook geen plek waar je gastvrij werd onthaald en waar je oude bekenden kon tegenkomen. Dit was een plek waar je niemand ziet, niemand hoort en waar je niemand ooit zult terugvinden.

Toen de deur openging, kromp Peter onwillekeurig in elkaar. Hij stond hier nog buiten, bijna vrij, rook de regen, voelde de koelte op zijn gezicht. Maar zo meteen zouden ze naar binnen gaan. De laatste keer keek de gevangene naar de betrokken hemel, nu wachtte hem de Bastille. Hij had slechts een vage voorstelling wat voor een duister lot hem kon wachten.

Binnen brandde licht. De eerste man ging naar binnen, de tweede duwde Peter naar voren. Achter hem viel de deur met een zware, metalen slag in het slot.

De gang was kaal en smal. Aan het plafond hingen onrustig trillende tl-buizen, waartussen buizen en kabels liepen. De mannen duwden Peter naar voren. Hij stelde vast dat alleen deze gang verlicht was. Alle ruimten en zijgangen die hij voorbijkwam lagen in volslagen duisternis. Op een onaangename manier staarden hem de gaten aan als de passage in de grot. Afgronden die tot leven kwamen, als je er maar lang genoeg naar keek… een beeld dat hem naar zijn zin de laatste tijd veel te veel voor de geest kwam. En nu zat hij er middenin.

Ze bereikten een open, slechts door tralies omgeven schacht en gingen op een vrachtlift staan, die uit niet meer bestond dan een stalen kooi met een vloer. Een van de mannen schoof de deur achter hen dicht, stak een sleutel in een klein paneel en haalde een hendel over.

Met een ruk kwam de vrachtlift tot leven en zakte naar beneden. Heel ver boven zich kon Peter het zoemen van een motor horen. Metaal rammelde en weerklonk door de schacht. Het licht boven hen verwijderde zich, de lift zonk de diepte in.

Peter vroeg zich af hoe het kon dat zo'n oud gebouw voorzien was van een onderaardse verdieping of dito garage. Omdat het om hen heen al snel weer duister werd, kon hij ook aan de muren steeds minder details onderscheiden, maar schijnbaar waren er geen verdere gangen of deuren. De lucht werd killer, de geur van beton en stof maakte plaats voor een vochtig modderluchtje van grond en oude baksteen. Plotseling kwamen ze tot stilstand. De tralies van de lift werden opzij geschoven en toen ging er een houten deur in de muur voor hen open. Een roodgeel schijnsel straalde hen tegemoet.

Zonder dat er een woord gesproken werd, werd Peter voortgedreven. Ze liepen door een gang, die gemetseld was van grote betonblokken en het was alsof ze door een crypte liepen. De grond was belegd met een donkerrode loper, aan de muren waren op regelmatige afstanden olielampen bevestigd. De gang eindigde voor een tweede houten deur, dit keer was daar oud snijwerk en glimmend messing beslag op te zien. De man die het groepje aanvoerde, deed haar open. Daarop betraden zij een ruime hal, van een meter of tien hoog, die baadde in een onheilspellend flakkerend licht van vlammen. Die rezen op uit levensgrote schalen in de klauwen van twee manshoge smeedijzeren beelden. Zij toonden de vreemde, verstrengelde ledematen van een roofdier, behaard, pezig, verweven met levensgrote menselijke of onmenselijke geslachtsorganen, muilen en klauwen. De monsterlijke gedrochten stonden links en rechts van een brede stenen, met tapijt belegde trap. Die voerde naar een gaanderij, die te halver hoogte rond de hal liep, waar weer andere gangen en deuren zichtbaar werden.

De dreigende indruk werd nog versterkt toen Peters blik op de vloer voor hem viel. Daar bevond zich een glanzend mozaïek uit zwart glas of obsidiaan.

Peter herkende het meteen. Het was een variant van het zegel van Belial, de achtenzestigste demon uit de *Goëtie*. Hij had de 'kleinere sleutel van Salomon', zoals het werk ook wel genoemd werd, enkele jaren geleden uitvoerig bestudeerd. In de mythologie was Belial een grote demonenvorst, direct na Satan geschapen, een van de vier kroonprinsen van de hel. Hij ging door voor onafhankelijk, gemeen, altijd en eeuwig leugenachtig, en werd met het element aarde als ook met de noordelijke windrichting verbonden. Een soort schaduwkant van Lucifer, de morgenster, de lichtdrager – als demonen überhaupt nog schaduwkanten konden hebben. Peter verbaasde zich over zichzelf. In plotselinge intensiteit stond alles hem weer voor ogen. Alles wat hij over de afgronden had gehoord, gelezen en ervaren. Hij had meer occulte werken doorgrond dan menig Rooms exorcist, had geheime wegen mogen bewandelen en gesproken met mensen die deze hele thematiek op hun duimpje kenden. Maar het was – en dat werd hem op dit ogenblik met een huivering bewust – allemaal in een academische context geschied. Hij had nooit durven dromen ooit in handen van die fanatici te vallen, die deze pseudoreligieuze hersenschimmen beleefden en serieus namen – en zelfs serieuzer dan iemand lief kon zijn, die vreesde voor zijn leven en zijn geestelijke gezondheid.

Op dat moment verscheen er een gestalte boven aan de trap. Het was een slanke jongeman met een donker pak die nu naar beneden kwam. Toen hij in het schijnsel van de vuurschalen trad, herkende Peter hem.

'Ash Modai,' zei hij.

'Welkom, professor Lavell. Naar ik zie bent u nog helemaal heel, fantastisch.'

'Ik mag hopen dat het ook zo blijft.'

'Neemt u mij mijn geforceerde uitnodiging niet kwalijk. U begrijpt natuurlijk dat ik u beslist moest terugzien.'

'Wat wilt u van mij?'

Ash Modai was vlak bij Peter komen staan en keek hem diep in de ogen. 'Dat weet u toch best.'

'Bent u nog steeds boos om mijn publicaties?'

'Uw publicaties? Maar die zijn volslagen irrelevant. Die hebben geen enkele invloed op de waarheid, op onze orde of op de niveaus tussen de werelden. En daarom zijn ze ook van geen enkele betekenis. Slechts kleingeestigen kunnen boos worden, zich verongelijkt voelen. Maar wat kan het de zee schelen als het regent?' De jongeman kwam met zijn gezicht tot vlak voor Peter. Peter merkte met een huivering dat zijn pupillen niet geheel rond waren, maar loodrecht spits uitliepen, wat hem een vreemd, dierlijk uiterlijk gaf. Ash Modai leek aan hem te snuffelen. Toen zei hij met dreigend gedempte stem: 'Nee, professor. U bent hier alleen vanwege de kring. De kring van Montségur.'

'Wat weet u van die kring?' vroeg Peter.

De man sperde zijn ogen open en stompte Peter zo krachtig tegen de borst dat alle lucht uit zijn longen ontsnapte en hij achterwaarts op de grond viel.

'IK stel hier de vragen!' snauwde Ash Modai hem toe.

Heel even werd het Peter zwart voor de ogen. Hij duwde zich op één arm omhoog en deed zijn uiterste best weer adem te halen.

'Ik heb u hier niet naartoe laten brengen om met u te kletsen,' vervolgde de man op rustige toon. 'Ik heb u eenmaal gevraagd om mij meer informatie te geven. Maar u bood verzet tegen mij. Nu vraag ik u niet meer. Ik kom aan die informatie, en daarna bent u verder van geen enkel belang.'

'De grot...' kon Peter nog net kortademig uitbrengen, 'u weet toch waar die is.'

'Dat klopt. En dat is niet uw verdienste, dus u moet daar niet al te trots op zijn. Maar ik wil nu iets anders weten. Namelijk hoe je daar binnenkomt.'

Peter kwam langzaam en wankelend overeind. Een stekende pijn in de borst verhinderde hem diep adem te halen. Hij dacht er liever niet over na of dat door een gebroken rib kwam. Zijn hoofd leek te gloeien. 'U kunt de grot niet betreden. Dat zult u nooit kunnen.'

Ash Modai deed een stap naar voren en gaf de nog gebogen staande Peter een stomp in zijn maag. Kreunend zakte Peter door de knieën. Een doffe pijn verspreidde zich door zijn ingewanden. Verkrampt, wild ademhalend stikte hij bijna en zakte met een brandend gevoel op het mozaïek in elkaar.

'U gaat mij nu geen onzin meer vertellen, professor! Ik zal te weten komen wat ik weten wil. Breng hem weg!'

Peter nam als in een mist waar hoe de beide mannen die hem naar binnen hadden gebracht hem bij zijn bovenarmen grepen en hem optrokken. Ze sleepten hem door de hal en hij deed zijn best zijn voeten daarbij voor elkaar te plaatsen.

Als uit de verte hoorde hij de stem van Ash Modai: 'Breng hem naar de galerij in de zaal en maak hem daar vast!' Toen waren ze uit de vuurgloed van de hal en doken een donkere gang in.

18

10 mei, grot bij St.-Pierre-du-Bois

Stefanie ving haar val zo goed en zo kwaad als het ging op, maar kon niet voorkomen dat ze daarbij op Patrick belandde, die ruggelings de passage binnen was gevallen en nu op de grond lag.

Hij begon te lachen. 'Meteen zo hartstochtelijk?'

Ze zei niets, stond op en klopte het vuil van haar broek.

Patrick stond ook op. 'Zie je wel? Niets gebeurd! Ik wist het toch! De passage ligt open.' Hij keek door de gang en ontdekte het diffuse licht achter de volgende bocht. 'Dat is het dus... Kom mee, dat wil ik zien!'

Langzaam liep hij op de lichtbron af, zij volgde hem op de voet. Toen ze bij de ingang van de grot waren, bleef hij staan. Blauw licht, dat van onder naar boven feller werd, vulde het stenen gewelf. Het bewoog, met een lichte waas, het wuifde, alsof het leefde. Het had echt een zekere dichtheid, substantie, zoals Stefanie terecht had omschreven, als kon je het beetpakken. Waar enkele stralen door de ruimte zwierven, leek het glanzend en doorzichtig, op andere plaatsen was het bijna troebel, zodat je de wand erachter niet kon zien. Het leek alsof de hele grot onder water stond en het licht van de maan door de golven heen op de bodem scheen.

'Dit is... prachtig!' hoorde Patrick zichzelf zeggen.

En nu zag hij ook de lichtzuil waarover Stefanie had verteld. Het was een rechte straal, die van het midden van de grot naar het plafond omhoog schoot. Ze was heel fel, bijna zuiver wit, maar ook zij had die levenskwaliteit, wuifde lichtjes, wentelde rond. Er waren stromingen in te onderscheiden, die zich als het ware bedachtzaam omhoog bewogen.

Er was een pad naartoe. Met het plan van de grot voor ogen wist Patrick dat het de enige weg was, waarlangs je in het centrum van de concentrische cirkels kon komen. Voorzichtig deed hij een paar stappen naar voren en stond toen bij de eerste van drie greppels. In het spel van het wisselende blauwe licht was het slechts onduidelijk te zien, maar tot een diepte van een meter of twee was de geul met water gevuld. Dit was voor elke duikende speleoloog een uitdaging, om erachter te komen hoe diep die gleuven waren, wat er op de bodem te vinden was, hoe ze aangelegd waren, waar ze naartoe gingen en waar het water vandaan kwam.

Patrick aarzelde van de buitenwand van de grot uit nu het pad te betreden dat naar het midden voerde. Iets maande hem tot voorzichtigheid. Hij liet zijn blikken rondgaan en zocht de grond af naar verraderlijke onregelmatigheden, verborgen scherpe voorwerpen die wellicht uit konden steken, of mechanismen die door zijn gewicht in werking konden worden gezet. Hij geloofde niet aan ingewikkelde vallen, maar toch was het alsof iets met nagels over zijn nek streek. En toen zag hij het: het licht gaf een grens aan, vlak langs de eerste gleuf.

Het vredig wuivende lichtschijnsel vulde geenszins de hele ruimte, maar vormde als het ware een koepel, waarvan ze de buitenrand nog niet hadden gepasseerd. Ze stonden weer buiten het licht, ook al leek het schijnsel zich rondom te verspreiden. Maar er was een bijna onmerkbare begrenzing. Bij nader inzien was te zien dat de steen er achter de begrenzing iets anders uitzag. En dat was het, wat Patrick zorgen baarde. Want daar was de grond niet gewoon licht of donker, maar zag er al naar gelang de lichtval raar onwerkelijk uit. Hij werd hier en daar een wat zinderend oppervlak, als bij een luchtspiegeling, maar het andere moment leek hij bijna doorschijnend.

Patrick bekroop het onaangename gevoel dat de stilte en de vrede van deze grot bedrieglijk waren. Hier zat iets verborgen wat veel groter was dan die eerste stap die hem op het middenpad zou zetten. Achter de uitnodiging naar voren te treden ging wat schuil. En Patrick had er geen flauw idee van wat dat kon zijn.

Dit is het gevaar waardoor werelden kunnen worden vernietigd.

Van wat voor aard was de straling die hier te zien was? Was dit wellicht een wapen? Een soort reactor? Konden mensen deze grens eigenlijk wel overschrijden? Misschien mocht dit licht helemaal niet aangeraakt worden, misschien beschermde het het binnenste van de cirkel, misschien moest je het om te beginnen op de een af andere manier uitschakelen?

Hoe meer Patrick erover nadacht, des te minder vijandig kwam hem de verschijning voor. Want tegelijkertijd had zij een kalmerende en veelbelovende kant. Mogelijk was het gewoon het vreemde van het verschijnsel, dat zo bedreigend was, en dus tweeslachtige gevoelens opriep.

Voorzichtig stak Patrick een hand uit en raakte de grens van het licht.

Niets liet zich met handen grijpen, ook de temperatuur was niet anders. Het scheen niet meer te zijn dan licht en lucht. En toch was nu op zijn vingers hetzelfde fata morgana-effect te zien als op de stenen.

Stefanie was er vlakbij komen staan en volgde het gebeuren. Patrick keek haar aan.

'Hier is weer zo'n overgang,' zei hij.

'Ja, het lijkt erop...'

'Net als bij de passage, het is alleen anders. Het is een grens in de lucht.'

'En nu? Je wilt er toch niet weer in, hè?'

'Dat weet ik niet zeker... Je kunt het aanraken...'

'Ja, dat kan ook met de duisternis in de passage. Maar wat daar verder kan gebeuren, heb je al aan den lijve ondervonden.'

'Ja, maar nu schijnt het open te staan. Misschien kun je hier ook gewoon doorheen.'

'Misschien? Wil jij dat risico lopen?'

'Ja, nu we zover gekomen zijn.'

'Ik kan alleen maar hopen dat je het niet echt meent! Ik kan jouw nieuwsgierigheid best begrijpen maar dit is toch amper... PATRICK!'
Het trof hem met de kracht van een orkaan.

Het was maar een stapje, waarmee hij de grens had overschreden en nu stond hij midden in een fonkelende storm van beelden, ondersteund door een keiharde kakofonie van klanken, lawaai en stemmen. Zonder dat hij iets kon doen spoelden onmetelijke indrukken door hem heen – uit talloze vreemde landen en verre tijden tegelijk, mensen, dieren, bouwsels, talen en liederen, alles wervelde als een hels orkest door elkaar, drong door alle openingen en via de kleinste scheurtjes van zijn waarnemingsvermogen tot in zijn merg door. Het nam totaal bezit van zijn zinnen, ontnam hem alle onschuld, wil of weerstand, raasde in een donderende vloedgolf door zijn verstand, verpletterde met hels kabaal de laatste muur, verslond alles in een zondvloed van zin en geest.

Volkomen krachteloos zeeg Patrick door de knieën. Alles werd in duisternis gehuld.

Duisternis. Stilte.

Niet in staat zich te bewegen, gevangen op de bodem van een diepe zee, in een geestelijke onderzeeër, waarvan de schotten waren volgelopen, en zelfs de tijd leek zijn adem in te houden.

En toen bleef hij staan.

Geen tijd, geen licht, geen geluid.

Zo dreef hij door het niet, tot hij in de verte een nauwelijks merkbaar blauw glinsterlicht kon waarnemen. Het verdween als hij er niet op lette. Dan keerde de rust weer terug. Maar het glom steeds opnieuw op. Als hij zijn aandacht erop vestigde, nam het toe. Hij negeerde het en het schrompelde weer weg. Een poosje schepte hij er genoegen in het licht te laten aangroeien en verdwijnen. Hij wilde zich er net van af wenden, toen een zachte stem zich bij het lichtje voegde. Hoe meer hij zijn best deed te horen wat zij zei, des te harder werd ze. En daarmee zwol ook het licht weer aan, en al gauw was er geen terugweg meer. Hij raasde met toenemende snelheid naar boven.

Met brandende longen en het laatste restje energie brak hij door het oppervlak. Steunend ademde hij uit en zoog zijn longen vol frisse lucht. Het leven stroomde weer door zijn aderen, door zijn zenuwen. Hij sloeg zijn ogen op. Zachtblauw schijnsel omringde hem.

'Patrick! Daar ben je dan!'

Hij keek Stefanie in het gezicht. Ze was nog nooit zo mooi geweest. En tegelijkertijd leek ze betoverd, getransformeerd. Opeens merkte hij zo door en door dat zij anders was, dat het hem seksueel opwond. Zijn erectie was echter pijnlijk en had niets uitstaande met wellust of begeerte, maar in tegendeel met eerbied – als voor een hoger, heilig wezen.

'Gaat het goed met je? Is alles weer in orde?'

Patrick kon zich herinneren waar hij was en wat er gebeurd was. Hij zat op de grond van de grot, het licht spoelde aan alle kanten om hem heen en hij leek nog helemaal heel. Volslagen anders dan bij de eerste keer, toen hij zijn hoofd in de passage had gestoken, had hij geen bijwerkingen. Naast hem zat Stefanie geknield, haar hand op zijn schouder. En iets had zijn waarneming van haar grondig veranderd. Het feit dat ze hem vasthield, alleen al de gedachte aan haar aanraking veroorzaakte een sterk kloppen in zijn lendenen en tegelijkertijd besefte hij dat hij het nooit zou wagen haar aan te raken. Dat geen enkele man in staat zou zijn haar ooit aan te raken.

Onbeholpen stond hij op en deed zijn best met zijn linkerhand onopvallend zijn kruis te bedekken. Stefanie deed alsof ze niets merkte, maar liet daarbij zijn schouder niet los. En Patrick merkte, of hij het wilde of niet, dat het zo moest zijn.

Voor diegene toegankelijk die hoeders van mysteriën zijn.

Zij was een hoedster van mysteriën, daardoor had zij de passage kunnen nemen. En toen Patrick viel had ze hem ook aangeraakt, toen ze geprobeerd had hem tegen te houden. Daardoor was hem niets overkomen. En nu, in deze blauwe koepel, moest hij zich door haar laten aanraken als hij niet ter plekke zijn verstand wilde verliezen.

Hij keek om zich heen. En zijn adem stokte.

De atmosfeer om hem heen was vervuld van beelden. Waarheen hij ook keek, zag hij dieren, mensen, voorwerpen, bouwsels, ja hele steden en landschappen. De beelden bewogen, vloeiden in elkaar over, leken dan doorzichtig en schemerig, dan onverdraaglijk echt en tastbaar. Het waren geen dode afbeeldingen, maar levende taferelen, die elkaar verdrongen in een aanhoudende stroom. En net als die merkwaardige visuele artefacten die bij wrijven in de ogen tevoorschijn komen, zo waren ze slechts uit de ooghoeken zichtbaar. Zodra Patrick probeerde ze recht aan te kijken werden ze vaag en vervloeiden. En alsof deze overmatige prikkeling onvoldoende was, werden alle voorwerpen en taferelen door kennelijk bijbehorende klanken begeleid. Van alle kanten drongen onaards lijkende muziekflarden, onbegrijpelijke brokstukken van gesprekken in vreemde talen en geluiden van allerlei aard en sterkte op hem toe. Patrick stond midden in een nachtmerrie-achtige, multimediale bazaar. Hectisch, bont, hard en intens was alles, erger dan hij ooit had beleefd.

'Mon Dieu... Wat is dat!' Zijn stem kwam hem gedempt en vreemd voor.

'Ik zie het ook,' zei Stefanie. 'Het is adembenemend!'

'Je kunt het bijna aanraken! En het gaat zo snel! Je kunt amper bevatten waar het om gaat...'

'Herken jij een of andere structuur? Een of andere logica?'

Patrick stak een hand uit, maar die ging door het aanstormend panopticum heen als door lucht. 'Ik zou al blij zijn als ik iets eens rustig zou kunnen bekijken!'

'Maar een of andere zin moet er toch achter steken... misschien zijn er weerkerende motieven?'

'Stefanie, als ik maar motieven zou kunnen herkennen... wacht eens even. Toch. Er is iets daarboven, zie je wel?'

'Wat bedoel je?'

'Ja, nu is het alweer weg.' Hij keek om zich heen. 'Maar daar weer... zijn dat geen piramiden?'

Stefanie keek de kant op die Patrick aanwees. 'Ik kan niets herkennen...'

'Jawel, beslist.' Het beeld was plotseling opgedoken en in een oogwenk weer verdwenen, maar het had een blijvende indruk op zijn netvlies achtergelaten. Hij kende dit motief maar al te goed. Twee grote en een kleinere piramide: dat was de beroemde ansichtkaart, de piramiden van Gizeh. En toen hij dat beeld opriep, dook het weer op, dit keer dichterbij en minder onduidelijk.

'Daar is het weer!'

'Wat bedoel je?'

'Nou, kijk dan, recht voor je, het is...' Hij hield zich in. In de ruimte voor hem werkte het zicht op die piramiden bijna alsof het tastbaar was, alsof het direct voor hem in de lucht hing. Het beeld werd steeds helderder, de kleuren levendig, het scenario boeide hem enorm en de beelden eromheen, bij de nevelige grotwanden, verdwenen. 'Ben je er nog?' vroeg hij, nu meer zichzelf, want hij waagde het niet zijn blik ervan los te maken en naar Stefanie te kijken.

'Ja,' hoorde hij haar.

'Dat is toch ongelooflijk, niet? En wat gebeurt er nu?'

'Wat bedoel je?'

'Zie jij het dan niet?'

'Ja, beelden overal om ons heen.'

'Nee, de piramiden! Pal voor me, en ik...' Weer haperde hij. In beginsel kwam het beeld weliswaar overeen met een kijkje op Gizeh, weliswaar met één belangrijk verschil: de middelste van de piramiden, die van Chefren, was volkomen intact, de typische band van de losgeraakte bekledingsstenen was niet te zien en ook de piramide van Cheops toonde zich met de oorspronkelijke bekleding van witte kalksteen, inclusief de allang niet meer aanwezige glimmende sluitsteen bovenop. Dit was niet het plateau van Gizeh zoals het er nu uitzag. Dit was een kijkje in het verleden!

'Welke piramide?' hoorde hij Stefanie vragen. 'Het is duidelijk dat je wat anders ziet dan ik. Beschrijf hem eens!'

'Pal voor mij staat de piramide van Cheops. En hij ziet eruit alsof hij net is aangelegd.'

'Ja... nu is hij ook voor mij verschenen. Maar slechts vaag. Beschrijf eens verder!'

'Hij is prachtig glad en wit... en verder naar beneden zie je mensen...

er zijn gebouwen! Een hele stad, lemen hutten, palmen...'

'Hoe meer je vertelt, des te meer details kan ik zien. Alsof je het oproept... Zie je nog meer? Wat doen de mensen?'

Patrick concentreerde zich op de drukte aan de voet van de grote piramide en reeds spoelde het beeld over hem heen. Opeens stond hij op de begane grond, tussen de mensen, die hun bezigheden voortzetten. Onbegrijpelijke gesprekken klonken om hem heen, ergens riep iemand iets, van een andere kant klonk gehamer.

'Ik sta er nu middenin. Ik kan de mensen in het gezicht kijken. Ze zijn overal om mij heen. Ze zweten, ze zijn stoffig, ze praten met elkaar, verderop staat een hut. En bij de muur staat een wagen!'

'Ik zie het ook,' klonk Stefanies stem uit het niets en toch uit de onmiddellijke nabijheid, 'maar steeds alleen maar als jij het vermeld hebt... misschien is er een band? Misschien stuur jij onbewust deze beelden?'

'Ik weet het niet...'

'Probeer je eens op die wagen te concentreren. Laat hem eens zien.'

'Goed dan, die wagen. Die is...' nog terwijl Patrick sprak, leek de wagen vlakbij en op hem af te komen. De omgeving verbleekte, de hele blik was nog slechts op het voertuig gericht. 'Het is een soort tweewielige kar, zoals je die laat trekken door een enkel paard...'

'Ik zie hem! Patrick, jij stuurt de beelden!'

'Ja, daar lijkt het op... als ik me ergens op concentreer... hoe deze wagen... Moet je die simpele constructie zien. Heel effectief, met minimale inspanning. Het principe is bijna vier millennia lang niet veranderd, tot aan de industriële revolutie...' Het houten voertuig veranderde bij deze gedachte in een onbeholpen ding met grote stalen wielen en een schoorsteen. Het was een stoommachine geworden. Patrick bezag de verandering verbijsterd. Had hij nu net een sprong in de tijd gemaakt? Of zag hij beelden die zijn eigen gedachten voortbrachten? Zo'n stoommachine had hij natuurlijk al eens bekeken, maar zoveel details als deze vertoonde! Hij kon zelfs barsten in de zwarte lak zien. Het was als een hyperrealistische droom.

'De wagen is weg,' zei Stefanie. 'Wat doe je?'

'Ik heb aan iets anders gedacht en nu...' Hij probeerde kalm te blijven. Als hij die beelden alleen door zijn wil kon laten verschijnen, was het wellicht ook mogelijk Stefanie eraan te laten deelhebben, zonder het haar te beschrijven. Hij stelde zich haar aanraking voor, haar engelachtig wezen, haar gezicht, haar lichaam. En toen stond ze ook plotseling naast hem, was deel van het geheel geworden. Met zijn tweeën leken ze nu in een onbepaalde ruimte te zweven, die op elke concrete gedachte reageerde, en voor hen, als een hologram, stond de stoommachine.

'Patrick! Jij beheerst de grot!'

'Ik begrijp niet dat ik hier werkelijk iets beheers... De grot en het licht lijken op een of andere manier te leven, staan in contact met mijn gedachten. Ik kan het een beetje sturen, maar ik weet niet wat hier aan de hand is. Wat is de zin, het doel? Hoe komt alles hier? En ik weet zeker dat ik de controle volslagen zou verliezen als je mijn schouder los zou laten.'

'Dat zou kunnen. Misschien dien ik als een soort katalysator...'

'Ja, dat zou een verklaring zijn... Hoewel dat natuurlijk een vrij povere is voor wat hier werkelijk gebeurt!'

Stefanie moest lachen.

'Wat laat dit hol iemand eigenlijk zien?' vroeg Patrick. 'Hoever kun je gaan met dit spelletje? Even kijken, hoe hebben auto's zich vervolgens verder ontwikkeld...' De stoommachine voor hun ogen begon plotseling te veranderen, de omtrekken werden vager, een verdwijnende wirwar van wielen, balken en andere mechanische onderdelen verving de stoommachine, en toen kristalliseerde er een nieuwe vorm uit. Die werd steeds duidelijker en al snel was een ander voertuig te zien, dat in feite uit grote stalen wielen, stangen met een houten zitbank en een plompe, grote motor bestond.

'Ja, het werkt!' riep Patrick. 'Ik heb niet uitdrukkelijk aan deze wagen gedacht, die heeft zichzelf opgebouwd. Deze grot kent de oude Benz!'

'Wat bedoel je daarmee?'

'Ik probeer erachter te komen of deze grot verbeeldt waaraan ik net toevallig denk, of zij dus alleen mijn eigen gedachte manifest maakt. Maar het lijkt alsof ik slechts de richting aangeef en de beelden ergens anders vandaan komen.'

'En waar komen die dan vandaan?'

'Ja, weet ik veel? Maar kan dit hier ook niet bijvoorbeeld een soort beeld- of filmarchief zijn? Of een lexicon? Ik bedoel, wij hebben die grot toch de "Grot van het weten" genoemd.'

'Maar misschien heb jij onbewust aan die wagen gedacht? Het is duidelijk dat je hem wel kent.'

'Je hebt gelijk... maar hoe kun je aan iets denken wat je niet kent?'

'Dat doe je toch eigenlijk steeds als je een antwoord zoekt.'

'Je bedoelt...'

'Ja, als je je niet laat drijven of in je eigen gedachten rondwaart, maar een vraag hebt en iets wilt leren.'

'Goed idee... iets eenvoudigs, wat nog niet is opgelost... die merkwaardige faxen misschien? Waar komen die vandaan? Wie is "St. G."?' Terwijl hij sprak werden de beide papieren zichtbaar. In de ruimte voor zich herkende hij de diverse letters, zag de machine waaruit ze gerold waren, hoorde zijn eigen stem: 'die werden verstuurd vanuit een postkantoor in Morges in Zwitserland.' Daarop werd een kantoor zichtbaar, met een gladde stenen vloer, enkele schakelaars, wachtende mensen met brieven en pakjes. Daarna werd de blik uit het binnenste van het gebouw naar buiten getrokken, als in een achterwaartse camerabeweging. Er werd een stad zichtbaar, modern, maar hier en daar met smalle, kronkelige steegjes die nog steeds hun oorspronkelijke, middeleeuwse traject volgden. Al snel kwam een kleine veste in beeld, die er bijna kunstmatig uitzag en helemaal vierkant was, met vier torentjes op de hoeken. Die stond pal aan een jachthaven. Zeilboten en zwanen waren te zien. Het zag er eerder uit als een meer dan als de zee. Als dit Morges was, overlegde Patrick, dan moest dit het Meer van Genève zijn. De perspectieven verdwenen naar boven toe en plotseling werd het landschap vaag, alsof het ter zijde werd geschoven. Toen het beeld weer scherper werd, was een soort feodale omgeving te zien. Het terrein grensde aan de oever van het meer. Grote, goed verzorgde gazons en een park met hoge bomen werden zichtbaar. En midden in dat park stond een villa van twee verdiepingen, waarop het perspectief nu gericht werd. Het beeld werd met grote snelheid om het herenhuis heen gevoerd, langs de oprit naar de deur. Daar bleef het ten slotte hangen aan een bord van messing, dat in een pilaar vlak boven een deurbel was bevestigd. Gegraveerde letters werden in het oppervlak zichtbaar:

STEFFEN VAN GERMAIN

'Dat kan haast niet,' liet Patrick zich ontvallen.

'Dat heeft de grot dus niet uit jouw geheugen gehaald?'

'Welnee, lieve goedheid, hoe zou dat kunnen? Ik heb die naam nog nooit gehoord, maar het lijkt onze "St. G." te zijn. En de stad heb ik ook nog nooit gezien. Dat moet Morges geweest zijn! Is dat niet ongelooflijk? Zou deze grot alle vragen op die manier kunnen beantwoorden? Moet je je voorstellen!'

'Ik ben benieuwd wat Peter daarvan zal zeggen.'

'Peter, natuurlijk! Die ben ik helemaal vergeten. We moeten hem meteen gaan halen.' Bij deze gedachte verdwenen de beelden meteen en het zacht wuivende blauwe licht kwam ervoor in de plaats. Het was net alsof ze gingen ontwaken. Heel even was Patrick zijn oriëntatie kwijt. Het licht om hem heen was veel helderder dan hij zich kon herinneren. En plotseling zag hij dat hij pal voor de lichtzuil stond, die midden in de grot de hoogte in straalde. Schijnbaar was hij er zonder het te merken doorheen gelopen – gelukkig zonder daarbij in een van de geulen te vallen. Naast hem stond Stefanie, nog altijd met haar hand op zijn schouder. Maar zij had zich ook verplaatst. Ze stonden nu beiden in de binnenste cirkel van de grot. Er was een platform van een meter of tien doorsnee. In het midden stond een stenen voetstuk, ongeveer tot heuphoogte, en daaruit rees de lichtzuil op.

Het licht steeg bedachtzaam en zacht op. Helderder en donkerder stromingen waren erin te onderscheiden. Het feit dat het daarbij geen enkel geluid gaf, verleende dit verschijnsel een zeldzame warmte en zachtheid. Het allervreemdste was de eigenlijke lichtbron. Want het was niet het voetstuk zelf dat deze straal uitzond, maar een voorwerp dat op het voetstuk stond.

En dat voorwerp was een hoofd. Het was dubbel zo groot als een gewone schedel, het glom licht spiegelend en was duidelijk uit een soort roodgouden metaal vervaardigd. De gelaatstrekken waren slechts schematisch, maar het had de gestileerde kop van een man kunnen zijn, althans als die verlenging van de kin een baard zou voorstellen. Het droeg een vreemd kapsel. Misschien was het ook een muts of iets anders, maar het was gevormd als een paar stierenhoorns.

'Wat voor de duivel...' stamelde Patrick.

'Ik denk niet dat je daaraan mag komen,' zei Stefanie.

'Maak je geen zorgen, dat was ik ook niet van plan... Maar moet je zien...' Hij boog zich naar voren. 'Wat is dat? Koper is het niet... het is een of andere legering. Er zou goud in kunnen zitten. En de vorm van die kop... ik heb zoiets nog nooit gezien. Het lijkt op niets uit de westerse cultuur. Het ziet er eerder oosters uit...'

'Patrick... ik denk echt dat we nu naar Peter terug moeten. Ik heb hier geen goed gevoel bij.'

Patrick keek op en wachtte even. 'Je hebt gelijk... plotseling voel ik het ook! Snel!'

Ze draaiden zich om en liepen de weg terug, tot zij bij de opening in de rotswand kwamen die hen uit de grot en verder naar de passage voerde, waar zij Peter hadden achtergelaten.

Patrick kon niet zeggen waarom dit instinct zich zo plotseling had gemanifesteerd, maar hij wist heel zeker dat er iets was gebeurd. Achter de bocht in de gang zag hij meteen dat de Engelsman er niet was. Stefanies hand viel van zijn schouder toen hij voor haar uit de grot met de inscripties binnenrende. Ook hier was geen spoor van de professor te zien.

'Peter! Waar ben je?'

Stefanie kwam naast hem staan. 'Die is niet vrijwillig vertrokken,' stelde ze vast.

'Merde!'

'Monsieur? Madame?' Ze schrokken en draaiden zich om, toen een man, kletsnat van de regen, door de ingang in het licht van de schijnwerpers de grot betrad. Het was een van de opzichters. 'Er is een probleem.'

De beelden op de bewakingsmonitor wierpen een irreële schijn op de gezichten van Stefanie en Patrick. Voor de tweede maal keken ze naar het tafereel. Het kleurenspectrum van de infraroodcamera toonde een vreemd bos, een zwartblauw, levenloos landschap. En toen dook plotseling tussen de bomen een geelachtige vlek op. Niet heel groot, maar duidelijk te zien. Als een geest zweefde hij midden in beeld door de lucht. Hij verdween aan de rand van het beeld, toen nam een andere camera het voorwerp over en toonde het vanuit een andere gezichtshoek. De vlek wandelde nog een eindje verder, bleef toen schijnbaar in de lucht hangen. En nu vervormde hij zich, verbreedde, werd groter, met twee uiteinden die naar onder hingen. Het gebogen voorwerp nam verder gestalte aan, werd naar het midden toe oranje, en pas toen werd duidelijk dat dit het lichaam van een mens was, naar voren gebogen, die als het ware met de vingers zijn voeten wilde raken. Een tweede monitor toonde dezelfde instelling, en volgens de opgenomen gegevens onder in het beeld was het ook hetzelfde ogenblik. Het waren de beelden van een gewone camera. Aangezien het intussen donker was geworden, was hier slechts het ongedifferentieerde zwart van het bos te zien. Maar toen op de infraroodmonitor een nieuwe, snel grote wordende rode vlek verscheen, was ook hier iets te zien: een paar gele lichten schenen tussen de boomstammen door. Er kwam een auto naderbij. Aangezien hij op het camerastandpunt af reed, bleef hij door wat de koplampen uitstraalden slechts te zien als schaduw voor het licht. Desondanks werd nu duidelijk dat op de voorgrond een man stond. Hij droeg een jas met een kap, want hij vormde een gladde gestalte, zonder details te tonen. Deze man was op het thermografische beeld helemaal niet te zien, maar de vracht die hij over de schouder droeg wel: een roerloos lichaam.

'Peter!'

De wagen stopte. Het was een kleine bestelwagen. Ze deden de lichten uit. Slechts een van de beeldschermen toonde nog wat er gebeurde: het lichaam werd naar de laadruimte gedragen en ingeladen. Toen gingen de koplampen weer aan, de wagen draaide en reed over dezelfde weg terug die hij gekomen was. Slechts het bos, muisstil en donker, bleef achter.

'We hebben al een team op het spoor gezet,' sprak de opzichter, 'en door de warmtesignatuur en de lichten kunnen we de wagen identificeren.'

'Maar hoe konden jullie die dan laten ontkomen?' vroeg Patrick.

'Hij was onzichtbaar, monsieur...'

'Ach, praat toch geen onzin! Een of andere Herakles beklimt de berg, gooit de professor over zijn schouder, klimt als een gems weer naar beneden en verdwijnt dan als de kerstman? Jullie hadden wel een heel fanfarekorps voorbij kunnen laten komen!'

'Maar u hebt toch zelf gezien...'

'Alles wat ik gezien heb,' onderbrak Patrick hem grof, 'is dat jullie voorzieningen ontoereikend zijn! En hoelang hebben jullie nodig om erachter te komen dat het een vw-busje is geweest? Dat is toch inmiddels al zeker een paar honderd kilometer verderop.'

'Monsieur, met alle respect, wij doen ons best.'

'En dat is voor mij niet genoeg! Kom op Stefanie, we gaan naar het hotel!'

Ze verlieten de container, liepen door de regen naar de wagen en waren kort daarna op weg.

'En wat ben je nu van plan?' vroeg Stefanie.

'We bellen Elaine. De kameraden daar in het bos lijken fantastisch te zijn in het observeren van de landschappelijke idylle, maar over de instructievideo "hoe bewaak ik een terrein – deel 1" hebben ze waarschijnlijk een pornofilm opgenomen.' Grimmig keek hij naar de weg. Hij merkte dat ze naar hem keek. Heel even keek hij naar haar. Haar ogen stonden treurig, maar bekeken hem teder, vol begrip. Nog steeds maakte haar verschijning een bovenaardse indruk op hem, stralend en vol warm medeleven. 'Sorry,' mompelde hij en probeerde zich op de natte weg te concentreren en op wat Elaine zou zeggen.

De boswachter van St.-Pierre-du-Bois stond in de foyer van het Hôtel de la Grange te praten met de dame van de receptie.

'Nee, de jacht is toch nog niet open, Nadine. Hooguit op konijnen. Ik zal proberen er deze week een paar te brengen, oké?'

'Dat zou mooi zijn, Fernand! Je weet toch dat we daar altijd gek op zijn.'

'Jazeker... ik zal zien wat ik doen kan. Maar de reden dat ik hier ben: kun jij mij zeggen waar die onderzoekers zitten?'

'Je bedoelt die Engelsman, die mevrouw en monsieur Nevreux, uit de suite? Die zijn vanmiddag vertrokken.'

Levasseur keek op het horloge. Het was laat. Buiten was het al donker.

'Weet je ook waarheen? Of wanneer ze terugkomen?'

'Nee, het spijt me. Moet ik een boodschap voor ze doorgeven?'

'Nou ja... waarom ook niet.'

De receptioniste gaf hem een blocnote en een potlood. De boswachter wilde net beginnen met schrijven toen hij de deur hoorde en Patrick en Stefanie binnen zag komen. Meteen wendde hij zich tot hen.

'Madame, monsieur! Kan ik u even spreken?'

'Monsieur Levasseur, dat komt momenteel eventjes heel slecht uit!' Patrick wilde aan hem voorbij rennen, toen hem iets te binnen schoot. Hij bleef staan. 'Wacht even... een vraag: u hebt niet toevallig zo'n twintig minuten of een halfuur geleden een vw-busje gezien? Dat uit het bos kwam, over de weg naar het hek?'

'Nee, het spijt me...'

'Goed. Dank u wel. Kom mee, Stefanie.' Hij draaide zich om en liep naar het trappenhuis.

'Maar monsieur, ik moet u spreken!'

'Wij hebben nu echt geen tijd,' verklaarde Stefanie. 'Wij moeten een paar dringende telefoontjes plegen. Kunt u misschien morgenvroeg terugkomen?' Maar iets in de blik van de boswachter gaf aan dat hij nu niet langer wilde wachten. 'Maar weet u wat: geef uw nummer maar. Als het ons lukt bellen we vandaag nog. En anders komt u morgenochtend om acht uur naar het ontbijt.'

'Goed...' Hij pakte een visitekaartje uit zijn zak. 'Het zou mooi zijn als het vandaag nog ging. Het gaat om uw onderzoek...'

Ze pakte het kaartje. 'Dank u. We doen ons best. Tot ziens, monsieur.' Toen liep zij achter Patrick aan.

De boswachter bleef even besluiteloos staan. Dat ze niet enthousiast waren om hem te zien, had hij wel verwacht. Maar eigenlijk was hij helemaal niet van plan zich zo te laten afpoeieren. Zou er echt iets zijn gebeurd? Maar wie gingen ze om deze tijd nog bellen? Plotseling had hij een idee.

'Nadine, jullie hebben toch zeker een telefooncentrale?'

'Ja, natuurlijk.'

'Luister: het is van het allergrootste belang dat ik erachter kom wie ze bellen. Kan dat? Of beter nog, kan ik het gesprek afluisteren?'

'Fernand! Dat kan toch niet!'

'Kom op. Het is belangrijk. Je weet dat Fauvel mij uitdrukkelijk opdracht daartoe heeft gegeven. Dat weet je toch?' Hij zag haar ongelovige blik. 'Wel, dan moet je het zelf maar weten. Het gaat om een heel belangrijke aangelegenheid. Het zijn vreemdelingen en zij doen merkwaardige onderzoeken in het bos. Als we daar niet oppassen, dan pakken ze alles van ons weg. Het hotel hier hebben ze al gekocht! Of wist je dat niet?'

'Ja, dat wist ik...'

'Nou dan! Je moet me helpen! We moeten erachter komen wat ze doen en wie ze bellen! Dus doen we dat met die telefooncentrale?'

'Ik weet het niet... misschien.'

'Laten we het proberen.'

'Goed... kom hier.'

Hij liep om de balie heen en beende op het daarachter liggende kantoor af.

'Fernand!'

De boswachter schrok en draaide zich om. Dat was René, de kok van het hotel, die net door de foyer kwam en ze gezien had.

'Nou, de twee geliefden? Waar gaan jullie heen?' Hij lachte en kwam naderbij. 'Lang niet gezien! Wanneer breng je weer eens wat mee?'

Fernand gaf hem een hand. 'Hallo, René! Deze week nog, oké? Dat heb ik Nadine ook al moeten beloven. Maar alleen als er weer rodewijnsaus is. Dat laatste konijn in rozemarijnkorst, of wat het ook was, dat heeft me helemaal niet gesmaakt!'

'Ja ja, wat de boer niet kent...' De kok lachte weer. 'Ik reken op je!' Toen liep hij verder. De boswachter maakte van de gelegenheid gebruik het kantoor binnen te glippen. Nadine volgde hem en deed de deur achter hen dicht. Ze ging aan een computer zitten, tikte wat commando's in en toonde toen enkele symbolen op het beeldscherm.

'Dat zijn hun aansluitingen. Als die actief worden, beginnen ze te knipperen. Dan kun je ze aanklikken en het gesprek via deze luidspreker afluisteren. Het nummer wordt daar getoond. Duidelijk? Maar één keer klikken, niet meer, dat hoor je op de lijn.'

'Goed, begrepen.'

'Oké, ga zitten. Marlène komt over een halfuur, dan moet ik weg. Ik waarschuw je wel.'

'Dank je wel, Nadine! Ik sta bij je in het krijt!'

'Daar zal ik aan denken,' zei ze en ze gaf hem een knipoog. Toen verliet ze het kantoor en liet hem alleen met de computer.

Om te beginnen deed Stefanie het raam halfopen. Weliswaar regende het buiten, maar Patrick had weer een sigaret opgestoken. Hij zat al aan hun conferentietafel en nam de hoorn in de hand. Toen aarzelde hij.

'Wat is er aan de hand?' vroeg Stefanie.

'Wij zijn van meet af aan in de gaten gehouden, en nu dit met Peter. Waarschijnlijk is het helemaal geen goed idee nu zomaar Genève te bellen. Ik weet vrijwel zeker dat de lijnen hier afgetapt worden.'

'Maar wie zou dat dan doen?'

'Weet ik veel.'

'Bovendien is er al informatie uitgelekt zonder dat wij hebben getelefoneerd.'

'Ja, dat klopt...' Besluiteloos hield hij de hoorn in de hand. 'Ach, wat geeft het ook. Het is nu in elk geval al te laat en we hebben geen tijd te verliezen!' Hij koos het nummer van hun opdrachtgeefster in Genève. Hij had de luidspreker aangezet, zodat te horen was hoe de telefoon aan de andere kant overging. Toen nam iemand op.

'Monsieur Nevreux, neem ik aan?' Het was Elaine de Rosney.

'Ja, goedenavond. Hoe wist u...?'

'Ik kan uw nummer op de display zien.'

'Het had toch ook Peter kunnen zijn.'

'Die zal om deze tijd niet meer bellen. U hebt geluk dat u mij nog bereikt. Hoe gaat het met het project? Bezorgt die burgemeester u nog problemen?'

'Nee, we hebben niets meer van hem gehoord. Maar we hebben een ander probleem. Peter is verdwenen, en wij vermoeden dat hij ontvoerd is.'

‘Wat is er gebeurd?’ Patrick nam een flinke trek van zijn sigaret. ‘Peter, Stefanie en ik waren daarboven, en hebben de grot onderzocht…’

‘Stefanie? Wie is Stefanie?’

‘Stefanie Krüger, de linguïste.’

‘Maar ik had u Eric Maarsen gestuurd! Waar is die? En wie is deze mevrouw Krüger?’

Stefanie nam de hoorn in de hand, hoewel ze door de microfoon van het toestel ook wel te horen was. ‘Hier Stefanie Krüger, madame. Meneer Maarsen is verhinderd door persoonlijke omstandigheden. Daardoor heeft hij de opdracht aan mij doorgegeven.’

Patrick keek haar sceptisch aan.

‘Dat is ongehoord!’ klonk het uit de luidspreker. ‘Deze gegevens mochten zonder mijn toestemming niet worden doorgegeven!’

‘Ik verzeker u dat het project bij mij in goede handen is.’

‘Ik weet niet wie u bent, mevrouw Krüger, maar ik hoop voor u dat u gelijk hebt! Wij zien elkaar nog, daar kunt u zeker van zijn! En als u het project of mij dwarsboomt, dan kost dat uw kop, ik hoop dat dat duidelijk is!’

‘Rustig aan, madame,’ mengde Patrick nu in het gesprek. ‘Ten slotte hebben we hier prachtige voortgang geboekt. En momenteel hebben we heel andere zorgen aan ons hoofd.’

‘Ik zal alle dingen over u laten natrekken, mevrouw Krüger, rekent u daarop! En u, monsieur Nevreux, voordat u met uw problemen komt, zou ik graag wat resultaten zien!’

‘We zijn in de grot geweest.’

‘U bent wat? Echt waar? En wat zit er achter de passage?’

‘Nog een grot.’

‘Wat betekent dat, “nog een grot”? Laat me de woorden niet zo uit u moeten trekken, monsieur Nevreux. Ik dacht dat u mijn hulp nodig had. Maar verklaart u mij eens wat er achter die passage zit. En trouwens: hoe bent u erin gekomen?’

‘Nou goed dan. De grot is een soort wetenschapsarchief. Hoe dat werkt weten we nog niet. Maar de teksten wijzen daarop: “Dit zijn de archieven van de kennis, voor hen toegankelijk die hoeders van de wijsheid zijn.” Uit cultuurhistorisch oogpunt zijn vrouwen hoedsters van de wijsheid. Daadwerkelijk kun je er als vrouw inkomen, of wanneer je als man door een vrouw wordt aangeraakt.’

‘Bespaart u mij dergelijke esoterische flauwekul, dat past helemaal niet bij u, u bent ingenieur. Ofwel u vertelt mij nu direct de waarheid, of u probeert het morgen nog eens. Ik heb in elk geval geen tijd voor deze onzin.'

'Goed, dan gelooft u het maar niet. Maar hoe dan ook: achter die passage zit nog een groot hol, dat het mogelijk maakt om kennis met gedachtecontrole door te geven. Waarschijnlijk klinkt u dat ook weer veel te mystiek, maar het is zo. Het staat erin en alles waaraan je denkt verschijnt als beeld in de lucht voor je. En als je een oplossing zoekt, dan is die grot in staat het antwoord te visualiseren. Dus niet alleen wat je in je hoofd hebt wordt daar weerspiegeld.'

'Weet u dat zeker? Is beïnvloeding door bewustzijnsveranderende stoffen uitgesloten? Geen schimmelsporen of gassen in de lucht?'

Patrick zag hoe Stefanie ongeduldige handbewegingen maakte. Voor het geval ze inderdaad afgeluisterd werden, vertelde hij veel te veel. Bovendien moest hij ter zake komen: Peters ontvoering. 'Wij moeten de resultaten nog natrekken, maar we hebben nog geen flauw idee wie die grot heeft aangelegd en hoe ze functioneert,' zei hij. Daarbij dacht hij aan de lichtzuil en aan de kop. 'Mogelijk een oeroude, onbekende cultuur. In elk geval is het niet middeleeuws, dat staat wel vast. Maar toen Stefanie en ik uit dat hol terugkwamen, was Peter verdwenen!'

'Wat bedoelt u met verdwenen? Kan hij niet gewoon weggegaan zijn?'

'Nee, in geen geval. Bovendien hebben de opzichters een paar merkwaardige observaties gedaan. Wij vermoeden dat hij ontvoerd is en in een Volkswagenbusje afgevoerd.'

'En wanneer moet dat dan geweest zijn?'

'Ongeveer een halfuur geleden.'

'Zijn er sporen van geweld?'

'Nee, maar wel een video, waarop dat busje te zien is.'

'En het is duidelijk te zien dat hij daarin ontvoerd wordt?'

'Wel...' Patrick dacht nu aan de infraroodopnames. Hij vermoedde dat het heel moeilijk zou worden om dat verschijnsel van die onzichtbaarheid thans met Elaine te bespreken, en dat dat waarschijnlijk op korte termijn nergens toe zou leiden. 'Nee, eigenlijk niet.'

'En ik vermoed dat u ook geen kenteken van dat busje hebt?'

'Nee...'

'Dan zijn uw gegevens nogal magertjes. Ik stel voor dat u eerst eens gaat wachten of hij in de loop van de nacht niet weer opduikt. En als hij er morgenochtend nog niet is, dan moet u zich melden.'

'Nou ja, goed…'Het was Patrick duidelijk dat hij bij Elaine momenteel niets zou kunnen bereiken.

'Tot dan toe kunt u wellicht de tijd benutten om een uitvoerig verslag voor mij te maken. Ik heb morgen een afspraak om negen uur en zou graag voordien nog een uur uittrekken om dat te lezen. En laat u zich door deze dubieuze mevrouw Krüger helpen.'

'Ja, begrepen.'

'Uitstekend. Wel, een prettige avond nog.' Ze hing op.

'Uiterst voorkomend, zoals altijd…' zei Patrick en legde de hoorn aan de kant. Toen keek hij Stefanie een poosje aan. 'Wie ben jij in werkelijkheid?'

'Je kunt mij vertrouwen, Patrick.'

'Elaine kent jou niet.'

'Dat klopt. Wij zijn niet persoonlijk aan elkaar voorgesteld. Maar dat neemt niet weg dat ik de stukken van het project wel heb gekregen, en ik help jullie!'

Patrick knikte stom. Het was niet helemaal logisch, maar op een of andere manier wist hij het. Misschien loog ze, wat Elaine betrof. Wellicht hoorde ze hier daadwerkelijk niet, niet in dit project, maar in elk geval stond ze aan de goede kant – wat dat dan ook verder mocht inhouden.

'En wat doen we nu met Peter?' vroeg Stefanie.

'Veel aanknopingspunten hebben we niet. Maar op de opzichters of op Elaine hoeven we in elk geval niet te rekenen…'

'Heb je enig idee wie een motief zou kunnen hebben?'

'Er zijn inmiddels verontrustend veel mensen die van ons werk hebben gehoord. En er waren een paar onaangename knapen bij. De burgemeester, de boswachter… Maar die twee verdenk ik niet. Beangstigend vond ik die halve gare op het symposium, van die sekte, hoe heette die ook alweer?'

'Hand van Belial?'

'Precies. Die leek mij voldoende manisch aangelegd. Anderzijds weten we verder niks van hem.'

'Nou ja, daar zouden we achter kunnen komen.'

'Ga je weer op het net zoeken?'

'Nee, maar die Renée die jullie kennen, van de vrijmetselaars. Die was toch ook in Cannes? We kunnen haar bellen en vragen wat zij van die sekte weet.'

'Dat is een goed idee, waarom niet. Geef me het nummer eens.'

Nog geen kwartier later waren Patrick en Stefanie op weg naar Carcassonne. Renée Colladon was buitengewoon spraakzaam gebleken, nadat ze haar verteld hadden dat zij de sekte van Ash Modai verantwoordelijk achten voor de ontvoering van Peter. 'Als u hem van de vondst van uw grot hebt verteld, dan zou mij dat niet verbazen,' had ze gezegd. Zij scheen de satanisten en hun belangen en gewoontes meer dan oppervlakkig te kennen. Niet slechts de bedreigingen waren haar bekend voorgekomen. Ook van het feit dat deze mensen duidelijk over mogelijkheden beschikten zich bijna ongezien te bewegen, was zij op de hoogte. 'Er is heel veel, monsieur l'ingénieur, dat u met uw kennis van wiskunde en technologie nooit zult kunnen verklaren.' Patrick was daar maar niet op ingegaan en had ook niet meer over hun vondst verteld, maar Renée wist ze desalniettemin uitvoerig in te lichten, dat de sekte van de 'Hand van Belial' opgedeeld was in diverse gebieden, die zij vorstendommen noemden. Het centrum van de westelijke vorstendommen was Albi. In de wijd vertakte catacomben onder die middeleeuwse stad bevond zich een schuilplaats van onbekende omvang. En Renée had een paar van de geheime ingangen genoemd. 'Ik raad u echter dringend aan u te wapenen als u daarheen gaat,' had ze gezegd. 'De satanisten stellen het niet op prijs als zij onaangekondigd bezoek krijgen of uit hun holen worden gedreven,' luidde haar verklaring. Ze zouden tot alles in staat zijn, waren misdadig gemeen. 'Ik weet zeker dat wij het met hen op een akkoordje kunnen gooien,' had Patrick geantwoord. En het geheim van de grot zou uiteraard beschermd blijven. Renée had haar gesprek tegen haar zin beëindigd en pas nadat zij de verzekering had gekregen dat ze op de hoogte zou worden gehouden als er hulp nodig mocht zijn, en in elk geval zodra Peter weer boven water was.

'Je hebt me nog steeds niet verteld wat je nu precies van plan bent,' zei Stefanie. 'Ik hoop dat het duidelijk is dat we daar niet alleen naartoe kunnen.'

'Nee, natuurlijk niet. Maar zoals ik al aan de telefoon zei, vinden we vast wel een paar overtuigende argumenten.'

'Geloof je dat jij die satanisten kunt bedreigen? Of wil je een handeltje met ze? Vertel op.'

'Een handeltje? Nee, niet bepaald. Je kunt het geloven of niet, maar ik wilde me eigenlijk tot de heel officiële instanties wenden: de politie. Denk je niet dat die meteen in actie komen als we ze vertellen dat ons dochtertje door een paar onbehouwen kerels van haar fiets is getrokken en meegenomen naar de ondergrondse...'

'Ons dochtertje? Ja, maar nou ga je toch te ver met je fantasie.'

'Als je een beter idee hebt wil ik het graag weten.'

Een poosje antwoordde ze niets, zodat Patrick al dacht dat ze inderdaad met een ander plan zou komen. 'Madelaine,' sprak zij toen.

'Hè?'

'Ze moet toch een naam hebben. Ze heet Madelaine. En ze is jouw dochtertje. Uit een eerste huwelijk.'

Patrick glimlachte. 'Voor mijn part.'

Ze waren al snel in Carcassonne en zochten de weg via Mazamet naar Castres. Vandaar zou het nog eens veertig kilometer naar Albi zijn. Patrick had besloten landwegen te nemen, omdat hij van mening was dat hij die paar honderd kilometer daarop sneller zou kunnen rijden dan de dubbele baan van de snelweg over Toulouse. Stefanie had dit aanvankelijk in twijfel getrokken, maar toen zij merkte hoe Patrick de landrover over het overdag beslist schilderachtige traject joeg, werd haar duidelijk dat het hem er hoofdzakelijk om ging over minder bereden wegen de waakzame ogen van de verkeerspolitie te ontduiken.

'Eén ding nog, Patrick...'

'Ja?'

'Het is voor mij van belang dat we dat eerst bespreken en dat je me iets belooft.'

Patrick wist niet wat hem overkwam. Plotseling zag hij rond zijn bijrijdster een intensieve aura. Hij keek Stefanie van opzij aan. Haar gezicht was niet te zien, maar haar haren werden omgeven door een irreële gloed. Zijn hart leek heel even stil te staan. Een gevoel dat hij sinds zijn jeugd niet meer had gehad. Net als in de grot stroomde het bloed warm door zijn onderlijf, maar tegelijkertijd huiverde hij ook, en die huivering herkende hij vol verwarring, niet als opwinding, maar als angst. Angst voor de neiging haar aan te raken. Angst dat ze zich van hem afwenden zou, angst dat ze als een droombeeld zou verdwijnen.

'Luister je eigenlijk naar me?'

'Eh... wat? O, ja. Ik was even weg. Wat zei je?'

'Je moet me wat beloven, Patrick.'

'O ja, zeker. Waar gaat het om?'

'De grot. Die is onaantastbaar. Die is te machtig. Die is niet voor iedereen bestemd. Daar mag je niks van zeggen. En zeker niet tegen die sekteleden. Die mogen nooit achter het geheim van de grot komen!'

'Nou ja, waar die is dat weten ze al. Maar ik was niet van plan ze wijs te maken hoe je binnenkomt.'

'Dat moet je zweren.'

'Wat?'

'Dat moet je zweren. Dat jij het geheim van de grot aan niemand zult verraden. Het is al erg genoeg dat Elaine het weet.'

'Nou vraag ik je, die is uiteindelijk onze opdrachtgeefster. En bovendien hebben we haar nog helemaal het verslag niet gestuurd dat ze hebben wilde.'

'Zweer het!'

'Lieve hemel, vooruit dan maar. Ik beloof het je.'

'Je moet het zweren op het leven van Madelaine.'

'Op mijn virtuele dochter?'

'Nee, op Madelaine, je jongere zuster.'

Patrick verloor bijna de macht over het stuur, maar had de auto meteen weer onder controle. Daarna minderde hij vaart en hapte naar lucht. 'Hoe kun jij dat weten?' stamelde hij.

'Je hebt van haar gehouden en je hebt haar behandeld als een prinses. Zij noemde jou altijd haar gouden prins. Twintig jaar geleden is ze, terwijl ze nog niet volwassen was, aan kanker gestorven. En jij wenste destijds dat je genoeg geld had voor een verdere behandeling en voor een privékliniek, je hebt altijd gedacht dat jij het dan had kunnen tegenhouden.'

Patrick staarde naar de weg. Een pijnlijke prop vormde zich in zijn keel.

'En sinds die tijd,' vervolgde Stefanie, 'ben jij op zoek naar de echte gouden prins, naar El Dorado... Klopt dat of niet?'

Patrick zweeg.

'Maar je weet net zo goed als ik dat je het verleden niet ongedaan kunt maken. Je kunt nog zoveel succes krijgen, met al het geld ter wereld kun je haar niet terughalen. Wat je wel veranderen kunt is de toekomst. En nu heb je de mogelijkheid iets goeds te doen en ervoor te zorgen dat deze machten niet in bezit van de grot en haar geheim komen. Alsjeblieft, Patrick!'

Hij haalde eens diep adem. Hij zweeg nog een poosje, tot hij weer gas gaf. Langzaam, toen duidelijker. 'Ik zweer het,' zei hij ten slotte.

Toen Peter bijkwam, zat hij geknield. Zijn hoofd was op zijn borst gezakt. Toen hij het optilde, overspoelde hem een vage duizeligheid. Hij opende zijn ogen tot een spleetje en herkende een stenen gewelf. Dus hij zat hier nog steeds beneden. Hij was nog altijd... gevangen!

Zijn armen waren zijdelings uitgestrekt, zijn pijnlijke polsen waren gekluisterd in metalen boeien, die met kettinkjes aan de muur vastzaten. Dat was de reden waarom hij geknield zat en niet op de grond was gevallen: zijn gewicht hing aan zijn vastgeketende armen.

Hij wilde opstaan. Maar dat ging slechts langzaam en moeizaam. Zijn lichamelijke toestand liet geen haastige bewegingen toe. Bovendien moest hij vaststellen dat ook zijn enkels met ijzeren boeien en kettingen aan de muur vastzaten. De hele installatie liet net genoeg ruimte om op te staan – maar meer ook niet.

Zijn benen kriebelden en jeukten, toen het bloed er weer doorheen stroomde. Hij moest een hele poos bewusteloos zijn geweest. Nu keek hij om zich heen.

Hij stond tegen de muur op een galerij, op drie tot vier meter hoogte boven de vloer van een geweldige zaal. Als betrof het het middenschip van een kerk, werd het plafond op ongeveer tien meter hoogte gedragen door een kruisgewelf en een lange rij stenen zuilen.

De ruimte werd verlicht door talloze kaarsen, waarvan het flakkerend licht overal schaduwen deed dansen. Bij nader inzien merkte Peter dat het allemaal zwarte kaarsen waren, die hier gebruikt werden. Meteen herinnerde hij zich dat hij zich bevond in de macht van mensen die behoorden tot een satanische sekte. Het leven schroomde inderdaad geen clichés, zoals de Fransman ook al gemerkt had. Alsof de kleur van de kaarsen er iets toe zou doen. Anderzijds, dacht hij, deden andere religies het niet anders. Belangeloze voorwerpen, schijnbaar lege gebaren of woorden kregen juist effect door de betekenis die ze toegekend werd.

Tussen de zuilen stond een groep sekteleden, gehuld in zwarte pijen, barrevoets. Het waren mannen en vrouwen, wat Peter aan de lichaamsomtrek en vooral aan de haren kon zien, die getoond werden en over schouders vielen. De groep psalmodieerde een monotoon gezang dat aardig leek op een gregoriaans koraal, maar duidelijk niet in een bekende kerktoonsoort, en onaangenaam dissonant. Het ergerlijke was dat het niet de indruk gaf dat ze vals zongen. Integendeel, de klanken pasten op een merkwaardige manier bij elkaar, maar ze weefden een onwerkelijk en zwaar verstorend tapijt, dat boosaardig en agressief klonk. Ze stonden allemaal naar links gewend, bedoelden of bevestigden met hun gezang duidelijk iets. Toen Peter dezelfde kant opkeek, ontdekte hij aan het eind van de zaal een verhoging. En net als in een kerk stond daar een altaar. Het was een groot blok, manshoog, bijna twee meter breed, van witte, gepolijste steen, mogelijk marmer. Midden in een donkere omgeving lichtte het duidelijk op.

Aanvankelijk leek het helemaal niet in de duistere omgeving te passen, maar kort daarop zou de zin van deze kleurenkeuze op een perverse manier duidelijk worden.

Achter het altaar stond een gestalte in een zwarte pij. De man hield met zijn linkerhand de samengebonden poten van een zwarte haan vast. De vleugels waren duidelijk ook vastgemaakt, maar het dier spartelde zo goed als het kon.

Toen het gezang met een plotselinge kreet een hoogtepunt had bereikt, maakt de man met de rechterhand een bliksemsnelle beweging. Er werd iets zwarts ter zijde geworpen. Peter schrok. Dat was de kop van de haan. Hij had het dier de kop afgesneden! De vogel rukte nu spastisch, bloed spoot uit de hals en werd op het altaar vergoten. Daarop pakte de man het lijf van de haan met de andere hand, hield het vast en maakte er rondgaande bewegingen mee. Daardoor liet hij overal op het smetteloze wit van de steen een helderrood spoor achter, tot de nek van het dier na een poosje niet meer klopte of spoot, en het voorheen schone altaar helemaal met glimmend bloed was bezoedeld.

Peter voelde misselijkheid opkomen, hij moest zijn ogen sluiten en diep ademhalen. Hij kon dan nog zo geglimlacht hebben over satanisten – deze mensen bedoelden het heel duidelijk doodernstig!

'Gek, hè?'

Peter schrok en keek op. Ash Modai stond naast hem op de galerij.

'Vind je dit geen prachtige hal, Peter? Ik mag je toch wel Peter noemen?'

'Wat zijn dit hier voor krankzinnigen?'

'Het kruisgewelf stamt uit de twaalfde eeuw, had je dat kunnen denken? En nog altijd sterk en onverwoestbaar. De eerste catacomben hebben we in de jaren zestig aangeschaft. We hebben ze uitgebouwd, ingestorte gangen hebben we opengelegd, en in de loop van de tijd verbonden met alle andere kelders en catacomben die wij ons via bemiddeling eveneens hebben kunnen verwerven. Ondertussen kan het stadsbestuur van Albi geen spa meer in de grond steken, laat staan kabels verplaatsen of rioleringen aanleggen, zonder ons toestemming te vragen. Natuurlijk weet niemand dat dit allemaal in één hand verenigd is.'

'Albi! We zitten in Albi... uitgerekend hier.' Peter herinnerde zich Albi als een centrum van ketters en van de kruistochten tegen de Albigenzen.

'Ja, is dat niet grappig?' vroeg Ash Modai. 'Kostelijke ironie. Maar ik wil niet zo zelfingenomen zijn om te beweren dat dit met opzet is gebeurd. Het deed zich gewoon voor.' Hij boog zich een beetje naar Peter toe, maar op zo'n manier dat Peter hem met zijn vastgeketende armen en benen niet kon aanraken. 'Eerlijk gezegd,' fluisterde hij hem toe, 'geloof ik niet dat het destijds iemand is opgevallen.'

'Wat moet dit theater en wat willen jullie van mij?'

'Maar Peter, hoe vaak moet ik je dat nog zeggen? Het gaat om de grot.'

'Maar ik heb jullie toch al gezegd...'

'Stt...! Kalm aan, Peter. Ik weet wat je doormaakt. Doe geen moeite. Ik geloof je sowieso niet. Daarom heb ik ook iets heel anders bedacht.'

Peter antwoordde niet. Koortsachtig overlegde hij hoe hij in deze situatie was beland en hoe hij er weer uit kon komen. Wat was Ash Modai van plan? Wat was hij eigenlijk voor een halve gare! Zijn normale naam was vast heel alledaags en overdag zat hij waarschijnlijk in een supermarkt achter een kassa. Hoe ter wereld was het mogelijk dat deze man macht over hem zou kunnen hebben? Het was gewoonweg absurd.

'Overigens vind ik jouw boeken erg interessant,' vervolgde Ash Modai, 'ik geloof dat ik je dat nog helemaal niet verteld had. Ze zijn gefundeerd, gaan veel verder dan vergelijkbare onderzoekingen. En ook je conclusies en de verbanden die je legt zijn af en toe... gedurfd. Moedig, maar geniaal. Alleen helaas... helaas heb je in bepaalde opzichten ongelijk. En dat is echt heel jammer, want de inhoud is deels heel fundamenteel. Daardoor blijven hele terreinen voor je gesloten, of kom je tot tegenovergestelde conclusies...'

'Wat wil je nou beweren?'

'Jij ontkent het bovenzinnelijke. Of je noemt het het bovennatuurlijke, dus datgene wat niet in een natuurlijke, natuurwetenschappelijke wereld past. Maar hoeveel van jouw onderzoekingen zouden een heel ander resultaat hebben als je als factor het bestaan van het bovennatuurlijke zou meenemen?'

'Hou toch op! Is dat soms de marteling die jullie mij willen laten ondergaan? Mij me met jullie opvattingen dood laten vervelen?'

'Ik weet het, jij kunt het niet begrijpen. Maar daarom heb ik je ook hier naartoe gebracht. Jouw beledigingen stuiten mij tegen de borst, Peter. Jij bent helemaal niet in de positie mij te kunnen beledigen. Je weet niet eens hoever je daar vanaf staat. Ik ben ook helemaal niet van plan jou te martelen. Natuurlijk interesseert mij de grot, maar jou daarom geweld aandoen? Waarom? Volgens mij ben je verblind, maar ik kan jou niet echt als tegenstander serieus nemen of mij aangevallen voelen. Wij leven in een andere wereld, jij en ik, we hebben geen enkele gemene deler, op grond waarvan wij rivaliteit zouden kunnen koesteren. Jij weerlegt en bestrijdt geen zaken waarvoor ik sta, je gelooft er niet eens in. Wat moet ik dan doen? Ik ga een gemeenschappelijk terrein scheppen, een spirituele en – hoe heb je het ook al weer in een van je boeken genoemd – een perceptuele integriteit.' Hij glimlachte. Peter antwoordde niet, schudde slechts onbegrijpend zijn hoofd.

'Mars en Venus staan vandaag in conjunctie! Wist je dat? En weet je wat dat betekent? Natuurlijk weet je dat.'

'Dat wil zeggen dat ze op de gelijke breedtegraad staan.'

'Lengtegraad Peter, lengtegraad. Maar het gaat er niet om wat het is, het gaat erom wat het betekent. Vandaag kunnen bijzondere energieën gebruikt worden! Zie je dat altaar daar? We hebben het net ingewijd. De hele dag al werd het ritueel voorbereid. En nu duurt het niet lang meer... Het is altijd weer opwindend, zo'n macht, zo'n tegenwoordigheid! Als je het beleeft, als je het voor de eerste keer meemaakt, wat je zo reëel, zo alles doordringend in geen enkele kerk kunt meemaken... Alsof je in één klap de wereld werkelijk begrijpt, de deuren opengaan en zich een universum aandient, groter en geweldiger dan je het je ooit kon voorstellen... Je mag trots zijn daarbij aanwezig te mogen zijn! Want een aanroeping bijwonen, dat is slechts de hoogste rangen van onze leden toegestaan.'

'Wat voor aanroeping?'

'Van Belial. Wij bezweren Belial, roepen hem tot ons. Wij roepen hem hierheen, wij bereiden hem een geschenk, wij danken hem voor zijn kracht, zijn steun en zijn genade. Dan verzoeken wij opnieuw gunsten, wij krijgen gaven en antwoorden, eren zijn naam en dragen die uit.'

'Belial bezweren?'

'Ja, hij is onze heer, waarom zouden wij hem niet aanroepen en verzoeken tot ons te komen? In tegenstelling tot andere religies kunnen wij onze heer oproepen, zien, aanraken – en hij ons. Je weet toch wie Belial is? Of wellicht moet ik zeggen: je hebt toch wel het een en ander over Belial gelezen, niet dan?'

'Jij bent gestoord.'

'Natuurlijk, zo moet het jou wel lijken. Daarom ben je ook hier. Om het mee te beleven. En bovendien zal de heer dan antwoorden uit jou halen, die je vrijwillig nooit zou hebben gegeven.'

'Luister eens, ik heb toch al gezegd...,' begon Peter, maar Ash Modai negeerde hem.

'Van hieruit kun je het aanroepingsritueel helemaal volgen.' Ash Modai ging aan de rand van de galerij staan en keurde het uitzicht. 'Op het altaar komt natuurlijk het offer voor Belial. Eerst zal de hogepriester de energie van Mars en Venus benutten om die te kanaliseren. Dan bundelt hij haar en roept op het hoogtepunt Belial aan, die op dat moment getransfigureerd wordt. Hij treedt onder ons, hij zal het geschenk aannemen, begerig en dankbaar. Dan zullen wij hem op onze beurt om zijn hulp vragen; tot nog toe hebben we het meeste ook altijd gekregen.'

'Hebben jullie dat dan al eens gedaan ?'

'Natuurlijk,' lachte Ash Modai, 'wie zijn heer bemint, wil hem toch graag zo veel mogelijk zien. Hij is...' Hij hield even in toen een pijdrager aan de rand van de galerij verscheen. Duidelijk voerde er een trap uit de zaal naar boven. De man bleef met gebogen hoofd staan en zei niets. Ash Modai deed een stap in zijn richting, hield een oor naar hem toe en zei: 'Spreek.' De vermomde mompelde daarop zachtjes iets voor zich uit. Daarop bewoog Ash Modai zijn hand en de man verdween.

'Een kleine verandering van programma, Peter. Geen zorgen, dit is bijzonder verheugend, en jij zult de beloofde voorstelling zien. Let dus van nu af aan goed op, dat je niets mist! Juist op jouw hoge leeftijd krijg je zoiets zeker niet meer alle dagen aangeboden.' Hij gaf Peter een por in zijn ribben. Dat moest kameraadschappelijk lijken, maar was veel te hard. Peter hapte met een van pijn vertrokken gezicht naar lucht en zonk op zijn knieën.

'Je moet me nu verontschuldigen,' zei Ash Modai en draaide zich nog om terwijl hij al wegliep. 'Er is nog het een en ander voor te bereiden. Wij zien elkaar straks weer. Je zult een veranderd mens zijn, geloof mij.'

Patrick parkeerde de wagen tegenover de politiepost. Die was een paar straten van een fabrieksterrein af, waar volgens de informatie van Renée een toegang tot de onderaardse gewelven van de sekte was.

'Hoe wist jij dat van mijn zuster?' vroeg hij aan Stefanie.

'Ik heb wat onderzoek gedaan, voordat ik de klus aannam. Over jou en Peter. Ten slotte moet je weten met wie je samenwerkt. En jullie verleden is geen staatsgeheim.'

Patrick keek haar even aan. Toen knikte hij. De waarheid sprak ze niet, zoveel had hij wel door. Over zijn zuster was openbaar niets bekend. Als zij dat had achterhaald, dan wist zij duidelijk meer en heel andere dingen. Maar dan zou ze hem al helemaal niet vertellen hoe ze er aankwam. En op een vreemde manier paste het in het nieuwe beeld dat hij van haar had. Sedert het bezoek aan de grot was ze meer dan de taalkundige die zij voorgaf te zijn. Het was alsof haar façade plotseling doorzichtig was geworden, er glom en straalde iets uit de voegen, alsof er iets veel groters, machtigers, achter stak, dat onvoldoende verborgen bleef. Misschien was het ook alleen maar een aanval van verliefdheid, die haar in zijn ogen zo superieur en onaantastbaar liet lijken. Zoiets had hij ten slotte als verliefde jongen al eerder gemerkt. Maar nu was het toch anders. Hij voelde zich ondergeschikt aan haar en tegelijkertijd was hij bang dat zijn eerbied voor haar als een fata morgana zou verdampen als hij haar zou aanraken of haar ter verantwoording zou roepen.

Ten slotte schudde hij dit alles van zich af om zijn hoofd leeg te maken. 'Laten we naar binnen gaan,' zei hij. 'Totaal van streek, buiten onszelf,' herinnerde hij Stefanie en stapte uit. Toen rende hij al de straat over.

De politiepost was niet erg groot. Hij bevond zich op de benedenverdieping van een kantoorgebouw. Achter de glazen deur was een receptie die deed denken aan die van een ziekenhuis. Toen Stefanie bij hem voegde, zag ze Patrick wild gesticulerend met een ambtenaar in gesprek, die kort daarop al naar de telefoon greep.

'Hij is met een minuut hier, monsieur,' sprak de agent, toen hij had opgelegd. 'Een ogenblik alstublieft.'

'Kunnen ze ons helpen, schat?' vroeg Stefanie toen ze binnenkwam.

'Ik hoop het,' antwoordde Patrick. 'Ik hoop het...' Daarbij keerde hij zich af en begon onrustig heen en weer te lopen, waarbij hij opgewonden in zichzelf mompelde. Enige ogenblikken later kwam een agent door een zijgang op hen af. 'Madame, monsieur. Mijn naam is commissaris Thénardier. Wat kan ik voor u doen?'

'Madelaine, mijn dochter, is van haar fiets gerukt!' verklaarde Patrick. 'Twee mannen hebben haar gepakt. Ze hebben haar meegenomen! Niet ver van hier. We moeten erheen!'

'Wanneer is dat gebeurd?'

'Een paar minuten geleden. Vijf of tien.'

'En waar was dat?' Patrick wees op buiten. 'De straat omhoog en dan naar rechts. En dan nog een stuk. Daar staat een verlaten fabriek.'

De commissaris wisselde een blik met de agent bij de balie en knikte hem toe. 'De oude drukkerij. Stuur Eduard er maar op af.' Daarop wendde hij zich weer tot Patrick en Stefanie. 'We gaan er meteen kijken. Is dat uw wagen daarbuiten, monsieur?'

'Dupont. Ja, dat is de mijne.'

'Stapt u dan vast in, monsieur Dupont. En als ik met mijn collega in de wagen kom, dan rijdt u voorop.'

'Begrepen! Dank u wel, monsieur le commissaire!'

Haastig liepen zij naar hun auto en gingen erin zitten. 'Dat was niet moeilijk,' zei Patrick.

'Iets te gemakkelijk, vind je niet?'

'Wat bedoel je?'

'Het geeft met geen goed gevoel...'

'Meen je dat?'

'Waar ik vandaan kom ken ik een dergelijke kritiekloze benadering in elk geval niet. Hij heeft geen persoonlijke gegevens gevraagd, hij heeft niet eens gevraagd hoe de vork precies in de steel stak.'

'Misschien heb je gelijk... het kan zeker geen kwaad als we op onze hoede blijven... Daar zijn ze.' Hij reed weg. De politiewagen volgde ze, tot ze korte tijd later bij het fabrieksterrein waren aangekomen. Renée had ze het adres gegeven en verteld dat de ingang boven de kelder van het bijgebouw was. Ze stapten uit en wachtten tot de politieagenten bij hen waren.

'Ze hebben haar over deze weg gesleept naar het gebouw daarboven,' verklaarde Patrick.

'En de fiets?' vroeg de commissaris.

'Ja, hoe weet ik dat nou,' antwoordde Patrick, 'denkt u dat ik erop let waar die verdomde fiets is gebleven?'

'Het is al goed, monsieur. Laten we gaan.'

Gezamenlijk liepen ze over een geasfalteerde oprit. De commissaris liep voorop en verlichtte hun pad met een grote zaklantaarn. Intussen volgden Patrick en Stefanie, terwijl de andere agent, die duidelijk degene was die met Eduard was aangeduid, de rij sloot.

Het gebouw lag volslagen in het duister en maakte een weinig betrouwbare indruk. Het licht van de lamp zwierf over de muur, de deur, een vies venster. Niets duidde erop dat hier recentelijk nog iemand geweest was. Misschien is deze toegang helemaal niet meer in gebruik, dacht Patrick. Dat zou hun kansen een poosje onontdekt te blijven duidelijk vergroten.

De commissaris bleef voor de deur staan. 'Weet u zeker dat de mannen hier naar binnen zijn gegaan?'

'Absoluut,' verzekerde Patrick. 'Ik stond op het punt zelf achter ze aan te gaan. Maar dat durfde ik niet zonder de politie.'

'Goed dan,' zei de man. Hij strekte zijn hand uit en greep de deurkruk. Tot Patricks verbazing ging de deur zonder moeite open. De commissaris bescheen de daarachter liggende ruimte. Muffe lucht woei hen tegemoet. Toen ging hij naar binnen, Patrick en Stefanie volgden. Ze stonden in een grote gang, waarop van alle kanten deuren en gangen uitkwamen. Achter hen trad Eduard binnen en sloot de deur. Toen hoorden zij hoe hij die afsloot.

Geschrokken draaiden zij zich om.

'Alstublieft!' sprak de commissaris nu. Toen ze zich naar hem omdraaiden, zagen ze dat hij zijn wapen op hen gericht hield. 'Alstublieft. Blijft u rustig. Eduard, bel even en zeg hoe het zit.'

'Wat wilt u?' vroeg Patrick. 'Wat bent u van plan?'

'Dat kon ik u ook wel vragen, monsieur Nevreux.'

'U gaat me toch niet vertellen dat u met hen onder één hoedje speelt!'

'U hebt nog helemaal geen idee.'

'Vertel op!'

'Houd uw mond!'

Enige ogenblikken later kwam Eduard uit een belendende ruimte. 'We moeten ze naar beneden brengen,' zei hij.

'Vooruit dan maar,' wees de commissaris. 'U gaat voorop, ik beschijn de weg voor u. Daarlangs!' Hij leidde ze naar een trappenhuis zonder ramen. Daar gingen ze naar beneden en kwamen bij een kleine stalen deur, zoals die meestal in verwarmingskelders zat. Toen die openging, stuitten zij echter op een stenen wenteltrap, die naar beneden voerde. Daar aangekomen stuitten ze weer op een deur. Wat daarachter lag, kwam echter als een volslagen verrassing.

Ze betraden een groot keldergewelf, dat niet had misstaan als wijnkelder van een kasteel. Het gewelfde plafond was een meter of vier hoog, alles was samengevoegd uit grote blokken graniet. Op de gepolitoerde stenen vloer lag een donkerrode loper, vuurschalen op smeedijzeren voetstukken verlichtten het middeleeuwse tafereel. En voor hen stond Ash Modai.

'Wat een feestdag!' riep hij uit. 'Nu zijn de heilige drie koningen van de berg der wijzen verzameld.'

'Ash, ik wist het!' riep Patrick. 'Waar is Peter? Wat heb je met hem gedaan?'

'Je mag hem zo meteen gezelschap gaan houden. Je komt net op tijd voor een buitengewoon schouwspel... en wie hebben we daar?' Hij liep op Stefanie toe en bekeek haar uitdrukkelijk van top tot teen. 'Ik heb zo'n idee dat u meer bent dan gewoon onderzoekster... dat is verbazend...' Hij ging dichterbij haar staan, scheen bijna aan haar te ruiken. 'Ja...' Hij strekte zijn platte hand uit en hield die op haar borst, alsof hij haar hartenklop wilde voelen.

'Raak haar niet aan!' riep Patrick.

'Nee?' Ash Modai legde zijn hand op Stefanies boezem en drukte een van haar borsten ietsje in. Stefanie keek hem met een stenen gelaat aan. 'En waarom mag ik dat niet doen, Patrick?' vroeg hij. 'Jaloers?'

'Omdat dat voor u levensgevaarlijk is,' sprak Stefanie met een stem die net zo rustig als ijskoud was. 'Daarom.'

'Wat zegt u daar? Waar wilt u mij mee bedreigen?' Ash Modai begon te lachen.

'Dat is geen bedreiging,' sprak Stefanie. 'Dat is een profetie.'

Ash haalde bliksemsnel uit en gaf haar een klinkende oorvijg. Haar hoofd werd even naar één kant gedraaid, maar toen ze hem weer aankeek en haar wang rood kleurde, toonde haar gezicht nog altijd geen enkele emotie.

Ash Modai grijnsde haar aan. 'Ach, wat een feest!' En toen wendde hij zich tot de agenten: 'Breng die twee weg. Deze hier naar die ouwe op de galerij. En die kleine engel der wrake naar Alain. Die weet wel wat hij met haar moet doen.'

Peter keek verbaasd op. 'Patrick! Wat doe jij hier?'

'Hallo, ouwe jongen,' antwoordde Patrick. Een nogal stevig gebouwde man met een zwarte pij wierp hem tegen de muur, terwijl vanaf de rand van de galerij een agent hem met zijn wapen in bedwang hield. 'Ik ben gekomen om je te redden. Dat zie je toch.' De man drukte Patricks armen tegen de muur en klonk zijn polsen in ijzeren boeien. Toen begon hij te rommelen met Patricks enkels en kort daarop was de Fransman net zo aan de muur geketend als zijn collega en werden ze alleen gelaten.

'Mooie boel,' luidde Patricks constatering.

'Hoe ben jij hier terechtgekomen?' vroeg Peter. 'Hebben ze jou ook ontvoerd?'

‘Toen jij verdwenen was, verdachten wij de broeders hier. We hebben gebeld met Renée en die heeft ons getipt voor deze geheime kelders onder Albi.’

‘Een mooi geheim, dat iedereen kent! In deze club weten ze meer van elkaar dan ze aanvankelijk willen toegeven... Maar wilde je dan alleen hier naar binnen rennen? En waar is Stefanie?’

‘Natuurlijk niet. We zijn naar de politie gegaan en hebben ze een verhaaltje opgedist. Dat heeft in principe ook gewerkt. Helaas bleek dat onze twee agenten óók lid waren van deze vereniging. Van de rest ben je getuige geweest. Stefanie hebben ze ergens anders heengebracht. Ik hoop dat haar niks overkomt.’

‘Dat kunnen we slechts hopen! Ze hier zijn namelijk bezig een zwarte mis voor te bereiden.’

‘Wat zeg je? Dan was dat het, wat Ash daarnet bedoelde met een buitengewoon schouwspel... Wat weet je erover Peter, wat is hier aan de hand?’

‘Zie je dat altaar daar aan de overkant? Die kleur die je daarop ziet, is vers bloed. Ik heb zojuist het twijfelachtige genoegen gehad te mogen toekijken hoe ze een haan slachtten en het altaar met zijn bloed hebben gewijd, zoals zij dat noemen. Vervolgens kwam onze gelikte jongen Ash en hij heeft een beetje gekletst. Ze willen Belial aanroepen, en zullen tot dat doel nadien een zwarte mis houden.’

‘Belial? Was dat niet...’

‘Een demon, ja. Volgens de traditie is hij de kroonprins van de hel, de tweede man na Satan. Hij vervult wensen, verleent titels en geeft antwoord. Maar hij luistert slechts kort en is buitengewoon geslepen en leugenachtig. Herinner je je nog hoe ik je verteld heb dat in de esoterische traditie Satan altijd de waarheid zegt, eerlijk en recht voor zijn raap? “De heer der leugens” is namelijk niet Satan, maar Belial.’

‘Hoe weet je dat allemaal? Ach ja natuurlijk, je boeken...’

‘Om eerlijk te zijn slechts ten dele...’ Peter aarzelde.

‘Wat bedoel je? Wat is er aan de hand? Heeft het iets te maken met het feit dat jij bij de “club” zo weinig geliefd bent?’

‘Ja, ik heb... ach, het is al zo lang geleden... maar ja, ik heb mij beziggehouden met esoterie en occultisme... nogal vergaand zelfs. Ik was toen nog geen dertig. Mijn studie geschiedenis had mij in contact gebracht met hele interessante mensen. Geleerden, intellectuelen, ik kwam in hun kringen, leerde excentriekelingen en kunstenaars kennen. Ik nam alles in mij op, ik las alles wat me onder handen kwam, over bijna-doodervaringen, tafeldansen, transcendentale meditatie, acupunctuur, Rudolf Steiner en mevrouw Blavatsky. Toen ik eenmaal daarmee bezig was, was het een klein sprongetje naar de occulte wateren. Zie je, de grenzen zijn vaag. Ik ben eerst lid geworden van een theosofische loge en van daaruit ben ik in een sekte beland die sympathiseerde met de leer van Aleister Crowley…'

'Ik heb geen flauw idee waar je het over hebt, Peter.'

'Nou ja, dat is ook niet zo belangrijk. In elk geval kwam ik onder bereik van een sekte, ik vernam de leer, de geheimen – en wat veel belangrijker was – hun geschiedenis en hun leden. Mijn begripsvermogen en mijn goede geheugen gaven mij de schijn van een bijzonder ambitieuze en toegewijde leerling. In werkelijkheid bekeek ik altijd alles met een bepaalde afstand. Onvermijdelijk kwam het moment dat ik eruit stapte en de leer en de geheimen belachelijk begon te maken. Natuurlijk heb ik daarmee geen vrienden gemaakt, maar doordat ik als insider het een en ander wist bleef ik onaantastbaar.'

'En daardoor komt het dus dat iedereen je kent! Dat heeft minder met je actuele boeken te maken dan met je voorgeschiedenis. En waarom ben jij onaantastbaar?'

'Dat heeft er waarschijnlijk mee te maken dat ik enkele invloedrijke mensen heb kunnen overtuigen dat in het geval van een ongeluk met mij bepaalde documenten in de openbaarheid zouden komen, die bij enige banken gedeponeerd liggen. Sedertdien hebben ze me nog amper durven lastigvallen.'

'Je blijft me toch verbazen, Peter.'

'Helaas helpt ons dat momenteel niet erg veel verder…'

'Die tijd komt misschien nog. Wat weet jij van die zwarte mis?'

'Daar is geen vast recept voor te geven. Afgaande op wat Ash zegt, vermoed ik dat het hier om rituelen van seksuele magie gaat. Hij heeft het gehad over de conjunctie van Mars en Venus, waarvan de energie meestal voor dergelijke doelen wordt gebruikt.'

'En hoe verloopt zoiets?'

'Dat kan erg uiteenlopen. In principe gaat het erom seksuele energie te benutten om een hogere staat te bereiken. Meestal zijn daarvoor dus twee mensen nodig. Afgezien van muziek, dans en andere hulpmiddelen om in trance te raken. Op het hoogtepunt moet de energie van het orgasme gestuurd worden. Bovendien heeft Ash het gehad over een geschenk dat Belial op het altaar zal worden aangeboden, een soort offer, vermoed ik.'

'En met dat soort hersenspinsels willen ze een demon bezweren?'

'Je kunt het nog zo belachelijk vinden, hier wordt dat heel serieus genomen. Met alle gevolgen van dien...'

'Ja, wat je zegt... Moet je daar zien!' Patrick wees met zijn hoofd naar de kant van de zaal die rechts van hen lag. Daar was een grote deur met van twee vleugels opengezwaaid en er schreed een processie naar binnen. Die werd voorafgegaan door een twaalftal vrouwelijke sekteleden, wier zwarte gewaden bestonden uit verscheidene lagen dunne, wapperende stof. Het leek op een duistere perversie van de mooiste bruidskleding. De vrouwen werden gevolgd door een net zo grote groep in het zwart geklede mannen, die een glimmende zwarte sjerp droegen, hun hoofden waren bedekt met kappen. Vervolgens trad de rest van de satanische gemeente de zaal binnen, eveneens in het zwart, weliswaar zonder kappen en in gewone, monniksachtige pijen gehuld.

De mensen liepen over het middenpad door de hal en verdeelden zich daarop gelijkmatig. Daarop vormden de medeleden van de voorste beide groepen op de eerste rij een halve cirkel, die naar het altaar toe open was. Na een poosje hadden ze allemaal een plaats gevonden en bleven daarop met gebogen hoofd staan. Toen begonnen doffe, regelmatige trommelslagen, zonder dat goed te zien was waar die vandaan kwamen. Het ritme was traag. Vervolgens kwam er een enkele toon bij. Die was eerst amper hoorbaar, werd echter steeds duidelijker. Het klonk als werd er uit een onzichtbaar, bovenmaatse hoorn een hele diepe, eindeloze toon ontlokt. Het was een merkwaardige frequentie, die steeds meer werd opgebouwd, alsof ze zich voortdurend over zichzelf heen legde en zo versterkt werd. De lucht scheen te trillen, alsof de klank de steen van de hal zelf in beweging zette. Plotseling braken alle geluiden heel abrupt weer af. De menigte hief het hoofd en zag op naar het altaar. Een man naderde van achter het witte blok steen. Ook hij was in het zwart gekleed, maar hij droeg een brede, golvende mantel, die met een brede gordel rond de buik werd vastgehouden. Zijn pij was met ingewikkeld glanzend borduurwerk getooid. Onder zijn arm had hij een zwaar boek. Naast de man verschenen nog twee mensen, eenvoudiger gekleed. Een van beiden stelde een ijzeren lessenaar op op het vochtig glimmende altaar, de ander plaatste er een grote stompe kaars naast. Daarna traden ze terug, en de man met de mantel legde het boek opengeslagen op de lessenaar. Daarbij trad hij in de lichtkring van de kaars en werd zijn gezicht verlicht.

'Dacht ik het niet!' liet Patrick zich ontvallen.

De priester die de ceremonie zou leiden, was niemand minder dan Ash Modai zelf.

Deze hief de armen op. 'Dit is de Hand van Belial!' riep hij met krachtige stem, die door de akoestiek van het gewelf werd versterkt en door de hele hal weerklonk. 'Zij dient hem vandaag zoals altijd. Vandaag roepen wij de heer aan, zoals hij ons heeft geleerd.'

Toen dat gezegd werd begonnen de trommels weer te roffelen, alleen in een sneller, opzwepend ritme. Daarbij zette de menigte een monotoon gezang in.

Na een poosje hief de priester nogmaals zijn armen op. Alles werd stil. Hij las nu enkele lange passages in het Latijn voor uit zijn boek. Op bepaalde plaatsen viel telkens de satanistische gemeenschap in, sprak mee of reageerde met vragen. Dit wisselspel werd een vermoeiend lange tijd voortgezet, tot Patrick zich af begon te vragen of dat nu alles was waaruit een zwarte mis bestond. Maar toen waren ze duidelijk aan een ander onderdeel van de ceremonie toe. De beide helpers van de priester verschenen. Zij droegen samen een vuurschaal met drie lage poten van ongeveer een meter doorsnee. Die plaatsten zij op de vloer van de zaal, terwijl de voorste rij sekteleden een afwisselend uit mannen en vrouwen bestaande kring om de schaal heen vormde. Een van de assistenten trad naar voren en ontstak het onbestemde materiaal in de schaal. Al snel lekten heldere vlammen in de hoogte. Peter zag dat daarbij een dunne, wat geelachtige rook ontstond, die over de rand van de schaal heen stroomde. Toen de assistenten zich hadden teruggetrokken, begonnen de trommels weer. Het was weer een opzwepend ritme, dat de gemeente weer met gezang begeleidde. De kring van vermomden rond de vuurschaal begon tegen de richting van de klok in te dansen. De bewegingen waren bijzonder ongestuurd en onnatuurlijk, maar allen bewogen op gelijke wijze, volgden een gecompliceerd, archaïsch patroon. Ook het gezang zwol aan en nam af na volgens een overigens onduidelijk principe. De gewaden van de vrouwen fladderden als dunne nevelslierten om hen heen en verbonden alles tot één bewegende zwarte kring. Ash Modai las tijdens de dans halfluid zinnen uit het boek voor, die duidelijk overeenkwamen met het gezang van de gemeente.

Plotseling stopten de dansers. De vrouwen maakten met een simpele beweging de gespen van hun kleding los, de gewaden vielen op de grond, en hun naakte lichamen werden onthuld. Ze waren allemaal goed gevormd en slank, allemaal ongeveer gelijk van bouw, als waren ze bewust via dezelfde criteria voor deze opgave geselecteerd. Ze deden een stap in de richting van de vuurschaal en hieven de armen in de lucht. De gemeente zong nu een nieuw koraal, enerverend en opzwepend.

Op hetzelfde ogenblik verschenen weer de assistenten van de priester. Zij brachten nog een vermomde binnen. Haar blonde haar viel zichtbaar over haar schouders. Zij was gehuld in een getailleerde, geborduurde mantel, die heel duidelijk het tegendeel moest voorstellen van wat Ash Modai droeg. Ze liet zich door de assistenten naar het altaar begeleiden, waar ze in de schijn van de altaarkaars bleef staan.

'Stefanie!' riep Patrick ontsteld.

'Hou toch op,' siste Peter. 'Je kunt niks doen. En zij kan niks horen. Je ziet het toch: ze is duidelijk onder invloed!'

En inderdaad was de gezichtsuitdrukking van Stefanie geheel leeg, totaal afstandelijk. Zonder enige beweging liet zij toe dat een van de assistenten aan haar mantel begon te frunniken en hem ten slotte uittrok. Plotseling stond ze poedelnaakt voor de satanische gemeenschap. Willoos liet ze gebeuren dat een van de assistenten haar dichter bij het altaar loodste en haar hielp op de bebloede steen te gaan zitten. Ondertussen pakte de andere de lessenaar weg en schoof de kaars naar het hoofdeind. Toen drukten ze haar achterover, legden haar op de rug, draaiden haar om, trokken haar benen op en hadden haar ten slotte languit op het altaar.

'Mijn hemel, wat doen ze nou? Peter!'

'Ik vrees het ergste, beste vriend. Maar wij kunnen niks doen!' Hij wees met zijn hoofd op hun handboeien.

Nu begonnen de dansers op het ritme van het getrommel weer met hun extatische bewegingen. De vrouwen, die dichter bij de vlammen stonden, begonnen al snel te transpireren. Ook vanuit hun verre standpunt kon Peter duidelijk zien hoe hun gezichten rood werden, hun huid begon te glimmen, druppels zweet zich tussen hun borsten vormden en over hun heupen naar beneden stroomden. Peter leek het alsof het duidelijk warmer in de zaal was geworden, warmer dan verklaarbaar was door de vuurschalen die de hal verwarmden. De trommels, het gezang en de beweging rond de vlammen werkten op een vreemde manier op hem in, hij voelde zich nerveus worden, wat koortsig.

Weer bleven de dansers een ogenblik als verstijfd staan. Nu openden ook de mannen hun gewaden. Zij wierpen hun kappen achterover en lieten hun pijen op de grond zakken. Al snel werd duidelijk dat ook de mannen sterk verhit waren. Niet alleen dat, ze waren duidelijk ook opgewonden. Ook de mannen leken in velerlei opzicht op elkaar, allemaal waren ze gespierd, droegen het haar kort, het lichaam was onbehaard, en op dat ogenblik vertoonden ze allemaal een erectie van indrukwekkende omvang. Ieder van hen pakte een van de vrouwen van achteren en daarop aansluitend bewogen zij zich gemeenschappelijk weer in een kring om de vuurschaal, waarbij zij hun zwetende lichamen allemaal op dezelfde wijze tegen elkaar aanwreven, elkaar masseerden, aflikten en beten.

De gemeente zette een steeds luider en in toenemende mate ophitsender gezang in, dat nu herinnerde aan een soort spreekkoor en voortdurend herhaald werd.

Ondertussen trad Ash Modai naar het altaar. Hij greep de enkels van Stefanie en trok haar over het besmeurde marmer naar zich toe. Daarbij spreidde hij haar dijen en liet haar onderbenen links en rechts van het altaar naar beneden hangen. Ontsteld zag Patrick hoe Ash Modai nu zijn eigen pij begon open te maken, terwijl Stefanie hem haar gespreide benen toekeerde en haar heiligste plek weerloos voor hem blootlegde.

Witte woede laaide in Patrick op.

Toen Ash Modais pij op de grond viel, werd ook zijn stijve penis zichtbaar. Hij greep hem en begon hem met gelijkmatige bewegingen te masseren.

Ondertussen had het gezang van de gemeente een hoogtepunt bereikt. Het begon net te lijken op gehuil, toen de dansers plotseling bleven staan. Nu wendden zich de vrouwen naar het vuur toe, spreidden hun benen, gaven elkaar de hand, staken de armen omhoog, steunden elkaar wederzijds en bogen zich toen gemeenschappelijk zover naar voren dat zij de mannen die achter hen stonden hun blanke achterwerken en aanzet van hun schaamlippen aanboden. De mannen grepen ieder de heupen van de vrouw die voor hen stond en namen haar van achteren. De trommels begeleidden deze eerste stoot en begonnen in een nieuw, aanvankelijk langzaam ritme, dat de gemeente weer begeleidde met gezang. De mannen bewogen op het ritme van de trommels.

Peter stond nu duidelijk te zweten. Hij merkte hoe het zweet tappelings over zijn slapen liep. En hoezeer het hem ook stoorde wat hij zag, hij merkte toch dat hij door de voorstelling in de zaal uitermate opgewonden raakte. Hij was een en al oog voor het orgastische gedoe van die dansers en het leek net alsof hij het gebeurde dichterbij kon halen, hij ging er geheel in op. Hij merkte hoe zijn eigen geslachtsdeel begon te kloppen, hoe hij zelf steeds weer die vrouwen nam, hoe hij op het punt stond klaar te komen en hoe het gezang en de trommels hem steeds verder opzweepten.

Patrick daarentegen was een en al oog voor wat er op het altaar gebeurde. Ash Modai stond zich nog steeds af te trekken. Af en toe greep hij Stefanie in de knieholten, hief haar bekken omhoog en wreef zijn lid tussen haar benen, maar hij nam haar niet. Daarbij wierp hij zijn hoofd in zijn nek, sloot zijn ogen en riep woorden in een vreemde taal, die door de gemeente werden herhaald.

'Peter, wij moeten wat doen! Peter, hoor je me?'

Maar Peter was doof. Zijn blikken waren gekluisterd aan de naakte mensen, wier lijven om de vuurschaal heen over de grond lagen te kronkelen. Sommige vrouwen lagen op de rug, anderen op de buik of kropen op handen en voeten rond, terwijl de mannen als dieren over hen heen vielen en zonder onderscheid de ene na de andere vrouw bestegen. Zij drongen daarbij elke opening binnen die hen begerig toegewend werd. Peter rook hun uitwaseming, hun zweet. Hun dierlijke driften, het harde stoten en het bronstige steunen stroomden als hete thee door zijn aderen. Hij ademde diep en moeilijk in, beefde en trilde. Hij was aan de rand van een orgasme en tegelijkertijd lichamelijk aan het eind van zijn krachten, hij was zo ver van zijn eigen ik af, dat hij Patricks stem amper nog kon waarnemen.

'Peter, wat is er met jou aan de hand? Merde!'

De trommels gingen nu zo snel dat het klonk als één enkele aangehouden toon. Ash Modai rilde over zijn hele lijf, zijn spieren waren gespannen, hij stond op het punt klaar te komen. Nog steeds hield hij zijn penis vast en plotseling sidderde hij in een orgasme. Hij wendde zich van Stefanie af en toonde zich aan de gemeente.

'BELIAL, WIJ ROEPEN U!' schreeuwde hij de hal in terwijl hij stond te stuiptrekken. Patrick zag dat Ash daarbij geen druppel vocht verloor. Ofwel het was een lichamelijk gebrek, ofwel hij had zichzelf op een bijzondere wijze onder controle.

Rond om de vuurschaal bereikten de sekteleden nu ook een hoogtepunt, dat door een collectief, orgastisch roepen en steunen werd begeleid. De mannen spoten daarbij stuiptrekkend in elke lichaamsopening waar hun penis toevallig in was beland.

Peter huiverde toen hij zag wat er gebeurde: de lichamen begonnen licht uit te stralen: flakkerende lichtsluiers ontstonden tussen de naakte lijven. Het licht vloeide als een schijnende nevel naar de vuurschaal en begon zich rond de vlammen te wikkelen, dijde uit, werd tot een vier meter hoge zuil. Toen boog het enigszins, en ontwikkelde een steeds langer en dunner wordende punt, die naar de priester toe gericht werd. Ash Modai stond wijdbeens en met gestrekte armen naast het altaar. Hij zoog het licht naar zich toe. Het boog sterker zijn kant uit, nam weer gestalte aan en begon toen langzaam, in een boog van de vuurschaal naar hemzelf te gloeien. De punt raakte zijn gezicht, hij opende zijn mond, het licht kroop in zijn keel. Sneller en sneller stroomde nu de gloeiende nevel naar hem toe, omhulde de priester al snel geheel en al, drong in hem binnen. Vol afgrijzen was Peter getuige van een onnatuurlijke metamorfose. Door het lichten, dat Ash Modai omgaf, waren spastische trekkingen zichtbaar, ledematen die zich kromden en vervormden. Belial verschijnt daadwerkelijk! dacht Peter. En net zoals in de *Goëtie* beschreven, vormde zich nu uit het licht een tweede paar armen en benen, een extra lichaam, een tweede hoofd, tot twee aparte, stralend heldere wezens zichtbaar waren. Zij leken geslachtloos en waren van een bovenaardse, bijna pijnlijke schoonheid. Het was slechts schematisch te herkennen, dat ze in een soort strijdwagen stonden.

'Belial! Belial!' riep de gemeente.

Als door de bliksem getroffen staarde Peter naar het altaar. Wat daar, enkele meters voor hem, werd gemanifesteerd, deze engelachtige, onwerkelijke verschijning, was adembenemend en tegelijkertijd gruwelijk. Een nachtmerrie die werkelijkheid was geworden, de waarachtige demon Belial, eeuwenlang gevreesd, het bewijs voor het bestaan van de hel, de afgrond, Hades, de dodenwereld, het hiernamaals en al die dimensies die tussen nu en de eeuwigheid lagen. De bodem van de realiteit was opengescheurd en gaf uitzicht op de verschrikking van al die tijdperken, die legioenen chtonische monsters, Etruskische demonen, Babylonische goden, Egyptische heersers van de onderwereld, dodenwachters, verzakers, verstoorders, wereldvernietigers: Tiamat, Pazoezoe, Lamasjtoe, Charon, Kali, Anubis, Apofis, Leviathan, Behemot, Lucifer, Diabolos, Sjaitan.

De beide verheven gezichten van Belial keken nu door de hal, doorsneden de lucht met hun alles ziende, dodelijk heldere blik. Toen zagen ze het altaar en het daarop liggende naakte lijf van Stefanie.

'Belial! Belial!' klonk het eenstemmig in de zaal.

De demon keerde zich naar het offer op het altaar. En weer begon een metamorfose, de verschijning van Belial, de beide lichamen en de wagen versmolten in elkaar, vervormden. Fonkelend licht steeg op en er vormde zich iets nieuws, donkerder, behaarder. Klauwen werden zichtbaar, spierloze armen, vel, een gehoornde schedel met de snuit van een overdreven groot roofdier. Belial toonde zich in zijn ware gedaante. Peters nekharen gingen recht overeind staan, hij trilde over zijn hele lijf, doodsangst maakte zich van hem meester, hij wilde slechts nog vluchten. Maar hij kon zich niet verroeren, moest mee aanzien hoe een bijna drie meter hoog oprijzend hellegedrocht brullend naast het altaar stond. Kwijl droop uit zijn kaken. Het schepsel legde de voorste klauwen rechts en links van Stefanie op het altaar en boog zich toen over haar heen. Uit een behaarde zak tussen de achterbenen van het monster schoof nu een reusachtige, onmenselijke, stijve penis naar voren. Het satansbeest wierp de kop in de nek, en zijn doordringend, triomfantelijk gebrul vervulde de zaal. Stefanie zag er klein en broos uit onder dit demonische schepsel. Hij zou haar aan zijn dodelijke roede spietsen en daarbij haar ingewanden uit haar borst duwen...

11 mei, 2:15 uur, Rue Georges Simenon, Parijs

Jean-Baptiste Laroche werd uit zijn slaap gerukt toen zijn voordeur op de benedenverdieping werd opengebroken. Hij hoorde mannen opgewonden roepen en al snel daarop het getrappel van zware laarzen op zijn trap. Wild tastte hij op zijn nachtkastje om zijn bril te pakken. Hij kreeg hem nog net te pakken aan één poot, maar hij viel uit zijn hand en kwam op de grond terecht. Hij worstelde zich uit zijn lakens en wierp zich over de rand van zijn bed, om met uitgestrekte armen naar zijn bril te vissen. Net toen hij naakt uit bed kwam, werd de deur van zijn slaapkamer ingetrapt en harde MagLite-stralen troffen hem in het gezicht. Toen werd de plafonnière aangeschakeld.

'Geen beweging!'

Militaire politie vulde nu de kamer, kwam rond zijn bed staan en hield het machinepistool op hem gericht.

Jean-Baptiste waagde het niet zich te bewegen, hoewel hij zich bewust was van het feit dat hij een pijnlijke aanblik bood.

Een politieagent met een donkerblauwe parka en zonder wapen in de hand betrad nu de ruimte. 'Monsieur Laroche, u staat onder arrest,' zei hij. 'De beschuldiging luidt landverraad. Bied geen verzet. U hebt het recht te zwijgen en uw advocaat op de hoogte te brengen. Ik moet u vragen ons te volgen.'

'Wat zegt u? Landverraad? Wat gebeurt hier?'

'Kleed u zich alstublieft aan.'

'Wilt u mij eens vertellen wat er aan de hand is? Ik ben partijleider.'

'Uw immuniteit is rond middernacht door de president opgeheven. Ik kan verder geen vragen van u beantwoorden. Haast u zich alstublieft.'

Met enige tegenzin stapte Laroche op de vloer. Bij zijn poging het laken om zich heen te houden, trok hij zijn dekbed van zijn sponde en hij raakte vloekend verstrikt in een wirwar van banen stof. Ten slotte werd het hem te veel, hij wierp het dekbed op de grond, stapte naakt tussen de politieagenten door, rukte zijn kleding van een stoel en verdween in de badkamer. De deur sloeg met een klap achter hem dicht.

19

11 mei, gewelf onder Albi

'Ophouden!' brulde Patrick door de zaal. Geïrriteerde gezichten keken hem aan. 'Raak haar niet aan, stelletje perverse zwijnen. Ash, jij mislukte zoon van een hoerenbok, kom hier, opdat ik je verduivelde smoel kapot kan slaan!' De gezamenlijke satanische gemeente keek op naar de galerij. 'En als jij je door jouw hersenloze kompanen laat helpen, ben je niet meer waard dan de hondenstront onder hun pantoffels!'

Peter kromp ineen. Er was iets veranderd. Door zijn gezichtsveld liep een scheur, het werd helderder, er viel iets zwaars van hem af, waar hij net nog dat demonische ongedierte had gezien, stond nu weer Ash Modai. Ontbloot, maar niet meer zo verheven, echter ziedend van woede. Met fonkelende ogen staarde hij naar hen omhoog. Wat had Patrick hem daarnet toegeroepen? Peter had het gehoord als van op grote afstand, het amper waargenomen, maar nu herinnerde hij het zich en moest onwillekeurig grinniken. In gevallen als deze benijdde hij de Fransen om hun vermogen recht voor z'n raap te spreken.

Ash Modai echter was beslist niet in de stemming om te grinniken. Met een kop, rood van woede, wees hij op de galerij. 'Haal ze naar beneden en breng ze hier! Belial wil bloed zien!'

Er klonk een kreet op uit de menigte en de verzamelde gemeente zette zich stormachtig in beweging.

Op dat moment deed een oorverdovende explosie de hal op zijn grondvesten schudden. Een vuurbal reet de openslaande deuren aan de ingang van de zaal open, hout en lichamen werden door de drukgolf de lucht in geslingerd. Onmiddellijk braken schijnwerpers door de rook en hulden de hal snel daarna in verblindend licht. Door de chaos van de verwoesting, tussen de verwonde, schreeuwende en radeloos rondrennende sekteleden op de grond, liepen geüniformeerde mensen met gasmaskers en wapens in de aanslag. Zij renden door de zaal naar het altaar toe. Enkele seconden later doken twee van de soldaten op de galerij af. Zij hadden doorzichtige ademmaskers met slangen in de hand en drukten die de beide geketenden op het gezicht.

'Diep inademen, dit is zuurstof! We halen u hieruit.'

'Pak die klootzak!' riep Patrick nog, voordat hem het masker op het gezicht werd geperst. Ook Peter kreeg een masker en even later merkte hij hoe zijn hoofd helderder werd. Ondertussen opende een van de mannen de sloten van de boeien. Het was een goed gevoel de armen te kunnen laten zakken. Peter zakte uitgeput op de grond en ging zitten. Patrick rende naar voren, sloeg de helpende armen van de soldaten aan de kant en rende de trap af, naar de zaal beneden. Beneden zag hij dat de sekteleden werden samengedreven, onder schot gehouden. Een van de pijdragers, die hem in de verwarring voor de voeten kwam, gaf hij zo'n enorme oplawaai, dat de man steunend in elkaar zakte. Patrick rende naar het altaar en zocht Stefanie. Maar toen hij die steen weer in het oog kreeg, was ze weg. Hij haastte zich voorbij de vuurschaal, omhoog naar het altaar en daar zag hij haar. Twee van de soldaten hadden haar op de grond gezet en in die afschuwelijke mantel gehuld waarin ze was binnengebracht. Patrick ging vlak voor haar staan. Zij glimlachte hem toe.

'Dag, mijn redder,' sprak zij. Haar ogen en haar uitdrukking verrieden op geen enkele manier dat zij wat voor verdovende middelen ook had geslikt. Ze hoefde ook niet gesteund te worden, maar stond daar gewoon, alsof er niets was gebeurd.

'Stefanie! Ben je gewond? Gaat het goed met je? Wat hebben ze met je uitgehaald?'

'Alles is goed, Patrick.' Ze glimlachte nog steeds. Nu zag ze er weer uit als een godin. 'Mij is niets overkomen. Onze redding kwam wel net op tijd, zou ik zeggen. Dankjewel voor je ingreep. Het doet mij eer aan, te merken dat jou daar veel aan gelegen was.'

'Mijn ingrijpen? Ik zou willen dat ik wat had kunnen doen!'

'Je was enthousiast en heel moedig! Meer kon je niet doen.'

'Wat is er gebeurd? Hebben ze je verdoofd? Gehypnotiseerd? En wie zijn die mensen? Waar komen die vandaan?'

'Wat een vragen. Alles zal duidelijk worden, dat weet ik zeker. Daar, zie je wel, daar komt al iemand die met ons praten wil.'

En inderdaad kwam er net een soldaat op hen af terwijl hij onder het lopen zijn gasmasker afdeed. Toen hij bij hen was, stak hij zijn hand uit.

'U bent vast Stefanie Krüger en Patrick Nevreux. Ik ben blij dat u niets is overkomen. Helaas konden we niet nog sneller zijn, maar het is uiteindelijk toch nog gelukt.'

'Wie bent u?' vroeg Patrick.

'Neemt u mij niet kwalijk, wat onbeleefd van mij. Mijn naam is broeder Nathaniël, ridder van de Tempel van Salomo.'

Patrick kreunde. 'Nee toch, hè...'

Nog geen halfuur later bevonden zij zich in de foyer van het Hôtel des Cathares. Daar waren ze ingekwartierd, de landrover was er voor de deur gezet. 's Morgens hadden ze een afspraak gemaakt, om uitgebreid te praten. Alle drie waren te moe om daar iets tegen te hebben. Bovendien waren ze vreselijk benieuwd naar de beloofde antwoorden.

'Wat een dag!' zei Patrick. 'Stefanie, voel jij je goed? Kun je wel slapen?'

'Vast wel.'

'Ik bedoel, je bent toch daarnet bijna... nou ja, zo zag het er tenminste uit... niet dat ik details gezien heb...'

'Zo preuts ken ik je helemaal niet, Patrick. Verkracht bedoel je? Ik was bijna verkracht? Daar hoef je je geen zorgen over te maken. Op geen enkel moment liep ik echt gevaar.'

'Hoe dat zo? Je was toch volslagen willoos. Het heeft niet veel gescheeld...'

'Ik weet precies hoeveel het gescheeld heeft, Patrick. En geloof me: ik had mij op het beslissende moment op een onaangename manier verdedigd.'

Patrick keek haar twijfelend aan. Het had er beslist anders uitgezien, maar nu zij deze woorden sprak, kwam ze overtuigend over. Waarschijnlijk had ze het spel zolang meegespeeld om niet vroegtijdig te laten merken hoe goed zij zich kon verdedigen. Bij de gedachte aan wat Stefanie op het juiste ogenblik met het klokkenspel van Ash zou hebben gedaan, huiverde hij. Hij bracht het gesprek op een ander thema.

'Peter, hoe is het met jou? Ben je moe? Je bent zo zwijgzaam, sinds we weer buiten zijn.'

'Ik begrijp niet hoe jullie deze ervaring zo gemakkelijk kunnen vergeten. Wij zijn getuigen geweest van een satanische oproep, een bloedig altaar, een goddeloze orgie en ten slotte van een manifestatie, een echte demon! Weten jullie dan niet wat dat betekent?'

'Wat voor manifestatie? Waar heb je het over?'

'Die lichtende gestalte, Belial in zijn gedaante van twee engelen op een strijdwagen en dan dat helse beest!'

Patrick keek de Engelsman in zijn ogen, om daarin eventueel een verandering te kunnen waarnemen. 'Weet je zeker dat het goed met je gaat?' Peters pupillen waren enigszins vergroot, zijn blik was gericht op het oneindige. 'Heb jij lichtende gestalten gezien? En een beest?'

'Ze waren zo volkomen, zo reëel, hun blikken drongen je tot in het ruggenmerg. Trouwens, precies zoals het beschreven wordt. Het klopt allemaal.'

'Peter, er was helemaal niks. Peter!' Patrick pakte hem bij zijn schouders en bracht zijn gezicht vlak bij dat van de professor. 'Kijk mij eens aan Peter, er was helemaal niks. Hoor je dat!'

Peter keek op. 'Wat betekent dat, er was niks? Sluit jij dan altijd je ogen voor de waarheid, zoals ik het mijn hele leven lang heb gedaan? Vraag Stefanie maar of er niks was!'

'Peter,' zei Stefanie. 'Er was inderdaad niks. Geloof ons nou maar. De ceremonie heeft je te pakken genomen. Je bent beïnvloed!'

'Beïnvloed? En wie zegt jullie dat jullie niet beïnvloed waren?'

'Als daar wat voor gestalten of beesten ook geweest waren,' probeerde Patrick maar weer eens, 'waar zijn die dan zo plotseling heengegaan, toen wij bevrijd werden?'

'Ik weet het niet...' Hij keek naar de grond. 'Misschien hebben jullie ook wel gelijk...' Erg overtuigd leek hij niet.

'Wij moeten nu echt allemaal gaan slapen,' zei Patrick. 'Morgenochtend ziet alles er anders uit. En dan krijgen we hopelijk ook een paar antwoorden.'

11 mei, Hôtel des Cathares, Albi

Het was voor alle drie een korte en vrij onrustige nacht. Maar toen ze tegen negenen aan het ontbijt zaten, waren Stefanies haren pas gewassen, maakte Patrick een enigszins herstelde indruk en ook Peter was zichzelf weer meester. Hij leek wat nadenkend, toen hij zijn thee dronk.

'Het spijt mij als ik jullie gisteren met mijn verwarde toestand heb lastiggevallen,' zei hij nu ter verklaring. 'Duidelijk hebben wij verschillende herinneringen aan wat er gebeurd is. Laten we het daar voorlopig maar bij laten.'

Dus vertelde Patrick van hun belevenissen in de grot, waarbij Peter zeer belangstellend toehoorde. Hij formuleerde daarbij dezelfde vragen die ook Patrick zich al gesteld had: op welke manier Patrick in staat was geweest de beelden te sturen, en of het niet misschien geprojecteerde herinneringen waren. Maar daarop vertelde Patrick hoe hij achter de oorsprong van de twee faxen was gekomen, de droomachtige reis naar Morges, het herenhuis aan het Meer van Genève en het bordje met het opschrift 'Steffen van Germain'.

'Dat is toch wel erg merkwaardig!' sprak Peter. 'Dan hebben we hier inderdaad een grot van het weten bij de hand! Wij weten niet wie haar aangelegd heeft en ook niet hoe ze functioneert. Maar toch schijnt ze in staat te zijn kennis door te geven en wel op een veel omvattender en meer rechtstreekse manier dan wij tot nog toe wisten. Stel je voor over welke macht degene beschikt die dit hol beheerst. Geen geheim ter wereld zou meer veilig zijn, alle kennis uit verleden, heden en mogelijkerwijs ook toekomst zou op elk moment ter beschikking staan! Dat is ongelooflijk!'

'Wat je zegt.' Patrick knikte. 'En een heleboel mensen zijn uit op die grot. Niet alleen de satanisten. Kun jij je nog die vent van Helix Industries herinneren, die het had over de archieven van Luther? Denk je echt dat hij niets doorhad? En Renée! Hoe graag wilde ze ons helpen om meer te horen over de kring van Montségur. Alsof ze daar al van gehoord had.'

'En dan heb je daar nog die Steffen van Germain,' sprak Peter, 'die schijnbaar van meet af aan wist waar het om ging en die ons in de gaten hield...'

'Ik zou er niet veel zin in hebben mij weer in de klauwen van een of andere geheime organisatie van halvegaren te begeven,' zei Patrick, 'maar zoals het er nu uitziet, is deze mysterieuze man uit Morges onze laatste smoking gun. Wij moeten hem beslist een bezoek brengen.'

'Apropos, nu je het over geheime organisaties hebt,' sprak Stefanie, 'daar komt onze redder van gisteravond.'

Nathaniël, dit keer niet in uniform, maar in gewone burgerkleren, kwam naar de tafel.

'Goedemorgen, messieurs, 'dame. Ik hoop dat u van de korte rust van vannacht hebt kunnen genieten. Bent u al klaar met ontbijten? Dan zou ik graag met u praten. Vindt u het goed dat we daarvoor een rustiger hoekje opzoeken?'

Ze stonden op en volgden de man, die ze naar een zijvleugel van het hotel bracht, waar een bankstel stond met een open haard. Zo vroeg op de ochtend brandde er nog geen vuur, maar het was best gezellig en genoeg afgelegen om een vertrouwelijk gesprek mogelijk te maken, zonder door andere gasten te worden verrast.

‘Om te beginnen,’ zei Nathaniël, ‘zou ik mij bij u nogmaals willen verontschuldigen voor ons verlaat en nogal oorlogszuchtig ingrijpen van gisternacht. Wij hadden gehoopt dat het zover niet zou komen. Wij hebben de situatie en eerlijk gezegd ook uw hardnekkigheid onderschat. Nu is er allerlei onheil geschied, en we moeten redden wat er nog te redden valt...’ Hij merkte de geïrriteerde blikken van zijn gesprekspartners. ‘U kunt zich natuurlijk wel indenken dat het om de grot gaat die u ontdekt hebt. Die hebt u terecht als een “archief van kennis” bestempeld en u bent er al meer van te weten gekomen dan wij graag wilden.’

‘Wie bent u?’ vroeg Patrick.

‘Mijn orde, de “Tempel van Salomo”, bewaakt die grot nu al duizend jaar. Het is dus geen toeval dat ze hier, midden in het hedendaagse Frankrijk, schijnbaar nog onontdekt was. Ons werk en onze eigen macht hebben daar een wezenlijke bijdrage toe geleverd. Tot u kwam.’

‘Die schilderingen stammen uit de middeleeuwen,’ zei Peter. ‘Werd de grot toen aangelegd? En zo ja, door wie?’

‘U weet al meer dan willekeurig welke vreemde zou moeten weten. Mijn opgave luidt u te weerhouden van verder onderzoek naar de grot. Wat u gisteren hebt beleefd is slechts het begin van een lawine die u hebt veroorzaakt.’

‘Wilt u ons bedreigen?’

‘Geenszins. U hebt van ons niets te duchten. Maar er staan al nieuwe belangstellenden gereed, die met u willen wedijveren om die grot. Dat gaat beslist niet goed aflopen, en daarbij zult u en alle anderen aan de verliezende kant zijn. Want de grot zelf zal niemand te pakken kunnen krijgen. Zij herbergt een veel te groot gevaar; we kunnen dat echt niet toelaten.’

‘Op welke belangstellenden doelt u?’

‘De burgemeester van St.-Pierre-du-Bois, Fauvel. Waarom denkt u dat hij u zo dringend en zo plotseling kwijt wilde?’

‘Hebt u daarvoor gezorgd?’

‘Laten we zeggen dat hij een onaangenaam bezoek heeft gehad, dat hem ertoe heeft aangezet u weg te jagen. Zou alles gegaan zijn zoals wij hadden gehoopt, dan zou u nooit van ons gehoord hebben. Maar u ging niet weg, dus heeft hij nu een troep huurlingen in de arm genomen, die u met wapengeweld moet verdrijven.’

'Dat is toch absurd!'

'Ja, natuurlijk is het dat.' Nathaniël boog zich voorover. 'Daarom konden wij dat ook niet voorzien. Maar het is zo en wij moeten en kunnen u slechts waarschuwen. De dingen lopen nu uit de hand, dat zult u ongetwijfeld gemerkt hebben.'

'Met onze rugdekking uit Genève en onze opzichters in het bos zou dat geen probleem moeten zijn,' sprak Patrick.

'Heeft dat u geholpen tegen de sekte van Belial? U moet niet onderschatten welke krachten u losgemaakt hebt, monsieur. Wereldlijke, maar ook religieuze, esoterische, occulte. U moet dat onderzoek naar die grot meteen afbreken! De Tempel van Salomo wil geen leed veroorzaken, maar wij kunnen u ook niet verder beschermen.'

'Wie bent u eigenlijk?' wilde Patrick weten. 'Vertelt u ons liever welke rol u hierin speelt!'

Nathaniël leunde achterover. 'Ik weet dat u dat moet interesseren, maar ik mag u geen details onthullen. En uiteindelijk is het ook niet zo belangrijk. Voor u is het voldoende te weten dat wij die grot beschermen en moeten verhinderen dat ze ontdekt wordt.'

'En waarom wilt u dat?' vroeg Peter.

'En wie geeft u de bevoegdheid daarover te beslissen?' onderbrak Patrick. 'Is die grot soms van u?'

'Nee, ze is niet van ons. Ze is van niemand. Niet, zolang de mensheid niet rijp genoeg is voor zo'n macht. Tot dat moment bewaken wij haar. En wij handelen in de zin en met de zegen van de grondvester van deze archieven.'

'Welke grondvester?'

'De kring van Montségur,' antwoordde Nathaniël.

'U bedoelt het symbool op de grond van de grot? Wat heeft dat ermee te maken?'

'Ik bedoel niet het symbool. De kring van Montségur is een oeroud verbond, ouder dan wij hier allemaal bij elkaar, ouder dan Jeruzalem, ouder dan Egypte en Babylon.'

'De kring van Montségur is helemaal niet de naam voor dat symbool, maar voor een mysterieuze orde!' Peter schudde het hoofd. 'In die richting hebben we niet naar antwoorden gezocht.'

'Vanzelfsprekend niet,' zei Nathaniël. 'En in die richting is er voor u ook niets te vinden. Slechts enkele mensen hebben ooit die naam gehoord en geen van hen heeft ooit iets gehoord als de kring dat zelf niet wilde. U moet het dus opgeven, uw zoektocht is hier afgelopen. U kunt er beter mee ophouden.'

'En waarom zouden wij dat doen?' vroeg Patrick.

'Maar begrijpt u het toch! U kunt nog zulke goede bedoelingen hebben, en het siert u, zover als u gekomen bent. Met helder verstand en met zuivere middelen. Maar u moet bedenken wat gisteren bijna gebeurd was. En wat elke keer weer gebeuren kan en gebeuren zal. In wiens handen buiten de uwe kan en zal de grot vallen? De mensheid is niet rijp voor de erin verborgen macht. U moet nu opgeven en helpen haar te beschermen!'

'Uw pleidooi is in alle opzichten eervol,' zei Peter, 'maar is het niet wat te laat daarvoor? Wat moet er gebeuren met degenen die er al van afweten?'

'Maakt u zich om Ash Modai en zijn sekte geen zorgen,' verklaarde Nathaniël. 'De suggestieve en verdovende middelen die hij op u gebruikt heeft, staan ons ook zeer doeltreffend ten dienste als het erom gaat wat gebeurd is te laten vergeten.'

'En hoe komt het dat Ash Modai de kring van Montségur überhaupt kende?' vroeg Patrick. 'Hij was de eerste die ons op die naam bracht.'

'Ik betwijfel of hij ook maar enige voorstelling heeft van de ware verbanden,' sprak Nathaniël. 'Maar dat is symptomatisch voor de grote massa van half geïnformeerde mystici. De feitelijke verhoudingen en verbindingen zijn na honderden en duizenden jaren amper nog te doorzien. Mensen als hij en de "Hand van Belial" zijn er altijd geweest, maar die doen ons niets. Het enige wat telt is de grot. En ik moet u opnieuw uitdrukkelijk en voor de laatste maal vragen op te houden met uw werk. De situatie dreigt dramatisch te worden en u zult in het centrum van het conflict staan, als u niet bijtijds het veld ruimt. Ik kan slechts hopen dat u niet in contact zult komen met nog verdere mogelijke geïnteresseerden, die nu weten van het bestaan van de grot en die van hun kant willen dat deze onderzoekingen worden voortgezet. Dan zou het verstrooide weten van dit geheim mogelijkerwijs nooit meer binnen de perken te houden zijn!'

'U kent onze contacten al,' sprak Peter, vastbesloten de man niets van hun opdrachtgeefster in Genève of van de onbekende Steffen van Germain te verraden.

'Ik kan niet meer doen dan u waarschuwen en u verzoeken,' herhaalde Nathaniël en stond op.

'Wij hebben het begrepen,' sprak Peter, stond ook op en gaf de man een hand. 'En ik beloof u dat wij over het verdere verloop goed zullen overleggen. Veel dank voor uw waarschuwing en voor uw open woorden.'

'Ik dank u voor uw geduld! God helpe u de juiste beslissing te nemen en de rechte weg te bewandelen. Het ga u goed! Messieurs, 'dame.'

Ze keken hem na toen hij de lounge verliet.

'Wat had die opeens een haast,' zei Patrick.

'Er was ook niks meer wat hij ons kon vertellen,' meende Stefanie.

'Hij heeft zichzelf meer dan eens herhaald. Merkwaardige vent... Wat vind jij ervan, Peter?'

'Wel, wat mij betreft zijn er inmiddels wel genoeg geheime verbonden,' antwoordde de professor. 'Nu hebben we het niet alleen met de "Tempel van Salomo" aan de stok, die de grot beschermt en kennelijk zelfs de burgemeester onder druk kan zetten, maar nu horen we ook nog van een verdere, daarachter liggende orde, de kring van Montségur, de zogenaamde grondvesters, ouder dan Egypte en Babylon. Ik ben vast niet de enige die dat voor minstens onwaarschijnlijk moet houden. En is het geen wonder dat de geschiedenis ze ook niet kent, dat we er nog nooit van gehoord hebben?' Hij schudde zijn hoofd. 'Ik ben wel de laatste die ervoor terugdeinst onconventionele samenhangen te bevestigen. Maar ik weet uit ervaring dat het gebrek aan een spoor, maar dan ook volslagen, een goede aanduiding is voor een verkeerd spoor.'

'Maar daar is de grot,' zei Patrick. 'Die kunnen we niet wegredeneren. Die bestaat al sinds de middeleeuwen en met geen enkele huidige technologie kunnen we de werking daarvan verklaren. Volledig onbekend lijkt ze niet te zijn, ze schijnt alleen heel goed bewaakt. Er is daar iets, Peter. Daar kunnen we zeker van zijn. We hebben alleen geen flauw idee wat. Nathaniëls verhaal heeft toch het eerste licht erop geworpen.'

'Het eerste is het niet,' weerlegde Peter. 'Als ik me goed herinner is de grot ook al als het archief van Luther en het graf van Christian Rosenkreuz aangeduid. En hoever zijn we daarmee gekomen?'

'Waarom plotseling zo recht in de leer?' vroeg Patrick. 'Beide versies hebben we ter zijde geschoven. Dit is weer een nieuw spoor.'

Peter zweeg een ogenblik. Toen knikte hij bijna onmerkbaar, trok een wenkbrauw op en schudde zijn hoofd. Het lag duidelijk niet in zijn aard plotseling de handdoek in de ring te gooien. In werkelijkheid was hij bang voor zijn herinneringen aan de vorige avond. Hij had amper geslapen en hij had zich vast voorgenomen zijn anker uit te werpen op de bodem van de realiteit, en al het andere te ontkennen, te vergeten. Maar de grot bestond ongetwijfeld. En daarbuiten was nog meer. Veel meer. Al zijn instincten werden erdoor gealarmeerd. Het was een raadsel en het moest worden opgelost. Wellicht moest hij ditmaal zijn eigen grenzen doorbreken, de principes van zijn wereldbeeld tot nog toe laten varen, maar daarvoor mocht hij niet terugdeinzen.

'Je hebt gelijk,' zei hij ten slotte. 'Waarom niet? Laten we er dus een poosje van uitgaan, dat Nathaniëls verhaal een kern van waarheid bevat. Dan is de eerste vraag waarmee wij te maken krijgen, of wij naar zijn waarschuwing moeten luisteren en het onderzoek moeten afbreken. Als het klopt wat hij zegt, dan kunnen wij ter plekke door de burgemeester in aanzienlijke moeilijkheden raken.'

'Momenteel hoeven wij helemaal niet ter plekke te zijn,' zei Patrick. 'Want om te beginnen moeten wij ons heetste spoor volgen. Ten slotte weten wij nu waar wij Steffen van Germain kunnen vinden.'

'Begrepen.' Peter keek op zijn horloge. 'Halfelf. Vraag maar aan de receptie hoe wij van hieruit op de snelste manier naar Zwitserland, naar Morges en bij dat herenhuis kunnen komen.' Daarmee stond hij op, en de rest volgde hem.

11 mei, 16:30 uur, Morges, Zwitserland

Het bleek dat de amper 600 kilometer die hen in vogelvlucht van Morges scheidde, veel moeilijker af te leggen was dan ze hadden aangenomen. Om te beginnen reden ze over de RN 88 naar Toulouse, van daaruit ging het met het vliegtuig via Parijs naar Genève, en ten slotte het laatste stuk van het traject met een huurauto over de A1 in noordelijke richting naar Lausanne.

In Morges aangekomen, stopten ze bij de eerste de beste telefooncel, zochten in het elektronische telefoonboek en vonden inderdaad een lemma met de naam 'Van Germain'.

Peter belde, meldde zich met zijn naam en vroeg of daar ene 'Steffen van Germain' te spreken zou zijn. Het antwoord verraste geen van drieën bijzonder: ze werden al verwacht. Een routebeschrijving volgde.

De zon stond al laag toen ze de locatie hadden gevonden.

'Hier is het,' zei Patrick. 'En dat is de deur die ik in de grot heb gezien.'

'En daar is de bel.' Maar nog voordat ze waren uitgestapt, zwaaiden de vleugels van de poort al naar binnen open. Ze reden de oprit over. Het grind knarste onder de banden. Na een brede bocht door een park dat door een ringetje kon worden gehaald, voorbij bloembedden met zonnewijzers in de vorm van gesnoeide bosjes, hier en daar banken en door rozen begroeide paviljoens, kwamen ze bij de voorgevel van een indrukwekkend gebouw. Dat stamde waarschijnlijk uit het begin van de negentiende eeuw, had twee verdiepingen, was witgeverfd en zag er smetteloos uit. Ze parkeerden de wagen en werden meteen door een jongeman in elegante kleding begroet, die de stoep voor de ingang afkwam.

'Welkom, messieurs, 'dame. Mijn naam is Jozef. Wilt u zo vriendelijk zijn mij te volgen.'

'Ik vraag me af,' fluisterde Patrick tegen de beide anderen, 'waar we nu weer in terechtgekomen zijn!'

Ze betraden een lichte, grote hal. Het interieur van het gebouw stemde overeen met de ouderwetse stijl van de voorgevel. Tegelijkertijd was niets echt verouderd, maar op een nobele manier behouden, onderhouden en nog steeds in gebruik. De man leidde ze door de hal naar het binnenste van het gebouw. De zalen waren allemaal helder en slechts met schaarse, maar uitgelezen antiquiteiten gemeubileerd. Een gang en nog enkele trapjes voerden ze ten slotte naar een bovenmaatse woonkamer. De ruimte nam duidelijk de gehele achterkant van het huis in. Grote vensters die tot de vloer gingen, gaven uitzicht over het enigszins hellende terrein met het daarachter liggende Meer van Genève. In de verte vloeide het meer samen met de horizon en daar voorbij was een gebergte te zien, waarvan de besneeuwde toppen roodachtig schenen in het licht van de zon. Het was een grandioos uitzicht.

'Hartelijk welkom,' hoorden zij een diepe stem. Rechts van hen, naast een grote, beladen eettafel, stond een oude heer van indrukwekkende gestalte. Hij was groot, krachtig gebouwd en gestoken in een chic, antracietkleurig pak met vest. In plaats van een das werd zijn hals getooid door een zijden sjaal, die goed harmonieerde met de kleur van zijn overhemd. Zijn gezicht werd omkaderd door een grijze, goed verzorgde baard, zijn haar was doortrokken van grijze lokken. Peter zag een grote, roodgouden zegelring aan een van zijn vingers. Net als het huis zelf maakte de man op een bijzondere manier een ouderwetse indruk, maar toch niet antiek of obsoleet. In tegendeel. Alleen zijn uiterlijk en het zwakke flikkeren van zijn ogen leken al een woordloos commentaar over de jeugd en de korte tijd te bevatten.

'Mijn naam is Steffen van Germain,' stelde hij zich voor. 'Het doet mij genoegen dat u mij heeft weten te vinden.' Hij gaf ze alle drie een hand. 'Madame Krüger, professor Lavell, monsieur Nevreux. Gaat u alstublieft zitten. Ik heb de vrijheid genomen te zorgen voor een vroeg diner. Ik hoopte dat u genoeg tijd zou hebben om met mij te eten.' Hij trok een van de stoelen die rond de middeleeuwse tafel stond enigszins naar voren en bood Stefanie aan te gaan zitten. 'Ongetwijfeld hebt u veel vragen, en ik zal mijn best doen u naar beste vermogen daar antwoord op te geven.'

'Hebt u ons die twee faxen gestuurd, die waren ondertekend met "St. G."?' vroeg Peter, nog terwijl ze gingen zitten.

'Professor Lavell,' zei van Germain, 'gaat recht op zijn doel af, daar staat hij om bekend. Ik begrijp geheel dat u geen zin hebt in beleefd geklets. Hoe zou dat ook kunnen, na alles wat al is gebeurd. Welnu: zeker, die faxen waren van mij. Jozef had ze in mijn opdracht verstuurd vanuit het postkantoor in Morges.'

'En wat wilde u daarmee bewerkstelligen?'

'Ik deed dat in verband met de vooruitgang van uw onderzoek en om u aanwijzingen te geven zonder me te willen opdringen.'

'Dus het bestaan van de grot is u goed bekend?'

'Het archief van kennis in de Vue d'Archiviste, natuurlijk. Hoe zou ik anders die schilderingen kennen en de roos, waarmee u uw onderzoek bent begonnen. En het teken van Montségur, dat zoals u inmiddels weet, totaal niets met de legendarische burcht uitstaande heeft. Maar de naam is natuurlijk mooi... ach, daar heb je Jozef. Ik heb hem gevraagd ons wat wijn te brengen voor het eten klaar is. U blijft toch eten?'

'Ik weet zeker dat het bij u in de smaak zal vallen,' verklaarde Jozef nu, die hun glazen neerzette en vervolgens een jonge witte wijn inschonk. 'Ik heb een lichte bouillabaisse op het oog gehad, gevolgd door een salade niçoise, daarna zalmfilet met mangosaus, een steak van Argentijns rund en ten slotte bij de koffie een crème brûlée en een schaal geselecteerde kazen en vruchten.'

'Wat mij betreft blijven we,' zei Patrick.

'Goed dan,' stemde Peter in, toen Jozef weer weg was. 'Laten we die uitnodiging aannemen. Maar dan moet u ons wel vertellen hoe u destijds kon weten, hoe het met ons werk was gesteld. Hoe hebt u ons in de gaten kunnen houden?'

'Het bestaan van die grot is mij al lange tijd bekend. Wellicht is het voldoende u te zeggen dat zij mij aan het hart ligt. Aangezien ik nogal wat bezigheden heb kan ik mij helaas niet persoonlijk aan die grot wijden.

Zoals iedere zakenman heb ik dus de beschikking over enkele zeer goede contacten, die mij de noodzakelijke informatie doorgeven. U zult begrijpen dat ik geen verdere details kan geven. Ook andere invloedrijke mensen vertrouwen op mijn discretie. Gisteren nog heeft zo iemand op precies deze stoel gezeten.'

'U vermeldde in uw cryptisch geformuleerde schrijven dat wij op een kring zouden zijn gestuit en dat een kring op ons zou stuiten. Wat bedoelde u daarmee?'

'Het raadsel...' Van Germain nam een slok wijn en grinnikte lichtjes. 'Bij dit spannende onderzoek vol geheimen leek het mij passend mij mijnerzijds ook van een raadseltje te bedienen om de zaak wat bij te sturen. Dat is zeker ijdelheid en ik hoop dat u mij dat wilt vergeven. Anderzijds verzekerde ik me daarmee dat u met passende zorgvuldigheid en zorg voor het detail zou optreden.'

'Ik duidde eerder al op het feit dat u een paar keer een kring vermeldde. En inderdaad zijn er geruchten over een kring van Montségur. Wat kunt u ons daarvan zeggen?'

'Het verhaal rond de kring van Montségur is al oud, maar weinig bekend. Het is een van de minder doorzichtige esoterische mythen. Zonder twijfel bent u er daardoor nog niet eerder op gestuit. Wij houden dit verhaal in leven sinds het ontstaan is door een kleine orde, die zich "De Tempel van Salomo" noemt.'

'Daar hebben wij vanmorgen over gehoord.'

'Het was een slechts een kwestie van tijd totdat zoiets zou gebeuren.'

'Wat weet u van die orde?'

'Er is maar weinig informatie over. Het meeste wat bekend is, werd op de een of andere manier door de leden zelf in omloop gebracht. Volgens de legende vormde de orde zich als een afsplitsing van de tempeliers.'

'U bedoelt *de* tempeliers?' vroeg Patrick. Hij herinnerde zich de uiteenzettingen van Peter, en de verloren schat van die orde.

'Jazeker. U weet zeker al wat deze orde gedaan heeft en ook dat zij fabelachtig rijk is. Volgens de overlevering berustte de zo plotseling stijgende invloed van de tempeliers op één enkele oorzaak: onder de ruïnes van de tempel van Salomo, waar zij hun eerste hoofdkwartier hadden, stuitten zij op een Archief van Kennis.'

'Een grot, of een hol net als hier?' vroeg Patrick.

'Het is niet bekend of het wel een hol was. In elk geval moet dat nu precies de bron geweest zijn waaruit ook koning Salomo zijn weten en zijn legendarische wijsheid putte. De tempeliers echter veranderden, lieten zich verleiden door de macht, hoopten rijkdommen op en misten het eigenlijke doel: de macht te gebruiken voor het welzijn van de mensheid – of haar weer te verzegelen, als de mensheid er niet rijp voor was. Daar splitste zich een groep van de rest af die zich kortweg "Tempel van Salomo" noemde.'

'Niet te verwarren met de "Arme Ridderschap van Christus van de Tempel van Salomon",' merkte Peter op, 'de officiële naam van de eigenlijke tempeliers.'

'Dat klopt helemaal,' zei van Germain. 'De leden van de "Tempel van Salomo" wilden het archief echter beschermen. Maar het lukte ze niet, de tempeliers ervan af te houden. Het Archief van Salomo ging in de wederwaardigheden van de oorlog verloren en wat niet geheel vernietigd werd moet tegenwoordig in het in drieën gedeelde Jeruzalem nog minder toegankelijk zijn dan ooit tevoren. De tempeliers daarentegen bouwden hun rijk in alle richtingen uit. Er wordt wel gezegd dat zij op informatie over de grondvester van de archieven zijn gestuit en dat hen ter ore was gekomen dat er nog meer van dergelijke locaties waren, en daar gingen ze naar op zoek.'

'En deze grondvesters zijn de kring van Montségur,' wilde Peter de uiteenzetting aan.

'Inderdaad,' sprak van Germain. 'Daar bent u inmiddels ook al achtergekomen.'

'Nathaniël liet het daar helaas verder bij,' zei Peter. 'Hij was niet bereid om ons meer over de kring van Montségur te vertellen.'

'U mag hem niet verdenken, professor. Na alles wat ik gehoord heb, verliest het spoor op deze plaats zich in allerlei mythologie. Ach, daar is het eten.'

Jozef was de salon binnengekomen met een serveerwagen. Daarop stond een réchaud met de aangekondigde bouillabaisse. Hij verdeelde het bestek en vaatwerk en zette brood en Perrier op tafel voordat hij opdiende. Toen verdween hij weer.

Ze aten enige tijd zwijgend. Peter vond het niet passend het eten meteen al aan het begin te storen met vragen en gesprekken. Slechts enkele beleefdheden over de uitnodiging en de complimenten over de kwaliteit van het eten werden uitgewisseld. Patrick liet niet na zijn bord met brood schoon te vegen, terwijl Peter de draad van het gesprek weer opnam.

'Nadat de tempeliers dus een verder wetenschappelijk archief hier in

Frankrijk hadden ontdekt,' opperde hij, 'zwoer de "Tempel van Salomo" dat zij tenminste dit archief zou beschermen?'

'Zo is het,' zei van Germain. 'In elk geval herleiden ze daarop hun geschiedenis en hun rechtvaardiging.'

'En wat heeft dat met die legendarische stichters te doen, die kring van Montségur? Wat zijn dat voor mensen? Hebben die het archief aangelegd?'

'Volgens de opvatting van de "Tempel van Salomo" gaat het hier om een groep onsterfelijken, die sedert de oertijd het Archief van Kennis hebben opgebouwd. De feitelijke oorsprong ligt in het duister, moet echter ver voor de Egyptenaren en de eerste beschaving liggen, nog voor Ur, Mohenjo-Daro en Çatal Hüyük. Volgens hun opvatting waren er talrijke van dergelijke archieven – verstrooid over de hele wereld. De kring van Montségur bouwde het en bewaakt het deels nog tegenwoordig, om het pas aan de mensheid te openbaren als die daar rijp genoeg voor is.'

Peter trok een wenkbrauw op en nam een slok wijn, voordat hij verder sprak.

'Maar vanwaar dan de naam kring van Montségur?' vroeg hij ten slotte. 'Waar ligt daar de samenhang?'

'Vermoedelijk is die naam pas laat in de esoterische traditie gevestigd. Zonder twijfel hebben zij de geschiedenis rond de burcht Montségur bestudeerd. De "Tempel van Salomo" gelooft dat de Katharen het geheim van de grot kenden. Opdat zij niet in handen van de inquisitie zou vallen, moet de geheime orde van de stichters hoogstpersoonlijk hebben ingegrepen, om het geheim nog tijdens het beleg uit de burcht te krijgen.'

'Dat zijn die drie Parfaits, die met de schat van Katharen kort voor de capitulatie van de vesting in 1244 konden ontkomen,' sprak Peter.

'Ja, dat zouden de mensen zijn die het geheim van het Archief in veiligheid hebben gebracht. En dit gebeuren zal dus wel aanleiding geweest zijn voor de naam.'

'Maar waarom beschouwt de "Tempel van Salomo" het als zijn opgaaf die grot te beschermen terwijl de kring van Montségur volgens eigen overlevering overduidelijk zelf daartoe in staat schijnt? Dat lijkt toch niet logisch of wel?'

'U hebt volkomen gelijk, professor Lavell. Behalve natuurlijk als men de overtuiging is toegedaan dat de "Kring" principieel niet mag ingrijpen en dat wat er op Montségur is gebeurd een hele bijzondere uitzondering was, een soort goddelijk ingrijpen.'

Op dat moment kwam Jozef weer binnen, nam de borden weg en serveerde de salade. Dit keer wachtte Peter slechts tot hij alle borden voor zich zag staan en van Germain naar zijn vork greep om deze gang te openen, voordat hij het gesprek voortzette.

'Begrepen. Laten we aannemen dat dat zo is. Maar wanneer de Katharen de grot al kenden, hoe kon het geheim dan nog voor de tempeliers worden afgeschermd, die naar wij weten, veel voortvluchtige Katharen in hun rangen opnamen en met zekerheid ervan hadden gehoord?'

'Ik zou niet durven mijn bescheiden kennis van de tempeliers tegenover die van u te stellen. De speculatie echter is mogelijk, dat de tempeliers er daadwerkelijk niets van vernamen. Desalniettemin werden zij door de inquisitierechtbanken volgens mijn herinnering toch beschuldigd van ketterij. Deze beschuldiging werd toch eerder gebaseerd op het feit dat de tempeliers in plaats van het christelijk geloof nu daadwerkelijk een andere bron van wijsheid nastreefden?'

'Bron van wijsheid... wacht eens even... Patrick! Kun jij nog eens beschrijven wat jij in de grot op die sokkel hebt gezien? Die kop bedoel ik.'

Patrick keek hem verbaasd aan. Hij had er niet op gerekend mee te moeten doen in het gesprek, en genoot daarentegen van het uitzicht, Stefanies aanwezigheid en het eten. Nu kauwde hij haastig zijn hap weg.

'Wel, die was ongeveer zo groot,' gaf hij aan, 'uit roodgoudkleurig metaal. Wellicht een legering met koper, misschien echt roodgoud. Hij had geen gezicht, althans dat was maar schematisch aangeduid. Wat te zien was leek een beetje op de gezichten van de beelden op het Paaseiland, als u zich die voor de geest kunt halen. Niet Europees, eerder Aziatisch of Pacifisch of iets dergelijks. Ik zei nog tegen Stefanie dat het niet scheen te passen bij een of andere westerse cultuur.'

'Maar je had toch nog meer gezien? Een baard en hoorns, klopt dat?'

'De kop werd bij de kin als het ware voortgezet, wellicht was dat een baard. En boven zaten zoiets als hoorns. Waarbij het niet duidelijk was of dat een bijzonder kapsel was of een speciale helm of hoofdtooi.'

'Daar heb je het!' zei Peter. 'Herinner jij je nog dat ik vertelde dat de tempeliers werden beschuldigd van aanbidding van Baphomet? Dat zou een afgod geweest zijn in de vorm van een los hoofd van een bebaarde man. In de mystieke traditie werd deze Baphomet steeds met hoorns en een geitensik voorgesteld. Later is daaruit de duivel in de vorm van een geitenbok gegroeid – merkwaardig hoe die dingen zich ontwikkelen, nietwaar? En herinner jij je nog dat ik je zei dat er vermoedens bestonden dat de naam Baphomet niets anders betekent dan een verbastering van het Arabische "aboe fi hamed", wat "Vader der Wijsheid" betekent? Wat een openbaring: de tempeliers kenden de grot. En ze vereerden de kop die daarin lag!'

'Dat is een gedurfde these, professor Lavell,' sprak van Germain. 'Maar beslist logisch. Dat zou misschien ook wel de schat van de tempeliers kunnen verklaren...'

'... en het raadsel oplossen welke kennis Jacques de Molay verborg en met zich mee het graf innam: hij wilde niet dat deze grot in vreemde handen zou komen.'

'Dat zou zo kunnen zijn geweest.'

'Nou ja,' zei Patrick. 'Misschien kennen we daarmee de jongste geschiedenis van de grot, maar we weten nog steeds niet wie dat verdraaide ding daar heeft aangelegd en hoe het werkt!'

'Wel waar,' stemde Peter met hem in. 'Monsieur van Germain, wat weet u van de grot? En wat is uw mening?'

'Zoals ik al zei, interesseerde ik mij voor die grot. Maar ik beschik zeker niet over een vergelijkbare historische kennis als u beiden. In dit opzicht kan ik u niet meer zeggen dan u zelf sowieso al hebt uitgevonden. Wat mijn mening betreft...' Hij nam een slok wijn. 'Er is daar ongetwijfeld een bepaalde macht in het spel. Als u het goed vindt zou ik willen proberen die op de uw eigen, analytische wijze te benaderen. Aanvankelijk zou die grot een natuurlijke oorsprong kunnen hebben gehad, dat wil zeggen een tot nog toe onbekend maar natuurkundig verklaarbaar natuurlijke fenomeen als basis hebben. Anderzijds, als ze niet is, moet ze dus zijn aangelegd. Dat voor zover wij weten geen aan de wetenschap bekende cultuur in staat zou zijn geweest iets dergelijks te bouwen, laat de volgende conclusie toe: onze informatie over deze cultuur is onvolledig en een van deze culturen zou daar zeer wel in staat toe zijn geweest. Maar er zijn meer culturen geweest die wij nog helemaal niet kennen. Dat zijn volgens mij drie beschikbare verklaringen.'

'Heel goed afgeleid, monsieur,' zei Peter glimlachend.

'Natuurlijk kan de grot ook door de CIA zijn aangelegd,' merkte Patrick op, 'een soort geheim laboratorium in regio eenenvijftig. En bij die gelegenheid: het kunnen ook buitenaardse wezen zijn die de grot hebben aangelegd... Wel? Waarom word ik zo aangestaard?'

Peter moest lachen en ook van Germain deed daar aan mee.

'Het is al goed,' zei Patrick ten slotte grijnzend. 'Ik houd mijn mond wel.'

De rest van het avondeten verliep in een ontspannen sfeer. Meestentijds spraken Peter en van Germain. Het bleek dat deze veel beter in cultuurgeschiedenis thuis was dan hij in zijn valse bescheidenheid had toegegeven. Hij kende de actuele stand van de wetenschappelijke kennis op de gebieden die ook Peter kende. Daarbij toonde hij zich bijzonder geïnteresseerd in diens werk voor het museum en de tentoonstelling met het thema '5000 jaar schrift'. Af en toe namen ook Stefanie en Patrick deel aan het gesprek maar zodra het vergleed in vaktermen, vervloog met name de belangstelling van Patrick vrij snel. Hij voelde zich echter buitengewoon goed verzorgd en vernam met vreugde dat Jozef bij de steak een Château Haut Gléon schonk, een wijn uit de Corbières, waarover hij in zijn gids al gelezen had.

Ten slotte waren ze bij het dessert gekomen en het gesprek kwam weer op de grot, de "Tempel van Salomo" en de kring van Montségur.

'Nu wij de hele avond zo zwaar hebben zitten bomen,' zei Patrick, en wendde zich tot van Germain, 'zou mij iets heel simpels interesseren: wat vindt u eigenlijk persoonlijk van die geschiedenis van de kring van Montségur?'

'Ik voel me vereerd dat u belang stelt in mijn mening, monsieur,' zei van Germain. 'Welnu, wat kun je vinden van een groep onsterfelijken, die naar verluidt sinds mensenheugenis overal op de wereld wetenschapsarchieven behoedt?' Hij zette zijn glas aan zijn lippen, nam een slok en liet de gedachte een poosje in het midden. 'Anderzijds...', vervolgde hij, 'is het een interessante gedachte, nietwaar? Die grot straalt duidelijk een geweldige macht uit. Wie het ook mag zijn die dat geheim bewaart, hij zou het lot van de wereld kunnen sturen. En onheil is de schaduw van de macht. Zou u dan niet echt wensen dat er inderdaad iemand was die deze macht bewaart en beschermt?'

'U gelooft dus dat dat zo is?'

'Ik hoop het, monsieur, u niet?'

Patrick schokschouderde, maar Peter keek nadenkend naar buiten in de inmiddels verlichte tuin en op het in duisternis liggende meer. Deze man had ongetwijfeld gelijk. Het was inderdaad maar te hopen dat iemand het geheim van de grot zou behoeden. Wie zou kunnen voorspellen in welke handen het zou kunnen geraken en wat de huidige machthebbers daarmee zouden gaan dóen, welke revoluties, crisissen of oorlogen daardoor zouden kunnen ontstaan. Dat kon geen mens. Een partij, een firma of een staat zonder een spoor van corruptie en uit louter goedheid de macht van de kennis tot heil van de mensheid inzetten? Hoelang zou het duren tot afgunst en machtshonger de kop zouden opsteken? Tegen deze achtergrond verbleekte de vraag naar de technologie die eraan ten grondslag lag en die onbekend bleef. Hoe interessant het ook was om te doorgronden hoe de grot was aangelegd, op welke manier en tot welk doel, wat veel belangrijker was, was te garanderen dat ze niet in de verkeerde handen zou vallen. En wie kon dat ooit besluiten of bepalen?

'Die grot moet weer verborgen worden,' zei Peter.

'Hoe kom je daar zo plotseling bij?' vroeg Patrick.

'Moet je nagaan wat voor een onvoorstelbare macht iemand zou hebben die met behulp van de grot alles zou kunnen gebruiken wat er ooit te weten is geweest en is. Voor die persoon zouden er geen geheimen meer bestaan, geen concurrentie, geen grenzen, geen hindernissen, geen wetten... een alwetend, oppermachtig... goddelijk wezen zou eruit ontstaan!'

'Klinkt helemaal niet zo slecht...'

'Patrick, nou vraag ik je! Wie zou dat volgens jou moeten zijn? Jij? Ik? Deze macht is niet alleen veel te groot voor één individu – afgezien daarvan is er geen enkele garantie dat deze persoon verantwoordelijkheidsgevoel heeft, als hij dit eenmaal aan zich heeft getrokken. De burgemeester misschien? Of Ash Modai? Of de volgende Adolf Hitler? De grot moet weer verdwijnen, als wij haar niet voor ons kunnen behouden! En je weet dat dat niet kan.'

'U denkt aan uw opdrachtgever?' vroeg van Germain.

'Dat is een vrouw,' verklaarde Peter. 'Zij werkt voor de Verenigde Naties. Het onderzoek is een bijzonder project dat valt onder oudheidsonderzoek en Europese cultuurgeschiedenis.'

Voor de eerste maal leek van Germain verrast. 'Dat is interessant,' zei hij. 'Ik had een zeer discrete privé-investeerder vermoed. En een dergelijke afdeling ken ik helemaal niet bij de VN... Wellicht, mogelijkerwijs is het een nieuw geschapen tak?'

'Elaine weet alles van de grot...' zei Patrick. 'Voor wij gisteravond op weg naar Albi gingen, hebben wij met haar gebeld en het haar verteld. Wat de grot kan en hoe je erin komt.'

'Ik waag te betwijfelen of dat nu wel zo slim...' zei Peter.

Nu viel er een stilte. Blikken gingen van de een naar de ander. Patrick. Peter. Stefanie. Van Germain. Hun gedachten liepen vrijwel synchroon, flitsten als onzichtbare bliksem over de tafel, van de een naar de ander. Een onheilszwanger vermoeden nam gestalte aan en groeide tot een bedreiging uit.

'Merde!' vloekte Patrick. ' We moeten meteen terug!'

'Inderdaad, dat denk ik ook,' zei Peter.

'U wilt ter plekke gaan kijken?' vroeg van Germain.

'Beslist!' zei Patrick. 'Wie weet wat voor ongure types daar al in de buurt zitten!'

'Begrijp ik,' zei van Germain. 'En ik ben blij met uw besluit. Als het niet wat al te brutaal lijkt, zou ik u graag aanbieden u naar Genève te laten vliegen. Op die manier kunt u aanzienlijk tijd besparen. Voor uw huurwagen zal natuurlijk gezorgd worden.'

'Ons laten vliegen?'

'Met mijn helikopter. Jozef zal ervoor zorgen dat hij in tien minuten startklaar is.'

20

12 mei, landweg bij St.-Pierre-du-Bois

Hoewel het al laat was toen ze eindelijk in hun hotel kwamen en hun nachtrust dus heel kort, hadden ze al bij het krieken van de dag in de landrover gezeten en reden nu met honderd per uur door het bos naar het hek rond de Vue d'Archiviste.

'Ik hoop dat het nog niet te laat is,' zei Patrick. 'Ik heb een verdomd slecht voorgevoel!'

'Ik ben het helemaal met je eens,' zei Peter.

Het hek kwam in zicht. Het was dicht en zag eruit als altijd. Toen Patrick de wagen vlak ervoor tot staan bracht, trad een opzichter met stijve pas op hen toe en beduidde ze dat het venster moesten opendoen.

'De toegang tot het terrein is verboden. Wilt u zo vriendelijk zijn om te keren.'

'Wat heeft dat te betekenen?' voer Patrick uit. 'Wij werken hier!'

'Ik kan u niet binnenlaten, monsieur,' antwoordde de gewapende man. 'Het verbod geldt ook u.'

'Daar was ik al bang voor,' zei Peter half hardop.

'Dat kan toch niet waar zijn!' Patrick stapte uit. 'Ik wil jullie chef spreken!'

'Die staat niet ter beschikking. Wilt u alstublieft weer instappen en verwijdert u uw voertuig. De ingang moet vrij blijven.'

'Ik laat de wagen hier staan zolang het mij uitkomt!' zei Patrick. 'U kunt hem zelf wel wegrijden.'

'Dan moet ik hem laten wegslepen, monsieur.'

'Dat zal je wel uit je hoofd laten, als je baan je tenminste dierbaar is. Of moet ik je persoonlijk voorstellen aan madame de Rosney?'

'Dat is niet nodig, monsieur. Het bevel komt rechtstreeks van haar.'

'Wat zeg je?'

'Wilt u wel zo vriendelijk zijn meteen te verdwijnen, monsieur, anders moet ik u door andere veiligheidsbeambten laten verwijderen!'

'Wij zien elkaar nog, halvegare!' Patrick stapte in en klapte het portier dicht. 'Ze heeft ons buitengesloten!' Hij zette de auto in achteruit, keerde en reed weer weg.

'En wat ben je nu van plan?' vroeg Stefanie.

'Terug naar het hotel,' antwoordde hij. 'Kijken of onze stukken daar nog liggen en of onze koffers al op straat staan. Die verdomde teef!' Hij sloeg op het stuur. 'Godverdomme!'

'Misschien hadden we haar nog kunnen voor zijn, als we niet meteen in de nacht...' zei Peter.

'Ja, misschien. Maar aan de andere kant zouden we dan... houd je vast!' Plotseling ging Patrick op de rem staan. Er was een man met een geweer op de weg verschenen. De landrover kwam vlak voor hem tot stilstand, met schokkende remmen. Het was de boswachter, Fernand Levasseur.

'Jezus nog aan toe,' liet Patrick zich ontvallen. 'Dat ontbrak er nog maar aan!' Zenuwachtig liet hij het raampje zakken. 'Wat is er aan de hand?'

'Monsieur, ik moet dringend met u spreken! Het gaat om uw project!'

'Daarvoor hebben we geen tijd. Neem me niet kwalijk.' Patrick gaf gas.

'Wacht toch! Luistert u dan toch!' Levasseur hield zich nog aan het raam vast. 'Ik weet van de grot! En dat ze u er vandaan willen houden!'

Patrick remde weer. 'Wat zeg je daar?'

'Ik weet dat er helemaal geen sprake is van hondsdolheid. Ik heb jullie grot bezocht en ik weet waarom Elaine de Rosney jullie er weg wil houden. Ik wil jullie iets laten zien!'

'Vooruit, stap maar in.'

'Neem nu de tweede bosweg rechts,' zei Levasseur toen hij in de auto zat.

'Wat weet je van de grot van Elaine?' vroeg Peter.

'Jullie rol als epidemioloog hebben jullie vrij miserabel gespeeld. Het was dus duidelijk dat ik mij er zelf van moest overtuigen wat er werkelijk aan de hand is op de berg. Ik ben naar boven geweest en ik heb de stalen deur gezien waarmee de grot is afgesloten. Ik weet dat het om een archeologische vondst gaat, die geheim moet worden gehouden en beschermd. Toen wij elkaar de laatste keer zagen, wilde ik u al duidelijk maken dat ik u wel wilde helpen, maar u heeft mij toen niet laten uitpraten.'

'Maar waarom zou je ons willen helpen?'

'Omdat burgemeester Fauvel het gebied voor ontsluiting wil vrijgeven. Hij wil er wegen door laten aanleggen en hotels in laten bouwen. Mij is er veel aan gelegen dat het een landschappelijk beschermd gebied blijft en een afgezette wetenschappelijke vindplaats past helemaal in mijn plannen.'

'Dus je hebt ons bespioneerd?' vroeg Patrick.

'U hebt volkomen gelijk,' zei de boswachter, niet in het minst onder de indruk van de geërgerde toon in Patricks stem. 'En met succes, monsieur. Ik ben er op die manier achtergekomen wie uw opdrachtgeefster in Genève is en waarom het feitelijk gaat bij uw project. En zelfs nog meer. Want wat u niet weet, is dat madame de Rosney in de verste verte niet voor de Verenigde Naties werkt. Zij is daar niet bekend en de telefoonleiding die zij gebruikt heeft is ook niet van de VN!'

'Hoe zit dat?' Patrick draaide zich half naar achter om. 'Wie was dat?'

'Wat ben je te weten gekomen?' vroeg Peter.

'Elaine de Rosney werkt voor de Nuvotec Research and Development Corporation. Dat is een in Zwitserland gevestigde firma met talrijke internationale dochterondernemingen. Zij hebben nauwe contacten met CERN en via omwegen met diverse hightechondernemingen in India en Japan. Ze zijn gespecialiseerd in onderzoek en ontwikkeling van wapentechnologie en steunt alles wat zich daarvoor laat inzetten, robotronica, atoom- en quantumfysica, nanotechnologie, noem maar op.'

'Nu wordt mij iets duidelijk...' zei Peter hoofdschuddend.

'Verrek,' vloekte Patrick. 'Nou zitten we pas goed in de puree! Wie zijn die mensen van Nuvotec? Ik heb nog nooit van die onderneming gehoord.'

'Dat is niet zo verwonderlijk,' verklaarde Levasseur. 'Het is een Amerikaanse firma die haar uiterste best doet onopvallend te blijven. Hebt u ooit van het Philadelphia-Experiment gehoord?'

'Natuurlijk. Het verbaast mij dat jij ervan weet!'

'Ik heb er pas gisteren van gehoord. En destijds was Nuvotec daar al bij betrokken. De firma is om precies te zijn niets anders dan een verre afdeling van de US Navy.'

'Dus toch een militair geheim project,' zei Peter. 'Hemel, hoe konden we zo blind zijn?'

'Fernand, wij moeten die grot beschermen!'

'Ja, dat is mij volkomen duidelijk, en daarom wil ik immers ook helpen. Een militair gebied is het laatste wat ik hier hebben kan. Daar links en dan aan het eind van de weg stoppen.'

'Het is nog veel erger dan dat, Fernand,' verklaarde Peter. 'Het gaat om wat er in die grot zit. Dat mag in geen geval in de verkeerde handen vallen... meer kan ik je er niet van zeggen. Dat is zo goed als het machtigste wapen ter wereld. Wie dat bezit, kan almacht verkrijgen!'

De boswachter keek hem een moment aan. Toen hij Peters ernstige uitdrukking zag, schokschouderde hij ten slotte. 'Als u dat zegt. Mij gaat het erom het gebied te beschermen en de mensen op afstand te houden. En zeker militairen. Ik laat u een geheime weg naar de grot zien.'

'Uitstekend!' zei Patrick.

'En wat kunnen we daarboven dan uithalen?' vroeg Peter.

'Ik weet heel precies wat ik daar kan uithalen! Ik grijp onze doorluchte madame geld-speelt-geen-rol in de kraag en dan krijgt ze van mij een trap in haar reet!'

'Patrick!' zei Peter. 'Wat is dat nou voor taal? Je weet heel goed dat dat onzin is!'

'Ja ja, maar wellicht hebben we een kans om te zien wat daar gaande is, iets waardoor we een aanwijzing krijgen...'

'Daarom vind ik het ook wel een goed idee,' zei Stefanie, 'het is absoluut beter dan niets te doen en bakzeil te halen.'

'Misschien hebben we ook een mogelijkheid nog eens in de grot te komen,' overlegde Peter nu. 'Als zij zo machtig is als wij geloven, dan geeft zij ons misschien ook een oplossing, kan zij ons wat voorkennis doorgeven?'

'Geniaal, Peter,' riep Patrick. 'Dat is nog veel beter! Dus, uitstappen! Fernand, waarheen?'

'Waar zijn we hier eigenlijk?' vroeg Peter, toen ze een poosje door het steeds dichter wordende kreupelhout hadden geploeterd. 'Hoe komen wij voorbij het hek? Het hele gebied is toch afgezet.'

'Niet helemaal,' verklaarde de boswachter, die zijn geweer ondertussen aan een riem over zijn schouder had gehangen. 'Wij naderen de berg nu van de achterkant. Daar is een onbeschermde steile wand.'

'Een steile wand? En hoe moeten we die dan beklimmen?'

'Maakt u zich geen zorgen, professor. Er is een verborgen opgang. En u hebt allemaal goede schoenen aan, dat zou voldoende moeten zijn.'

Het gebied werd steeds onherbergzamer. Grote rotsen en resten van omgevallen bomen hinderden in toenemende mate het lopen. Meer dan eens moesten ze elkaar helpen. Peter was als eerste buiten adem. Hij boog zich voorover en steunde op zijn bovenbenen terwijl de anderen wachtten.

'Is dat daarachter de wand?' vroeg hij ten slotte en wees op een grijze rotsformatie, die tussen de bomen zichtbaar werd.

'Ja, we zijn er zo. Haalt u het, of moeten we nog langer wachten?'

'Ik zou liever zo snel als het gaat in de beschutting van de bergwand zijn,' luidde Patricks bezwaar. 'Hier zijn we gemakkelijk te zien.'

Peter knikte instemmend en ze braken weer op. Toen ze de schaduw van de wand bereikten, werd het plotseling kil. De nacht scheen hier nog niet echt geweken en daarbij voegde zich het vocht van het bos, dat nog door de regen van de laatste nacht was doordrenkt.

'Stop! Wie is daar?' klonk plotseling een stem door het bos.

Ogenblikkelijk doken de onderzoekers achter een rots.

'Verdomme, een van die opzichters!' siste Patrick.

'Hij kan ons niet gezien hebben,' fluisterde de boswachter.

'Kom eruit!' riep de opzichter. 'Dit is verboden gebied.'

'Blijf liggen...' fluisterde de boswachter.

'Ik heb u gezien! Ik zal een waarschuwingsschot lossen als u niet tevoorschijn komt!'

'Blijf liggen... hij kan ons onmogelijk zien...'

'Ik tel tot drie? Een!'

'Misschien ziet hij ons toch,' fluisterde Peter.

'Twee!'

'Rustig blijven...'

'Drie!' Een schot klonk door het bos. Een heel eind verderop hoorden zij het projectiel tegen een steen ketsen en zijdelings wegfluiten. Het volgende ogenblik brak er iets uit het kreupelhout en sprong met veel geraas weg.

'Een ree,' fluisterde de boswachter en duidde naar opzij, waar nog een bruine schaduw tussen de bomen verdween. 'Zie je wel? Hij heeft alleen een ree gezien!'

'Komt u er meteen uit!' hoorden ze weer die stem van de opzichter.

Peter veranderde zijn positie, om door een spleet tussen de rotsen te kijken. 'Hij bedoelt echt ons. Ik kan hem alleen niet zien!'

'Peter!' siste Patrick. 'Houd je gedeisd!'

‘Ik kan u zien! Dit is de laatste waarschuwing!’

‘Verdomme,’ zei Patrick. ‘Wat doen we nou dan? Hij gaat toch niet…’

Op dat moment explodeerde weer een schot en Peter werd aan de kant geslingerd. ‘God!’ riep hij en hij kromde zich van pijn op de grond. Hij was in zijn schouder getroffen. Hij hield zijn hand voor de wond, en tussen zijn vingers begon al bloed te sijpelen.

Stefanie boog zich over hem heen en probeerde hem te kalmeren. Ondertussen schoof de boswachter zijn geweer door de rotsspleet.

‘Fernand!’ riep Patrick. ‘Wat doe je daar verdomme!’

‘Wil je soms dat hij nog een keer schiet of versterking haalt?’ Een ogenblik later schoot hij. ‘Voltreffer.’

‘Wat voltreffer? Heb je die vent neergeschoten?’ Patrick greep de boswachter bij zijn arm. ‘Ben je niet goed bij je hoofd? We zijn hier niet in een oorlog!’

‘O nee?’ Levasseur rukte zich los en keek Patrick aan. ‘En wat, denkt u, moet dat daar voorstellen?’ Hij duidde op de bloedende Peter. Stefanie deed haar best met haar ceintuur en haar trui een drukverband op zijn schouder aan te leggen. ‘Denk je dat die met opzet ernaast geschoten heeft? En wat denk je, dat hij vervolgens met ons had gedaan? Dit zijn mensen van het leger, je moet je niet vergissen!’

Patrick zweeg.

‘Afgezien daarvan heb ik jurisdictie over dit gebied. Wat Nuvotec hier doet is geen officiële vergrendeling, zonder toestemming van de VN. Het gaat hier dus om ongeoorloofd binnendringen en illegale inzet van vuurwapens. Daarentegen is dat wat zojuist is gebeurd, een jachtongeval. Is dat duidelijk?’

‘Ja,’ zei Patrick. ‘Je hebt wel gelijk.’

‘Hoe is het met hem?’ vroeg de boswachter en wendde zich tot Stefanie. ‘Laat me zijn wond eens zien.’

‘Het gaat wel,’ zei Peter. ‘Het brandt alleen als een gek.’

‘Het is een schampschot,’ verklaarde Stefanie. ‘Boven de spier, maar het bloed nogal. Een drukverband is momenteel voldoende, maar hij mag zijn arm niet bewegen.’

‘Moet we u naar een dokter brengen?’ vroeg de boswachter.

‘Nee!’ zei Peter. ‘Daar hebben we geen tijd voor. We moeten naar die grot. Het gaat wel.’

‘Hij heeft gelijk,’ zei Patrick. ‘We moeten ons haasten. Of heeft hij voor klimmen twee armen nodig?’

'Niet voor het klimmen,' verklaarde Levasseur. 'Maar we zullen hem goed moeten steunen.'

'Vooruit dan,' zei Peter en stond met wankele benen weer op. 'Verder!'

De boswachter leidde ze de steile wand langs naar die kleine spleet waardoor hij zelf nog maar een paar dagen geleden omhoog was geklommen. Zij keken daarbij voortdurend om, steeds op hun hoede, om niet nog een keer ontdekt te worden. Maar het bos bleef rustig en toen ze zich door de spleet hadden gewurmd en het daarachter verborgen bredere deel van de kloof hadden bereikt, voelden ze zich weer iets meer in zekerheid.

Peter merkte dat zich iets in hem verspreidde zonder dat hij ertegen kon vechten. Hij leunde een ogenblik tegen de rotswand en ademde diep in. Het koude zweet brak hem uit, hij begon te rillen.

'Peter,' zei Stefanie. 'Je ziet eruit als een lijk! Ga toch even zitten!'

'Heeft hij te veel bloed verloren?' vroeg Patrick.

'Nee,' zei Stefanie. 'Dat kan het niet zijn. Het is waarschijnlijk de schok.'

Op dat moment boog Peter zich abrupt voorover en begon krampachtig over te geven. Toen hij daarbij opkeek reikte Stefanie hem een zakdoek. Hij wiste zijn mond af en ademde een paar keer diep in. 'Het gaat zo wel beter,' zei hij half hardop.

Het duurde enkele minuten voordat de misselijkheid over was. Hij vroeg zich af of Patrick hem nu zo langzamerhand niet voor een uitgesproken slappe zak hield, en of het normaal was dat je na een schampschot meteen bloedsomloopstoornissen kreeg en moest gaan kotsen.

'We kunnen verder,' zei hij ten slotte.

'Je weet het zeker?'

'Ja zeker. Het gaat wel.'

Ze vervolgden hun weg. Zoals de boswachter had beloofd was het niet nodig te klimmen, maar dat wilde nog niet zeggen dat de met gruis bezaaide, sterk hellende ondergrond zo gemakkelijk was dat ze Peter niet moesten ondersteunen, ze kwamen dus maar zeer langzaam vooruit. Na ruim een uur, gelardeerd met enkele pauzes, bereikten ze een uitstekende rots, die als een smalle richel langs de rotswand voerde.

'Van hier kom je aan de voorkant van de berg, boven de ingang van de grot uit,' verklaarde de boswachter. 'Op een paar plekken wordt hij heel smal, dus je moet je dicht tegen de wand aandrukken!'

'Ze zullen ons van beneden kunnen zien,' zei Patrick.

‘Dat klopt. Daarom vanaf nu zachtjes en heel langzaam! En steeds het bos onder ons in de gaten houden.’

Aangevoerd door de boswachter betraden ze het pad. De tweede die volgde was Patrick, toen Peter, Stefanie sloot de rij. Hun opmerkzaamheid was er vooral op gericht dat de Engelsman voor haar niet zijn evenwicht verloor. Een paar keer bleven ze op zijn teken staan en drukten zich zo goed mogelijk tegen de rotswand, terwijl Levasseur om de hoek of in de diepte keek. Maar er was niemand te zien, geen spoor van een of andere activiteit.

‘Kennelijk zitten ze allemaal nog in het kamp,’ zei Patrick. ‘We hebben een goede kans ongemerkt het hol te bereiken!’

‘Dat ligt zo meteen pal onder ons,’ verklaarde Levasseur. ‘Kijk maar: daar is de lijn voor de klim. Daar verderop kunnen we naar beneden.’

Onder aanwijzingen van de boswachter klommen zij op het terras dat een paar meter onder hen lag. Voor Peter, die zich maar met één hand kon afzetten en vasthouden, was het een aangelegenheid die hem het deed uitbreken en al zijn concentratie vergde. Hij voelde zich als een vlieg in een spinnenweb, bijna hulpeloos en duidelijk zonder enige bescherming aan alle blikken uitgeleverd. Onder hem gaf Patrick hem steun, terwijl Stefanie boven hem er op bedacht was hem desnoods te kunnen grijpen. Toen hij ten slotte met beide benen op het terras voor de ingang van de grot stond, was hem duidelijk dat hij deze weg niet nog een keer terug zou kunnen afleggen.

‘De stalen deur is vergrendeld,’ klaagde Levasseur, die in de tussentijd de ingang had onderzocht.

‘Dat geeft niks, we hebben daar een sleutel voor,’ zei Patrick. Hij ging naar het slot, rommelde er wat om enkele ogenblikken later zijn veiligheidssleutel woedend op de grond te smijten. ‘Wat een klootzakken!’ vloekte hij.

‘Ze hebben toch niet binnen één nacht dat slot kunnen verwisselen,’ meende Peter, met een blik op de massieve constructie.

‘Nee, maar wel die verdomde code die in het slot ligt opgeslagen,’ zei Patrick, ‘helaas leven we in de eenentwintigste eeuw.’

‘Sta of ik schiet!’ Kwam plotseling een stem van onderen. Daar zagen ze op de open plek aan de voet van de helling onder hen twee opzichters staan, hun wapens op hen gericht. ‘Komt u meteen naar beneden! En u, legt u dat geweer daar op de grond!’ De onderzoekers keken elkaar aan. ‘Dat ziet er slecht uit,’ meende Patrick. ‘Misschien kunnen we ons hier verschansen…’

'Wat mij betreft heb ik er genoeg van,' was Peters bezwaar. 'Als jij de belegering en de slachtpartij van Montségur wil naspelen, dan zonder mij.'

'Hij heeft gelijk,' zei de boswachter. 'Ik denk dat dit het was.'

'Dat denk ik ook,' zei Stefanie. 'Laten we maar naar beneden gaan.'

De boswachter legde zijn geweer met langzame, duidelijk zichtbare bewegingen op de grond en begon langs de lijn de helling af te dalen. De anderen volgden hem, waarbij Stefanie weer de rij sloot en op de verwonde Peter lette, die zich slechts met één hand aan de lijn kon vasthouden en dus nogal traag was. Steeds weer moest hij even blijven staan. Zijn hand en de spieren van zijn gezonde arm brandden van inspanning, maar er was geen andere mogelijkheid. In zijn ervaring duurde het een eeuwigheid voor hij eindelijk weer vlakke grond onder zijn voeten voelde.

De beide opzichters waren in de tussentijd enkele stappen naderbij gekomen, de wapens nog steeds op hen gericht.

'Legt u de handen op het hoofd!' beval een van hen.

'Ik kan één arm niet optillen!' riep Peter en keerde hem zijn zij met zijn verband toe.

'Dan tilt u alleen de andere op. Maar geen merkwaardige bewegingen!'

Ze deden wat van hen verlangd werd en de opzichters kwamen op hen af. Peter viel het op dat deze mannen totaal anders waren dan de opzichters uit het kamp. Terwijl de laatsten altijd nogal uniform hadden geleken – natuurlijk! militairen! – zagen deze twee er heel anders uit. Ze waren niet geschoren, ze hadden lang haar... en ze hadden ook niet dezelfde blaffers... Dit waren geen opzichters!

Op hetzelfde ogenblik kwam een witte landrover het bos uit de open plek oprijden. Die scheen uit het kamp te komen. Toen hij remde, vlogen de portieren op de van hen afgewende kant open.

'Laat die wapens vallen!' klonk een luide stem.

De mannen die de onderzoekers onder vuur hadden, keken elkaar een tijdje geïrriteerd aan. Toen liepen ze weg en openden daarbij het vuur op de wagen. Afgezien van het bedrieglijk onschuldig klinkende metalen gekletter van hun halfautomatische wapens hoorde je ook het inslaan van de kogels in het blik van de auto.

'Liggen!' riep Levasseur en wierp zich op de grond. De anderen volgden zijn voorbeeld.

Een van de beide mannen bereikte net een groepje bomen, om daarachter dekking te zoeken, toen hij plotseling een halve meter ter zijde werd geslingerd. Het gebeuren verliep in Peters ogen als vertraagd: hij zag hoe de man door een onzichtbare energie werd getroffen, eventjes van de grond ging, hoe zijn hoofd ter zijde schoot, en een donkerrode sproeinevel aan de andere kant van zijn schedel eruit spoot. Als in een gruwelijke enscenering van het experiment met Schrödingers kat, nam Peter die ondefinieerbare, eindeloze tijd waar, waarin de man op de grens tussen leven en dood scheen te hangen, toen zijn hart nog pompte, zijn zenuwen en spieren nog werkten, en hij als bevroren in de lucht hing, daarbij zijn wapen omklemmend. Toen klapte het lichaam als een hoop slachtvlees op de grond. Peter keek de andere kant op.

'Gewoon blijven liggen,' fluisterde de boswachter.

De andere man scheen de reddende bomen bereikt te hebben, want van hem was geen spoor meer te zien.

Een tijdje lang bleef het rustig.

'Wat waren dat voor lui?' vroeg Peter.

'Ik denk dat dat de aangekondigde huurlingen van Fauvel waren,' meende Patrick.

'Hoe zijn die door de afzetting gekomen?' vroeg Peter.

Op dat moment werd de auto weer onder vuur genomen. Dit keer kwam het vuur van verscheidene kanten uit het bos om hen heen. Heel duidelijk had de burgemeester meer dan slechts twee huurlingen in de arm genomen.

Nog twee terreinwagens kwamen nu uit het bos en vormden een muur met de eerste. Weer vlogen de portieren open en dit keer kwamen er zes mannen uit die zich verspreidden.

'Houd op met schieten!' viel kort daarop een stem door een megafoon uit de richting van de auto te horen. 'Wij waarborgen vrije aftocht, als jullie ophouden met schieten en tevoorschijn komen!'

Ten antwoord werden ook de pas aangekomene wagens met salvo's besproeid. Glassplinters sprongen op de grond. Banden vlogen aan flarden.

Plotseling klonk een luid sissen en over de open plek vloog een stuk geschut. Het was onevenredig langzaam voor zijn omvang, het kwam van de wagens en trok een spoor van rook achter zich aan, om te verdwijnen tussen de bomen aan de andere kant. Kort daarop volgde een flits en een oorverdovende ontploffing. Een hagel van grond en houtsplinters viel uit de lucht.

Toen was het opeens rustig. Niemand schoot meer.

'En nu tevoorschijn komen! Met de handen omhoog!' klonk weer de stem uit de megafoon.

Tussen de bomen uit verscheen geleidelijk aan zo'n tien man, die op de open plek ging staan. Ze waren nu ongewapend en gaven zich over.

Tegelijkertijd kwamen nu ook de opzichters achter de verwoeste wagens te voorschijn, met de wapens in aanslag. Het waren in feite niet meer mannen, maar ze waren duidelijk beter uitgerust.

'Ik denk wel dat we nu kunnen opstaan,' zei Patrick. Ze gingen staan. Stefanie steunde daarbij Peter, die er grote moeite mee had. Zij zag dat op enkele plaatsen het bloed weer door zijn verband was gekomen. Hij had zich gewoon veel te veel bewogen.

Nog terwijl de partijen op de open plek tegenover elkaar lagen, kwam er nog een auto aanrijden. Dat was een nieuwe, donkerblauwe Grand Cherokee en die was ook niet voorzien met het vervalste opschrift van de volksgezondheidsautoriteiten. Hij reed langs de lek geschoten wrakken en stond een paar meter voor de onderzoekers stil.

Uit die auto stapte Elaine de Rosney.

Ze zag er anders uit. Anders dan in Genève, had ze nu rubberlaarzen aan, een spijkerbroek en een zwart windjak. Haar strenge blik streek over de gezichten van de aanwezigen, voordat ze zich tot een opzichters wendde.

'Wat is hier aan de hand?'

'Toen wij deze vier mensen wilden arresteren, zijn wij door deze mannen aangevallen, madame.'

'Wie is dat? Hoe komen die hier, en wat moeten die?'

'Dat weten we nog niet, madame. Wij zullen ze in het kamp ondervragen.'

'Begrepen. Trekt u zich terug met uw mannen en met dat tuig. De vier onderzoekers blijven hier.'

'Wilt u iemand voor steun hier houden?'

'Dat is niet nodig. U kunt gaan.'

'Kom jongens,' riep de opzichter tegen de anderen. 'Je hebt het gehoord! Ingerukt, mars.'

Ze zetten zich in beweging en na enkele ogenblikken stonden de onderzoekers met Elaine alleen op de open plek. Ze trok een pistool uit haar zak.

'Waarom hebt u zich niet op afstand gehouden?' vroeg zij. 'Was ik niet duidelijk genoeg? Ik hoop dat ik geen onaangenaamheden van jullie te wachten heb!'

'Onaangenaamheden?' liet Patrick zich ontvallen. 'Jij kunt nog heel wat anders van ons verwachten! Wat voor rol speel jij hier eigenlijk?'

'Monsieur Nevreux, niet zo onstuimig. Ik heb u het project gegeven, en nu neem ik het u ook weer af. Juist voor u zou dat toch geen nieuwe ervaring moeten zijn.'

'Weet je eigenlijk wel waarom het hier gaat?' vroeg Patrick nu. 'Dit hier is de grootste vondst in de geschiedenis van de mensheid!'

'Ja wel degelijk, dat is overduidelijk. Ik dank u voor uw werk. Alle twee. U zult uw afgesproken honorarium inmiddels op uw bankrekening aantreffen. Maar wat u aangaat, Frau Krüger, ben ik nog niet klaar. Zou u mij kunnen verklaren wie u bent? Ik heb u niet in dienst genomen! En in mijn firma kent ook niemand u.'

'Ik heb mijzelf in dienst genomen, madame,' antwoordde Stefanie. 'En tot nog toe is dat niet nadelig geweest voor het project.'

Elaine keek haar een ogenblik aan, wilde wat zeggen, bedacht zich toen en wendde zich tot de boswachter. 'En wie bent u?'

'Dat is D'Artagnan, onze vierde musketier,' sprak Patrick.

'U denkt zeker dat u grappig bent,' beet Elaine hem toe.

'Ik ben de boswachter van dit woud,' antwoordde Levasseur.

'Wel aan dan,' sprak Elaine, 'dan staan hier dus alle mensen bij elkaar die het ware geheim van de grot kennen... een zeldzame verzameling. En zo zal zij ook nooit meer bij elkaar komen. Want zoals u wellicht al bedacht hebt, zal ik de grot onder mijn verantwoordelijkheid nemen. En hoe zegt men dat ook alweer: verantwoordelijkheid is ondeelbaar. U vier zult dus niets meer met de grot van doen hebben en niets meer met mij, wanneer dan ook.' Ze lachte de anderen toe. 'En nu het zover is, kan ik u ook zeggen dat u niet met onopgeloste raadsels naar huis hoeft. Ik wist natuurlijk van meet af aan dat wij hier te maken hadden met het Archief van Kennis van de tempeliers. Daarvoor heb ik de legende en de geschiedenis lang genoeg nagezocht. Ik weet welke goddelijke macht ze kan verspreiden! Ik wilde alleen weten hoe je erin komt. Dankzij uw speurneus hebben wij deze noot in recordtijd kunnen kraken.'

'Dus u bent ook op de hoogte van de kring van Montségur?' vroeg Peter.

'Het symbool op de grond?' antwoordde Elaine. 'Natuurlijk. Dat is immers niets anders dan de symbolische plattegrond van het hol. Om dat te weten, hoef ik er nog niet in geweest te zijn.'

Peter keek naar Patrick die geen vin verroerde, maar die het zeker niet ontgaan was dat Elaine daarmee duidelijk slechts de halve waarheid kende.

'Welnu, genoeg gekletst. Ik ga nu de grot in, en ik moet er natuurlijk voor zorgen dat u geen domheden kunt gaan uithalen. Daarom neem ik u mee naar de passage. Het Sanatorium Henry Taloir staat al klaar voor nieuwe gasten. Uw honorarium moet natuurlijk uiteindelijk ergens voor gebruikt worden. En wat u aangaat, Frau Krüger, van u moet ik nu reeds afscheid nemen.'

Ze haalde de trekker over. Stefanie werd naar achteren geslingerd, viel op de grond en bleef roerloos liggen.

'NEE!' schreeuwde Patrick en wilde op haar af springen, maar Elaine drukte hem het pistool in de buik. 'Laat dat,' sprak ze.

Bliksemsnel liet hij zich aan de kant vallen en sloeg daarbij Elaines hand omhoog. Er ging een schot af, dat langs zijn oor floot. Nog een keer sloeg hij naar haar pols en dit keer sloeg hij het pistool uit haar hand. Zonder zich verder nog te bekommeren om dat mens, stortte hij zich op Stefanie en knielde naast haar neer. 'Mon Dieu!' stamelde hij en streelde over haar gezicht. Onder haar vormde zich al een bloedplas.

Peter stond er nog steeds bij alsof hij er niets van snapte, terwijl Levasseur Elaines pistool uit een kuil viste, het keurde en wild probeerde de modder uit de loop te schudden. Ten slotte gooide hij het gefrustreerd weg.

Patrick zat tegenover hem. Hij had tranen in zijn ogen. 'Zoek toch een van de wapens die die huurlingen in het bos hebben achtergelaten! En schiet die verdomde hoer daarna overhoop!'

Levasseur rende naar de bosrand.

Peter keek om.

Elaine de Rosney was weggerend in de richting van de berghelling en was al halverwege omhooggeklommen.

'Shit!' riep hij. 'Patrick! We krijgen haar niet op tijd te pakken! Ga achter haar aan! Ik kan het niet!'

Patrick wilde meteen wel antwoorden, toen Stefanie haar ogen opsloeg. Patrick deinsde achteruit.

'Ik regel dat wel even,' zei zij met rustige stem en ze stond op.

Onbegrijpelijk en als versteend staarde Patrick Stefanie aan. Ze was opgestaan en liep met grote schreden naar de helling.

'Maar ze is dood!' riep Patrick ten slotte uit.

'Dit kan niet waar zijn...' zei Peter en keek verbijsterd naar Stefanie, hoe zij langs de lijn omhoogklom alsof er niets aan de hand was. In de tussentijd had Elaine het geweer van de boswachter opgeraapt en was net bezig met de stalen deur.

'Ik heb er een!' hoorden ze Levasseur uit het bos roepen, en kort daarop kwam hij met een wapen de open plek op gerend. Maar op dat moment verdween Elaine al uit het zicht.

'En wat is dat dan?' voeg de boswachter ongelovig toen hij Stefanie zag.

'Ik heb geen flauw idee...' zei Patrick. Toen verdween ook zij in de grot.

De drie mannen bleven alleen op de open plek in het bos, keken naar boven en hadden geen flauw idee wat er ging gebeuren.

Wat ze verwachtten was dat ze geroep zouden horen, schoten of geschreeuw, maar het bleef stil. Een griezelige stilte daalde over hen neer.

Bos noch wind maakten het minste geluid.

Zij hoorden zichzelf ademen, zij hoorden het bloed in hun oren stromen.

En opeens gebeurde het.

Uitdijende, ringvormige golven werden zichtbaar in de lucht voor de berghelling en plotseling schoot fonkelend blauw licht uit de rots. Een onuitsprekelijke kracht was losgebroken. Een ogenblik later hoorden de mannen het gedreun van een geweldige explosie, de drukgolf kwam op volle kracht tegen hen aan en slingerde ze achterwaarts op de grond. Hoog boven hen zagen ze het uit zijn hengsels getrokken stalen schot als een speelkaart door de lucht fladderen.

De grond onder hen trilde, de hele berg voor hen schudde en gromde. En toen bewoog hij, scheen in het midden een stuk voorover te buigen. Puin kwam los.

'Vooruit, weg hier!' riep Patrick. Hij sprong op, trok Peter aan zijn gezonde arm omhoog en ze stormden over de open plek in de richting van de auto's en de bomen.

Het kabaal van de berg achter hen werd harder en met een klap zakte de hele helling in. Door het plotselinge gewicht en de inslag werden stukken steen naar alle kanten weggeslingerd, die als kanonskogels door het woud vlogen en bomen in hun pad afmaaiden.

Terwijl achter hen de Vue d'Archiviste implodeerde, en de open plek in het bos met een metershoge puinlawine bedekte, vluchtten de drie mannen door het bos, slechts om hun leven te redden en zich in veiligheid te brengen. Pas na enige tijd drong het tot hen door dat daar achter hen nu elk schriftteken, elk raadsel en ook elk leven onder miljoenen tonnen steen tot stof was vermalen.

Epiloog

18 mei, Volkenkundig Museum te Hamburg

'Parijs: de voorzitter van de Franse partij PNF, Jean-Baptiste Laroche, is vanmorgen dood aangetroffen in zijn huis aan de periferie van Parijs. Een woordvoerder van de politie wilde geen inlichtingen geven over de precieze omstandigheden van zijn overlijden, maar verklaarde dat er aanwijzingen waren voor zelfmoord met een vuurwapen. De invloedrijke zakenman en oprichter van de rechts-nationalistische partij Laroche gold tot voor amper een week als kanshebbend presidentskandidaat, toen hij door een aanklacht wegens landverraad de voorpagina's haalde. Tegelijkertijd had het Britse dagblad *Sun* bericht dat Laroche zichzelf aanzag voor een verwant van Jezus Christus, wat hem vervolgens de hoon der media in beide landen had bezorgd. Zoals een woordvoerder van de PNF op een persconferentie meedeelde...'

Peter zette de radio uit toen er op de deur van zijn kantoor geklopt werd. 'Binnen.'

Patrick Nevreux kwam binnen. Licht gekleed, maar net geschoren, lachte hij hem toe. 'Zo, maatje! Leuk je te zien!'

'Patrick, de vreugde is geheel mijnerzijds!' Hij wees op de oude stoel voor zijn schrijftafel. 'Ga zitten! Wat brengt je hier? Je gaat me toch niet vertellen dat je me gemist hebt?'

'Welnee, wat denk je nou! Ik was toevallig in de buurt en ik dacht: ik ga eens bij die ouwe professor kijken.'

'Wat goed van je!' Peter bezag Patricks weifelende blik op de stoel geamuseerd en verwachtte eigenlijk dat de Fransman, nadat hij zich aarzelend had gezet, de voeten op tafel zou leggen. Maar Patrick bleef zitten en keek om zich heen. 'Mooi kantoor,' zei hij toen. 'Een beetje eentonig, vind je niet?'

'Ik mag niet klagen. Het is tenminste ongevaarlijk.'

'Ja, daar heb je gelijk in.'

'En hoe is het met jou?' vroeg Peter. 'Moet je nog vaak aan haar denken?'

'Aan Stefanie? Ja. Ik mis haar... Ze had het niet verdiend. En toch vraag ik me steeds weer af wat wij zonder haar hadden bereikt. Ik heb geprobeerd erachter te komen waar ze vandaan kwam, of ze ook familie of naaste verwanten achterliet. Maar er was niets te vinden. Ze was op een merkwaardige manier anders, vind je ook niet?'

'Ik had vaak het gevoel dat ze iets voor ons verborg,' gaf Peter toe. 'De manier waarop ze zich altijd op de achtergrond hield en toch steeds degene was die ons verder bracht. Vreemd altruïstisch was ze. Hoe zij zelf ondanks haar zware verwonding nog achter Elaine aan ging... denk je dat ze zich bewust voor de grot heeft opgeofferd?'

'Wie weet... Maar ik heb ook over die grot nagedacht. Misschien had niet iedere vrouw die zomaar kunnen betreden. Dat zou ook geen erg goede bescherming zijn geweest, vind je wel, als een paar miljard mensen van het vrouwelijk geslacht gewoon binnen konden wandelen? Maar misschien was Stefanie echt anders. Misschien was zij inderdaad de hoedster van mysteriën... Op een heel andere manier dan wij ooit vermoed hebben.' Patrick zuchtte diep. 'Nou goed dan, we zullen er nooit achterkomen...'

'Nee, dat vrees ik ook.' Peter zweeg even. 'Maar zeg eens,' begon hij toen weer, 'hoe is het met jou die laatste dagen gegaan? Heb je nog een gesprek gehad met Levasseur?'

'We hebben niet veel besproken,' zei Patrick. 'De mensen van Nuvotec zijn nogal snel – natuurlijk onverrichter zake – vertrokken en de dikke Fauvel heeft zijn trawanten ook teruggefloten. Levasseur heeft hem er op de een of andere manier van kunnen overtuigen dat het bij de Vue d'Archiviste om seismische activiteit ging, dermate sterk dat hele bergen kunnen instorten en je het gebied dus beslist niet kunt bebouwen. Dat heeft Fauvel geslikt.'

'Dus daar is alles weer bij het oude. Alsof er nooit iets was gebeurd, zal die grot in de vergetelheid verzinken. Ze is onherroepelijk verloren. En wij twee zijn net zo wijs als een paar weken geleden.'

'En vele tienduizenden euro's rijker.'

'Ja, dat klopt.'

'En alsof het toeval het wilde, moest ik daarom aan jou denken,' zei Patrick en pakte zijn sigaretten. 'Ik mag toch?'

'Je maakt me nieuwsgierig. En wat dat roken betreft: uiteraard niet.' Met deze woorden en met een schalks lichtje in zijn ogen greep Peter naar een doos tabak en een pijp uit zijn pijpenrek en begon die zorgvuldig te stoppen.

Patrick grijnsde naar de Engelsman, stak zijn sigaret op en nam een diepe haal. Toen blies hij de rook naar het plafond.

'Weet je,' sprak hij, 'ik heb nagedacht.'

'Nee.'

'Over ons onderzoek, over die idioten, die we ontmoet hebben, over vage flauwekul die ze ons aan de neus hebben gehangen en de enorme hoeveelheid zaken die ze duidelijk weten...'

'Aha...'

'En ik dacht, Patrick, ouwe jongen, van hem kun je nog wat leren.'

'Is dat zo?' Peter deed een lucifer ontvlammen, wachtte een ogenblik en ontstak vervolgens zijn pijp ermee.

'Ik weet dat jij hier in het museum klust,' verklaarde Patrick. 'Dat is beslist heel spannend. Maar nu, nu wij allebei een beetje speelgeld hebben, wil je misschien wel eens wat afwisseling?'

'Wilde je mij uit eten vragen?'

'Niet direct... nou ja, misschien houden we er wel een etentje aan over... Goed, afgesproken, een diner inclusief. En dan vertel ik je van mijn ideeën. Het heeft met oude culturen te maken. En met de zoektocht naar verdere Archieven van Kennis.'

Peter trok een wenkbrauw op en keek de Fransman een poosje zwijgend aan. Toen greep hij een papiertje en schoof hem dat toe over de tafel.

Patrick pakte het, las en stond verstomd.

'Mijn adres in Lissabon?'

'Ik wilde morgen een vlucht boeken en je in een of ander Portugees visrestaurantje over diezelfde ideeën onderhouden.'

Patrick keek hem verbaasd aan. 'Twee zielen één gedachte hè? En wat was jouw doel? Ik had eigenlijk vagelijk aan piramides gedacht...'

Peter schoof een tentoonstellingsbrochure van het museum over de tafel naar Patrick toe. Afgebeeld was de Steen van Rosetta en daarboven het opschrift: '5000 jaar schrift. Met een bijzondere inleiding van de hand van professor Peter Lavell: Egypte – wieg der beschaving?'

18 mei, herenhuis bij Morges, Zwitserland

Op het gazon voor de feodale villa stond een helikopter, waarvan de rotoren langzaam draaiden. Steffen van Germain wierp een laatste blik op het geheel. Een prachtige locatie, die hem lang ten dienste had gestaan. Maar zoals altijd liep elke tijd eenmaal af. Als je iets nieuws begint, moet het oude wijken. Net zoals de gebeurtenissen in de Languedoc hun einde vonden in de verschrikkelijke verwoesting van de archieven, en het doel dus meteen op een nieuw begin kwam te liggen.

Even had hij getwijfeld of ze alles wel goed gedaan hadden. Zoals altijd nam hij het zichzelf kwalijk, vanwege het vele wat ze over het hoofd hadden gezien en wat tot verschrikkelijke gebeurtenissen had geleid. Zoveel bloed vergoten, zoveel misplaatste ijver, zoveel verloren kennis. Het was altijd hetzelfde, sinds mensenheugenis. Maar hij wist ook dat hij niets anders had willen beslissen. Ze moesten het er steeds weer op laten aankomen. Ze moesten waarnemen, ze moesten sturen als dat van pas kwam en altijd weer nagaan of de tijd wel rijp was. Op een dag zou het wel zover zijn. Dan zou een van die archieven zijn bestemming vinden.

Hij draaide zich om, stapte in de helikopter en ging naast Jozef zitten, die het portier sloot.

'Ben je klaar, Steffen?' vroeg de jongeman.

'Ja. Het kan beginnen.'

Toen wendde van Germain zich tot de vrouw die tegenover hen zat. Haar blonde haren vielen over een schouder, aan de andere kant had zij die achter het oor geklemd. Ze zag er nadenkend uit, zij het ook uit andere gronden dan hijzelf.

'Je moest het wel kapotmaken,' sprak hij. 'Het was het enige juiste, Johanna.'

'Dat weet ik... maar daar zit ik ook niet zo over in.'

'Denk je soms nog aan hem?' vroeg hij.

'Ja. Hij was op een onbeschaamde manier beminnelijk. En hij had een goed hart. Het is een hele tijd geleden dat iemand om mij tranen heeft vergoten.'

'Het spijt mij,' sprak van Germain. 'Werkelijk. Maar het was je eigen besluit.'

'Ja,' zei ze. En met een bevestigend knikje voegde zij eraan toe: 'En het was ook goed zo.'

De helikopter steeg langzaam de hoogte in en vloog met een lus over het terrein. Hij volgde de uitrit, vloog over de poort, klom toen en verdween in de verte.

Voor de poort was een groot bord geplaatst, waarop de villa stond afgebeeld. Daarboven stond in grote letters: *A vendre* – Te koop.

Nawoord van de schrijver

Wie in de ban wil blijven van de magie van de fictie moet het volgende niet lezen. Niet iedereen wil altijd antwoord hebben op alle vragen, niet alles hoeft verklaard te worden en het betoverendste geheim blijft evenzogoed een geheim. Maar er zijn ook mensen die liever begrijpen dan beleven.

In dit boek heb ik historische feiten vermengd met traditionele en moderne mythen en legenden en getracht de voegen tussen die bouwstenen met grofweg bij elkaar gelogen fictie te stoppen. Het is bezwaarlijk hier alles uiteen te zetten zonder in net zulke langdradige verklaringen te vervallen als professor Lavell. Maar enkele trefwoorden mogen op deze plaats genoemd worden.

De vesting van Montségur bestaat echt. Hoog boven op een berg in de Languedoc, schijnbaar vrijwel ontoegankelijk, staat vandaag de dag nog een beklagenswaardig randje van de buitenmuren. Slechts een gedenkbordje wijst er tegenwoordig op dat deze vesting eenmaal een zo tragische rol heeft gespeeld. Wat Peter vertelt over de geschiedenis van de Languedoc, over de Katharen, over de kruistochten tegen de Albigenzen en de belegering van Montségur, is in de kern daadwerkelijk de stand van de huidige wetenschap. Dat geldt ook voor de informatie over de tempeliers, de Merovingen en de legenden van de Rozenkruisers. Natuurlijk heeft ook Maarten Luther bestaan, wiens Bijbelvertaling algemeen is geworden, hoewel ik mij hier de vrijheid heb gepermitteerd hem met de Rozenkruisers in verband te brengen en intensieve belangstelling voor de kabbala toe te dichten. Een 'Broederschap van de Ware Erfgenamen van het Kruis en de Roos' bestaat weliswaar net zomin (althans mij niet bekend) als een 'Missie des Lichts', een 'Hand van Belial' of een 'Tempel van Salomo'. Overeenkomsten met daadwerkelijk bestaande organisaties, groeperingen, firma's of personen is onopzettelijk en puur toeval.

Wie enigszins thuis is op de gebieden die in dit boek worden aangesneden, zal vele details en oude bekenden tegenkomen, die getuigen zijn van mijn enthousiasme en in elk geval van de slagvelden van mijn onderzoek. Mocht dit de onbevooroordeelde lezer allemaal inmiddels een verzameling warrige hersenschimmen toeschijnen, dan spijt mij dat oprecht.

Wat de gedeeltelijk individuele vertalingen van de Hebreeuwse, Latijnse en Oud-Griekse teksten betreft, gaat mijn dank uit naar Ioannis Chatziandreou, Hans Eideneier, Klaus Pradel, Lauri Lehrmann, Martin Conitzer, Georg W., Christian P. Görlitz, Eva Feldheim, Leonard S. Berkowitz, Hans Zimmermann en de medewerkers van het Oudtestamentisch Instituut van de Universiteit van Hamburg, voor de tijd en de moeite waarmee zij zich gewijd hebben aan mijn onalledaagse eisen.

Zeer verheugd was ik ook met de steun van Patrick Rocher van het Institut de Mécanique Céleste et de Calcul des Ephémérides (het IMCCE) in Parijs, die mij precieze datum van een in de Languedoc zichtbare zonsverduistering in de dertiende eeuw heeft berekend en me zelfs een kaartje heeft toegestuurd.

Geweldige inspiratie waren de theorieën van Henry Lincoln, Michel Baigent en Richard Leigh, wier boeken over een mogelijk voortbestaan van de bloedlijn van Jezus en die geheime orde, de 'Priorij van Sion', hun sporen in deze roman hebben achtergelaten.

Niet vergeten mogen worden al diegenen die ik mijn tekst in de diverse ontstaansfasen te lezen mocht voorleggen. De belangrijkste was daarbij mijn collega-schrijver René Rose, die vanaf het zakelijk niveau tot in de filosofische sferen alle aspecten van het leven, het schrijven en het wezen der dingen in het algemeen beheerste: toi toi daar in Berlijn!

Hartelijk dank aan mijn agent Joachim Jessen voor de begeleiding tot nog toe, mijn redactrice Linda Walz en mijn redacteur Gerhard Seidl, dank voor de waardevolle hulp bij het bijvijlen. En ten slotte heel veel dank aan mijn kinderen voor hun geduld ('Laat papa nou eens rustig schrijven') en mijn vrouw Martina, die mij zo gesteund heeft en zelfs in mij geloofde toen ik op het punt stond alles in de kachel te stoppen. Alleen aan jouw kracht en doorzettingsvermogen is het te danken dat de spannende reis nu kan doorgaan.